P9-AOY-535

Дарья Донцова

Стилист для снежного человека

Москва

2005

ИРОНИЧЕСКИЙ ДЕТЕКТИВ

Глава 1

Человек не способен лизнуть свой собственный локоть. Девяносто процентов тех, кто прочитал вышенаписанную фразу, сейчас выворачивают руку, дабы на практике проверить: так это или нет. Увы, люди устроены таким образом — никогда не верят тому, что прочитали в книгах, не слушают старших и не учатся на чужих ошибках. Ну сколько можно повторять: курить вредно! Ан нет, даже зная, что его ждет рак легких, перемежающаяся хромота и прочие напасти, индивидуум тянется к сигаретам. А уж какое количество статей написано о пьянстве! И что? Кто-нибудь бросил пить? Еще очень нехорошо прелюбодействовать. Все бы ничего, живи мы этак в семнадцатом веке, вот когда для неверных супругов были созданы все условия. Муж уезжал на войну, самолетов, компьютеров и мобильных телефонов, вкупе с системами подсматривания, сами понимаете, тогда еще не придумали. У оставшейся дома жены имелось полным-полно свободного времени, и дамы успевали не только пустить к себе любовника, но даже родить незаконно зачатого младенца и отдать его на воспитание, прежде чем муженек, усталый и израненный, возвратится в родные пенаты. Жаль только, что шалуньи прошлых веков не имели гормональных средств контрацепции. Но ведь не может же быть у человека полного счастья?! Вот мы, например, получили контроль за рождаемостью, но одновременно с ним приобрели и СПИД. Еще неизвестно, что хуже: лишний младенец или иммунодефицит. Я бы выбрала для себя первый вариант, в конце концов, можно что-то наврать, объяснить присутствие в доме непонятно откуда взявшегося ребенка вполне логично. Ну, допустим, тоскуя о любимом муже, плакала на опушке леса. Вдруг издалека послышался писк, и, о восторг, на берегу речки обнаружилась корзинка с изумительно здоровым малышом. Иначе как чудом такое и не назвать! Так что оправдать появление новорожденного легко, со СПИДом хуже, лечить его пока не умеют.

И вообще, это только кажется, что научно-технический прогресс принес человечеству одни блага. Вот, допустим, Интернет. Если бы не Всемирная паутина, наши близкие приятели Мила и Костя Звонаревы... Но лучше начну рассказывать по порядку.

В четверг, седьмого октября, я лежала на диване в гостиной, тихо радуясь, что наш коттедж в Ложкине имеет автономное отопление. За окном ревела буря. Время едва подобралось к обеду, а на улице стоит непроглядная темень, хлещет ливень, завывает ветер. Клацая зубами, я сбегала в топочную, поставила котел на максимум, потом налила себе огромную кружку обжигающего чая, положила туда шесть ложек любимого варенья из клюквы, шлепнулась на софу, завернулась в толстый, пушистый плед, сунула в ноги апатично сопящего Хучика, под правый бок Черри, под левый Жюли, раскрыла новый детектив, вдохнула запах типографской краски, отхлебнула из чашки и с блаженством подумала: я самая счастливая женщина на свете, лежу в огромном доме, в полном одиночестве, в окружении любимых собак и не прочитанных пока криминальных романов. Сейчас погружусь в увлекательные приключения, уплетая шоколадные конфеты. Никуда не надо идти, ничего делать не нужно, а главное, никому не придется радостно улыбаться, потому что, крайне редкий случай, в нашем доме нет гостей, две «лишние» комнаты стоят пустыми. Вот оно, счастье!

Правая рука потянулась к шоколадке, левая машинально погладила сопящего Хучика, безграничная радость затопила меня с головой. На всех этажах царит тишина, прерываемая лишь мерным похрапыванием псов и урчанием кошек, стук дождя по черепичной крыше навевает сон... Может, пока отложить томик Устиновой и вздремнуть? Вкусная конфета таяла во рту, веки начали слипаться и...

Др-р-р-р, — надрывно понеслось из холла, — др-р-р-р!

Я села и насторожилась. Чей-то палец уверенно и упорно нажимал на звонок. Противный, въедливый звук несся по гостиной. Мое тело окаменело, может, человек, кто бы он ни был, поймет: дома никого нет — и уедет?

Внезапно звон прекратился. Вот здорово,

сейчас я со спокойной совестью снова возьмусь за конфеты.

Тук-тук-тук, — раздалось слева.

Моя голова машинально повернулась, через стекло большого окна виднелась большая фигура в темной куртке. Поняв, что я ее заметила, неизвестная личность принялась яростно размахивать руками, демонстрируя то ли буйную радость, то ли запредельное негодование.

Делать нечего, пришлось вставать и тащиться в прихожую.

— Ты что, оглохла? — сердито спросила фигура, увидав меня. — Я замерз, как собака.

Потом уже опознанный мною объект стащил огромную шляпу и с еще большим гневом заявил:

— Чем ты вообще занимаешься? Полчаса на пороге прыгал, хорошо в конце концов догадался вокруг здания обойти. Гляжу, сидишь себе на диване.

— Я заснула, — соврала я, — входи, Костик.

Ну вот, кайф поломан. В гости невесть по какой причине пожаловал Звонарев, муж моей давнишней приятельницы. Интересно, что Косте надо?

— И где твоя прислуга? — гудел Костя, вытряхиваясь из куртки. — Вот ключи от машины.

— Зачем она тебе? — удивилась я.

— Пусть сходят, загонят тачку в гараж и принесут оттуда чемодан, — заявил Звонарев, пытаясь короткопалой пятерней пригладить давно не стриженные волосы.

Сердце тревожно екнуло. Чемодан?! Костя что, решил у нас поселиться? Ну навряд ли! Они с

Милой имеют вполне приличную квартиру, не слишком, правда, просторную, пятикомнатную. Может, кому-то из вас мое заявление о тесноте их апартаментов покажется хамством, но вместе с Костей и Милой проживают еще две престарелые родительницы: теща и свекровь. Когда Звонаревы сочетались браком, у них на каждого имелась нормальная жилплощадь. После свадьбы Мила переехала к мужу, спустя пару месяцев ее мама, Нина Алексеевна, принялась капать дочери на мозги.

— Да, — зудела родительница, — понятно. Воспитывала я дочь, недосыпала, недоедала и вырастила утеху! Ты бросила мать.

Мила попыталась вразумить мамочку, но куда там! Нина Алексеевна лишь добавила децибелов в крик, и спустя шесть месяцев молодые перебрались на жилплощадь жены.

Звонаревы наивно полагали, что подобная рокировка убережет их от скандалов. Но как они ошибались! Не прошло и дня после переезда, как гудки принялась издавать Елена Марковна, мамуля Кости. В отличие от прямолинейной и эгоистичной Нины Алексеевны хитрая Елена Марковна, профессор и доктор наук, не стала опускаться до вульгарных скандалов, она избрала иную тактику.

— Я пойду на все ради счастья сына, — торжественно заявила Елена Марковна. — Костя, мальчик мой единственный, не надо думать о тяготах и тоске, которые навалятся на мать после твоего отъезда, я готова к любым испытаниям, только будь счастлив. Мои слезы — это ерунда!

Провожаемый подобным напутствием, Костя мрачно перетащил чемоданы в машину. Но не успели молодые разложить вещи в другой квартире, как раздался звонок от Елены Марковны. У той внезапно случился приступ тахикардии. Костя ринулся назад, вызвал врача... Целый месяц потом вечера у Звонаревых проходили стандартно. Не успевали молодые, поужинав, лечь в кровать, как оживал Костин телефон и соседка, именно она, а не сама Елена Марковна, тревожно кричала:

— Господи! Плохо-то как вашей маме! Очень болит голова (живот, рука, нога, сердце, печень, почки, желудок, легкие, глаза, уши, у нее ангина, отит, колит, гастрит, менингит, бурсит, гланды-аденоиды). Она не хочет вас волновать, но, поверьте мне, умирает!

Лично у меня сложилось стойкое ощущение, что Елена Марковна не поленилась сходить в книжный магазин и приобрести там справочник практикующих врачей всех специализаций. Иначе откуда пожилой даме знать о симптомах редкой лихорадки Око, встречающейся лишь у жителей одного из островов Полинезии? Да девяносто девять процентов московских докторов и слыхом не слыхивало об этой заразе, что, между прочим, очень хорошо! А Елена Марковна не просто замечательно описала симптомы, но еще и ухитрилась сама поставить себе диагноз! Мать обняла Костю и прошептала:

— Это, наверное, страшная лихорадка Око! Понятия не имею, где ее подцепила, может, ехала в метро около бациллоносителя.

Через полгода прессинга у Милы стала непроизвольно дергаться шея, а у Кости началась аллергия на все. В конце концов Звонаревы переехали назад к Елене Марковне, оставлять в одиночестве столь больную старушку было жестоко. Стоит ли продолжать рассказ? Думаю, все понимают, какие истерики принялась закатывать Нина Алексеевна. Подобный образ жизни, мотаясь туда-сюда, Звонаревы вели довольно долго, мамы никак не желали угомониться.

В результате несколько лет назад Костя принял историческое решение: они съезжаются все вместе. Не стоит думать, что милые мамочки начали счастливо жить около обожаемых детей, поливать цветочки, вязать носки и печь булки. Нет, в семье перманентно идут военные действия. Елена Марковна и Нина Алексеевна постоянно выясняют, кто в доме самая главная и кто из них более больна. Но теперь Косте, по крайней мере, не приходится мотаться по ночной Москве.

— Так принесут мой чемодан? — нервно воскликнул приятель.

— Извини, — потупилась я, — Ирка получила выходной, садовник Иван отправился в питомник за какими-то елками, их, оказывается, сажают в холодное время.

— А где Аркадий? — перебил меня Костя.

Следовало возмутиться и спросить:

— С какой стати мой сын должен тащить твои вещи?

Добро бы Костя был хромоногий, но он вполне здоров и молод для того, чтобы лично притащить свой собственный багаж.

Но вместо этого я задала совсем иной вопрос:

— Да что случилось?

— Все, — заорал Костя, — дай водки! Поживей поворачивайся!

Я испугалась. Костя совсем не хам. Конечно, как все мужчины, он считает, что женщина создана для того, чтобы его обслуживать, но Звонарев достаточно воспитан и предваряет просьбу вежливым «пожалуйста», и потом, он совсем не пьет!

— Водки, — визжал Костя, идя по длинному коридору в столовую, — поллитровку и огурец!

Я заметалась между кухней и комнатой, где у нас в окружении двенадцати стульев стоит огромный стол.

Опрокинув в себя несколько рюмок, Костя вдруг устало сказал:

— Убью ее!

— Кого? — отшатнулась я.

— Милку!

— Свою жену?

— Сука она, — снова взвился Звонарев и схватился за стопку.

Лишь через час я сумела уяснить суть дела.

У Кости на рабочем месте стоит компьютер. Более того, он имеет возможность во время работы заходить в чаты своих единомышленников. Тот, кто пользуется Интернетом, очень хорошо знает, что во Всемирной паутине можно легко найти друзей по интересам. Вот и Костя полазил по сусекам и наткнулся на тусовку часовщиков. Звонарев с детства обожает механизмы, показывающие время. У него дома четверо напольных и штук восемь настенных часов, которые постоянно бьют, чем доводят случайно зашедших гостей до обморока. Но Костя в восторге, а свое свободное время он проводит, реанимируя брегеты.

Так вот, очутившись среди таких же сдвинутых часовщиков, Костя дико обрадовался и сразу стал завсегдатаем тусовки. Очень скоро Звонарев почувствовал живейшее расположение к человеку под именем Кара. Для тех, кто никогда не «чатится», поясню, что в Интернете пользователь, как правило, появляется не под своим именем, он присваивает себе так называемый ник. А если по-простому, берет псевдоним, причем, как вы догадываетесь, у одного индивидуума может быть хоть тысяча прозвищ. И еще: скрывшись под другим именем и хорошо зная, что лица собеседника в чате не увидать, многие люди делаются откровенными, выплескивают со дна души кто помои, кто страхи, кто беды. В общем, Интернет — огромное поле, где процветают плохо реализованные люди, и мой вам искренний совет: никогда не встречайтесь в реальной жизни с тем, кто произвел на вас самое положительное впечатление при виртуальном знакомстве, потому что ваш рыцарь, красавец, спортсмен, тридцатипятилетний умница, обладатель всех земных благ на поверку может оказаться тринадцатилетним тинейджером или плешивым толстячком с пятью детьми, не имеющим средств на сигареты.

Костя общался с Карой довольно долго. За это время он успел рассказать ей о своей нелегкой доле: не слишком любимой работе, житье вместе с мамой, маленьком доходе... В принципе,

Звонарев не соврал девушке, он только не стал сообщать о жене. Наоборот, постоянно пел, что не имеет около себя родной души, что очень одинок, что его не понимают... И ведь здесь Костя снова не кривил душой. Отношения с Милой у него в последние два года сильно испортились. О разводе речи не шло, но муж с женой более не испытывали особых радостей от совместной жизни. Любовь сменил спокойный быт, устоявшиеся привычки и рутина. Бурление крови прошло, с глаз свалились розовые очки. К тому же Милу Костя теперь знал вдоль и поперек, изучил все ее реакции и лишний раз не затевал с супругой разговора. Да и зачем? И так понятно, как Милка отреагирует, если услышит фразу:

— Давай съездим в воскресенье на один день в Питер, сбегаем на «блошку», поищем часы!

— Нечего ерундой заниматься, — взвизгнет супруга, — хочешь, вали сам! Я лучше в свободное время по обувным магазинам прошвырнусь.

В Миле больше не было ничего загадочного, необычного. Впрочем, когда-то она легко подхватывалась и радостно ехала с Костей, но, увы, время подчас убивает любовь. И вообще, Костя понял: они с Милой очень разные.

Кара же показалась ему родной душой. Одинокая, без семьи, она жила вместе с мамой, ходила на тягостную службу, перекладывала бумажки. Но в душе Кара считала себя художницей, она прислала Косте кое-какие свои рисунки, и Звонарев пришел в полный восторг.

Дальше — больше, парочка стала общаться

посредством «аськи»[1]. И в конце концов Костя предложил:

— Давай встретимся!

Кара согласилась, свидание было намечено на сегодняшний день. Звонарев удрал с работы и, купив букет, с бьющимся сердцем явился в условленное место: маленькое кафе «Ириска».

Когда Костя вошел в харчевню, посетительница была в зале одна, сидела спиной к двери. Звонарев подошел к столику, кашлянул и тихо спросил:

— Ты Кара?

Женщина засмеялась:

— Да. — Она обернулась.

Из горла Кости вырвался вопль, потом он уронил букет. Было от чего оторопеть. Перед обалдевшим Звонаревым сидела Мила.

Глава 2

Рассказывая мне сию трагикомическую историю, Костя то плакал, то ругался и, когда домой вернулись Аркадий, Зайка и Маша, почти заснул в гостиной, устав от истерики.

Кое-как Кеша доволок его до спальни и положил на кровать.

— Как же Мила не поняла, что общается с мужем? — удивлялась Машка.

Я пожала плечами.

---

[1] Компьютерная программа «Ай си кью». При ее помощи вы можете переписываться друг с другом и вести диалог.

— Понятия не имею.

— И зачем она полезла в тусовку часовщиков? — не успокаивалась Маруська. — Ведь знала, что супруг фанат часов. В Интернете полно чатов, где можно найти мужчину, ну с какой дури заходить туда, где тусуются единомышленники супруга?

— Завтра поговорю с Милой и все выясню, — пообещала я.

— Надо же быть такой идиоткой! — воскликнул Кеша.

— Ага, — кивнула я, — Костя дико зол, обещает убить Милку!

— Кабы он хотел лишить ее жизни, — усмехнулся Аркадий, — придавил бы в кафе в состоянии аффекта. Ерунда это, насчет убийства. Просто разведется!

— Может, помирятся, — вздохнула Манюня.

— Навряд ли, — насупился Аркашка, — она же ему изменила.

— Нет! — закричала Маня. — У них было первое свидание!

— Нравственное предательство хуже физического, — заявил наш адвокат, — она прикинулась свободной женщиной.

— Он сам хорош, — напомнила Зайка, — проделал то же самое! Назвался холостяком.

— Что позволено Юпитеру, не позволено быку, — заявил Кеша.

— Значит, вы боги, а мы коровы? — взвилась Маня.

— Какая ерунда, — зашипела Зайка, — ну пококетничала она немного, право, не стоит даже внимания обращать на такую малость!

Аркадий стал совсем мрачным.

— Я бы не простил!

Ольга изогнула правую бровь.

— Да? Даже меня?

— Тебя в особенности! — рявкнул муженек.

Зайка стала медленно наливаться краской.

— Ах так!

Не стану утомлять вас подробностями скандала. Скажу лишь, что в тот момент, когда в столовой вдруг установилась нехорошая тишина, грозное затишье перед тайфуном, собаки, всегда тонко чувствующие надвигающуюся бурю, шмыгнули в коридор. Увидав спешную эвакуацию стаи, я вскочила и, быстро пробормотав:

— Ой-ой! У меня в спальне окно открыто, пойду закрою, — ринулась за торопливо ковыляющим Хучиком.

Гневный крик Зайки застиг меня на пороге собственной комнаты. Я быстро заперла дверь и села в кресло около стола. Хучик шумно вздохнул.

— Да, милый, — сказала я, поглаживая шелковую шерстку мопса, — на этот раз нам с тобой повезло, успели увернуться от пуль и стрел. Сиди теперь в спальне, не высовывайся, если не хочешь быть растоптанным боевыми слонами.

На следующее утро небо опять висело над землей серой подушкой. Может быть, поэтому мои глаза распахнулись лишь около полудня. Отчаянно зевая, я спустилась вниз и обозрела столовую. Так, мебель цела, окна тоже, на ковре не видно подсохших луж крови, следовательно, Аркадий жив.

— Ну и погода, — занудела Ирка, внося в столовую вазу с астрами, — льет и льет! Закончилось лето! У меня депрессия.

— И чего ты ждала в октябре? — улыбнулась я. — Нет причины для отвратительного настроения. В России непогода начинается в августе, климат у нас такой. Вот если бы летом снег пошел, тогда, понимаю, было бы от чего расстраиваться. А так! Осень, она и есть осень!

— Ну с летом нам тоже не шибко повезло, — вздохнула Ирка, — хорошо еще, что в этом году оно пришлось на выходные!

Я хихикнула и перевела разговор на другую тему.

— Где все?

— Так рабочий день, — пожала плечами Ирка.

— А Костя?

— Еще в семь уехал.

— Ты у него в комнате убери, — распорядилась я, — вещи развесь, то, что помялось, погладить надо.

— Какие вещи? — вытаращила глаза Ирка.

— Костя поругался с женой, — стала я растолковывать домработнице, — он временно поживет у нас!

— А вот и нет, — радостно воскликнула Ира, — утром он кофе попил и сказал Аркадию: «Ну, спасибо, поеду». Кеша ему говорит: «Оставайся, хочешь — твоим разводом займусь?» А этот Костя как заорет: «Еще чего, судиться со всякими! Пристрелю, и дело с концом». Хлопнул дверью и унесся. Никакого чемодана не оставлял. Во мужики...

Я перестала вслушиваться в бормотание Ирки. Значит, Костик решил вернуться домой, слава богу, он не останется у нас! Просто счастье. Может, я покажусь вам жестокой эгоисткой, которая радуется, что докучливый гость отправился восвояси под предлогом физического уничтожения жены, только Костя вовсе не собирается пристреливать Милу. У него и оружия-то нет. Думаю, супруги повздорят, повыясняют отношения и помирятся. Мне лезть в это дело не следует. Милые бранятся — только тешатся.

Я выпила кофе и решила заняться разбором гардероба. Следует навести в шкафу порядок, убрать тонкие, летние вещи, перевесить поближе осенние кофточки, пересмотреть обувь, изучить шарфы, перчатки... Во всяком случае, дня на три работы хватит, а там посмотрим, чем заняться. Если честно, мне в жизни делать нечего, а идти на службу не хочется. Перспектива вбивать в головы юношей и девушек знания французской грамматики совершенно меня не радует. А больше ничего я не умею!

Но валяться день-деньской на диване тоже не способна. Многие женщины, не желающие трудиться на благо общества, успешно реализуют себя на ниве домашнего хозяйства, превращаются в истовых кулинарок, самозабвенных бабушек, вяжут, шьют... Но я не люблю готовить, рукоделием заниматься тоже. Аньку и Ваньку мне не доверяют, справедливо полагая, что избалую малышей до безобразия. Поэтому я очень рада, когда находится некое дело, не слишком занудное, занимаясь которым я не сойду с ума от тоски и злости.

Не успела я направиться к лестнице, чтобы подняться на второй этаж, как йоркшириха Жюли, залившись истерическим лаем, рванула в прихожую. У нас живет много собак, но среди них всего два пса, Банди со Снапом, призваны служить охраной. От престарелой пуделихи Черри и меланхоличного Хучика никто не ждет караульной работы. Но вот парадокс! И пит, и ротвейлер даже не вздрагивают, если в дом пытается войти чужой человек. Прыть и агрессию проявляет лишь йоркшириха. Наивные люди, увидав впервые, как на них налетает существо, похожее на волосатого таракана, умиляются до слез, наклоняются и, сюсюкая: «Уси-пуси, мы, оказывается, лаять умеем», пытаются погладить Жюли.

И это их большая ошибка. Несмотря на крохотный рост и отсутствие веса, Жюли отважна. В ее маленькой, цыплячьей груди бьется сердце тигра. Йоркшириха полна стремления защитить свою территорию и всех живущих на ней. Поэтому, заметив около своей морды чужую длань, Жюли ничтоже сумняшеся вцепляется в пальцы опрометчивого незнакомца. Зубы у нее мелкие, острые, и работает ими она, словно строчит на швейной машинке, быстро-быстро, больно-больно.

Кстати, любого из наших псов можно купить. Банди продаст родную мать за блинчики, Снап мигом побежит за куском вульгарной колбасы, Хучик теряет остатки воспитания при виде пастилы, а Черри готова на любые поступки, желая получить сыр. И только Жюли гордо отвергает подачки, из чужих рук она не возьмет ничего!

— Гав-гав, — заливалась сейчас йоркшириха.

— Иду! — крикнула Ирка.

— Скажи, никого дома нет, — малодушно попросила я.

Но наша домработница плохо видит грязь и пыль, а слушать хозяйские указания ей недосуг. Поэтому, проигнорировав мои слова, Ира распахнула дверь и заорала:

— Здрасти, здрасти! Дарь Иванна! К вам пришли!

— Придушить тебя мало, — шепнула я домработнице, потом, навесив на лицо самую радостную улыбку, воскликнула:

— Мила! Какими судьбами?

Звонарева поставила на пол бочкообразную сумку.

— Не выгонишь, если поживу у вас? Мы с Костей разводимся.

— Очень рада! — закивала я, потом спохватилась: — Конечно, не тому, что вы разрываете отношения, а твоему приезду.

— А я вот испытываю истинное счастье, — топнула ногой Милка, — просто эйфорию, когда думаю, что наконец-то лишусь милого супруга и его отвратительной, гадкой, мерзкой, косорылой маменьки...

Я сочувственно кивала головой, чувствуя, как меня охватывает тоска. Все, день пошел прахом.

Увы, мои самые мрачные предчувствия оправдались. До ужина Мила безостановочно рассказывала о своей жизни и о той ситуации, которая поставила семью Звонаревых на край развода. В ее интерпретации события выглядели не так, как у Кости.

Оказывается, Мила совершенно случайно попала в чат. Ей на электронную почту пришло письмо с предложением заглянуть на сайт некой фирмы, торгующей книгами по искусству. Звонарева набрала адрес, поняла, что влезла невесть куда, хотела уходить, но тут ее внимание привлек парень по имени Конрад. Ни о каких часах они не беседовали, Конрад обожал, как и Мила, театр, поэтому беседа крутилась вокруг последних постановок. И на свидание Мила отправилась лишь с одной целью: Конрад, оказывается, служит в театре под руководством режиссера Бродько и пообещал своей знакомой билеты на премьеру. Мила обрадовалась: увидеть постановку Бродько почти невозможно, коллектив выступает в крохотном зале, места в основном занимают его знакомые. Поэтому Мила, естественно, ответила «да» и помчалась в «Ириску» на встречу.

С Конрадом она виртуально общалась всего ничего, два раза, и беседа шла лишь о театре!

Я молча кивала. Спорить с Милой бесполезно. Пересказать ей мою беседу с Костей? А смысл? Что изменится? Ну поймаю я Милку на лжи, мне-то от этого не горячо и не холодно!

Внезапно Милка заревела и унеслась в ванную. Я пошла за ней и тихо спросила:

— Может, теперь, когда мы вдвоем, расскажешь правду?

— Ты мне не веришь? — всхлипывала Звонарева.

— Ну...

— Я очень люблю Костю, — вдруг заявила Мила, — затеяла все это лишь для того, чтобы... э, да ты не поймешь! И никто не поймет! Вышла глупость, я не на такое рассчитывала!

— А на что ты рассчитываешь? — быстро спросила я.

Но Мила молча вытерла лицо и ушла.

Когда домой вернулись все члены семьи, Мила повторила свой рассказ. Аркашка никак не отреагировал на услышанную информацию, Зайка тоже промолчала, даже Маня ухитрилась удержать язык за зубами, лишь Дегтярев с милицейской простотой поинтересовался:

— А чего ты в кафе поперлась?

— Билеты взять, — простонала Мила, — два, для себя и мужа! Всегда о нем заботилась — и вот награда!

— Так попросила бы пропуска у администратора оставить, — продолжал удивляться полковник, — так всегда поступают.

— Но он предложил «Ириску»!

— И чего? Ты могла отказаться!

Мила залилась слезами.

— Вот вы какие! Ясно! На стороне Кости находитесь. Меня вон! Хороши друзья! Все! Ухожу! Повешусь! Под поезд брошусь!

Машка понеслась обнимать Милу. Зайка метнула в Александра Михайловича убийственный взгляд.

— А чего, — залопотал Дегтярев, — я только спросил!

— Довел бедняжку до слез! — воскликнула я.

— Не следует изменять мужу, — вдруг очень спокойно заявил Кеша.

— Меня тут ненавидят! — заголосила Мила. — Хороши друзья! Пришла в тяжелый момент жизни, попросила помощи! Все! Ухожу! Дашка, вызови такси!

— Моя мать, — хорошо поставленным голосом человека, приученного часами выступать перед аудиторией, заявил Аркадий, — носит имя Дарья. Она не коза, чтобы откликаться на Дашку!

Я поперхнулась, а Мила вскочила, уронила на пол тарелку от безумно дорогого сервиза и завизжала:

— Понятно, гоните меня вон!

— Сядь, — велела Ольга, — успокойся. Никто тебе не запрещает у нас оставаться.

— Как же, — в режиме ультразвука вещала Мила, — а этот...

Щеки Зайки слегка порозовели.

— Этого зовут Аркаша, — процедила она, — если ты забыла, напомню. Воронцов Аркадий, мой муж!

— Ага, — ехидно прищурилась Мила, — все вы тут мужья с женами! Отличненько устроились! Думаете, раз не в Москве живете, так о вас и не говорят. Ошибаетесь! Кстати, Дашка, народ в непонятках пребывает. Отчего ты со старым ментом связалась? Вроде денег полно, неужто никого поприличней не нашла, а?

Я уткнулась носом в чашку и сделала вид,

будто очень увлечена чаем. Знаю Милу много лет и очень хорошо понимаю: сейчас она не владеет собой. У нее есть одно, сильно осложняющее ей жизнь качество. Если Милка разволновалась, испугалась или на всех обиделась, она начинает нести чушь, пересказывать услышанные сплетни. А последних Мила знает просто неимоверное количество, потому что госпожа Звонарева обожает ходить по тусовкам. В нормальном состоянии Милка ведет себя вполне прилично и никогда не «щиплет» собеседника. Но стоит ей потерять душевное равновесие, как гадости начинают вываливаться из нее и разбегаться, подобно тараканам, застигнутым врасплох яркой вспышкой света. Поэтому сейчас злиться на Милку нельзя, она неадекватна. Единственное, что меня на данном этапе удивило, это то, что, оказывается, люди до сих пор обсуждают наши отношения с Дегтяревым, я наивно считала, что все давным-давно успокоились и занялись более животрепещущими новостями.

— С меня довольно! — рявкнул Аркадий.

Потом он встал, схватил Милку за локоть и вытолкнул в коридор со словами:

— До свиданья, более никогда не приходите сюда. Вам отказано от дома.

Аркадий, постоянно выступающий в суде и регулярно читающий для собственного удовольствия речи великих юристов прошлых лет — Плевако, Кони и иже с ними, — иногда начинает говорить, словно персонаж из девятнадцатого века. «Вам отказано от дома».

— Пошла на фиг! — заорала Зайка, бросаясь за Милкой.

— Вали отсюда, — подхватила Машка.

Я снова уткнулась в чашку. Вот это по-нашему! «Пошла на фиг» и «Вали отсюда», а то — «Вам отказано от дома».

— Сволочи! — всунулась назад Милка. — Ага! Суки богатые! Чтоб ваши деньги вместе с домом сгорели! И... и... желаю уроду сдохнуть!

Изящный пальчик Милы, украшенный старинным кольцом с большим изумрудом, ткнул в Хучика.

Я вздохнула. Мила совсем потеряла голову, случается с ней на нервной почве такая петрушка. Завтра будет, плача, просить у нас прощения. Но вот ведь какая! Вроде ей плохо, с мужем разлад, а дорогое колечко нацепить не забыла. Мила не так давно приобрела это старинное украшение в скупке, в Питере, и теперь постоянно ходит с ним, изредка приговаривая:

— Да, жизнь-то как изменилась! Запросто могу себе теперь изумруды покупать! Экая красота, снимать не хочется!

Словно почувствовав, что в его адрес сказали гадость, мопс вздрогнул и заскулил. В ту же секунду Машка схватила вазочку с вареньем и метнула ее в Милу. Манюню с детства отличает полнейшая неспособность попасть мячом в кольцо, поэтому сейчас хрустальное корытце угодило в стену. Темно-красная вязкая субстанция медленно потекла по светло-бежевой поверхности. Зайка молнией кинулась к Миле, в руках она сжимала бамбуковый поднос. Звонарева побежала по коридору, Аркадий, тяжело дыша, открыл дверь, ведущую в сад, и вышел на террасу, прямо под противный мелкий дождь.

— А ну наподдай ей, — закричала Маша, подлетая к Александру Михайловичу, — эй, проснись!

Дегтярев опустил журнал.

— Что?

— Давай, догони Милу, — злилась Машка, — ей надо вломить!

— Кому? — заморгал полковник.

Манюня рассердилась еще сильней.

— Ты ничего не слышал?

— Ну...

— Журнал читал!

— Да, — признался Александр Михайлович, — очень интересная статья попалась, про королевский двор...

— Тут скандал, все орут, а он с журналом! — подскочила Машка.

Александр Михайлович ухмыльнулся.

— Так у нас всегда кричат! Если на каждый вопль внимание обращать, облысеешь!

Манюня глянула на обширную плешь, украшающую макушку Дегтярева, и захихикала. Я постаралась спрятать улыбку.

— Что-то случилось? — решил вклиниться в реальную жизнь полковник.

Машка раскрыла рот, и тут из прихожей раздался сначала звонок домофона, потом стук входной двери, затем крик, шум и вопль, ужасный, леденящий душу. Подобные звуки человек способен издавать лишь в крайних случаях.

Не задумываясь, мы все вместе ринулись в прихожую.

В углу, около встроенного шкафа, обнаружилась красная, растрепанная Зайка. Губная помада у Ольги размазалась, тушь с ресниц стекла на щеки. На пороге маячил... Костя, около его ног высился темно-коричневый, перетянутый ремнем чемодан. А посреди прихожей, на красивой серобежевой плитке, лежала Мила. Руки ее были широко разбросаны, ноги поджаты. Мое сердце екнуло.

— А ну подвинься, — велел мне Дегтярев и шагнул к Миле.

Окружающие стояли молча, словно играя немую сцену из бессмертной комедии Гоголя «Ревизор». Александр Михайлович наклонился к Звонаревой, потом присел около нее, затем быстро вытащил из кармана мобильный, нажал на кнопки и сухо велел:

— Игорь? Немедленно к нам, всех. Да, сюда, в Ложкино. Пока не знаю.

Потом он спрятал сотовый в карман и резко спросил:

— Что произошло? Отвечайте четко, дело серьезное.

— Я выбежала из комнаты, — прошептала Маня, тыча пальцем в неподвижно лежащую Милу, — по дороге потеряла тапки и остановилась.

— А я ее догнала, — подхватила Зайка, — и треснула подносом!

— Бамбуковым? — уточнил Дегтярев. — Тем, что со стола прихватила?

— Ага, — кивнула Ольга.

— Дальше, — потребовал полковник.

— Она обернулась и сказала...

— Что? Говори!

— Ну... пошла ты ...! ...! — выпалила Зайка.

— Продолжай.

— Больше она ничего не говорила.

— Упала?

— Нет, подлетела к двери, а тут звонок.

— Он затрещал в ту секунду, — вступила в разговор до сих пор молчавшая Ирка, — когда Людмила как раз замок открыла. Створка распахнулась, а там... Костя!

— Он ее схватил, — перебила Ирку Ольга, — и давай бить. Во, по щеке!

— Ага, по левой стороне!

— Затем в живот.

— И в спину.

— Как закричит: «Убью на...!»

— Скрутил Милку, через колено перегнул.

— Да, да, точно, прямо всю ее так вывернул и орет: «Ща попляшешь, попрыгаешь, будешь знать, как по мужикам шляться».

— Милка как завопит...

— Угу! Во весь голос, а он ей в рот что-то сунул!

— Я ничего не совал, — отмер Костя.

— Я все видела, — затопала ногами Зайка, — руку ей прямо между зубами засунул.

— Нет!

— Да.

— Нет!!!

— Да!

— А ну замолчите! — рявкнул полковник.

Неожиданно присутствующие послушались. Пару секунд в холле висела тишина, затем из коридора послышались шаги, и голос кухарки Катерины спросил:

— Чего вы тут раскричались? Ой! Случилось что? Мама! Ей плохо! Надо врача звать. Дарь Иванна, ну чего столбом стоите, живенько на охрану звоните, пусть хоть наша Анна Сергеевна из медпункта придет. О господи! Где телефон? Сама звякну.

— Не надо, — резко ответил Дегтярев.

— И че? — уперла руки в бока Катерина. — Оставить человека так? Не видите, ей плохо!

— Мила умерла, — ответил полковник, — ничего не трогайте, наши уже едут.

Я вцепилась в косяк.

— Ты уверен?

Александр Михайлович кивнул.

— Да, Аркадий, уведи женщин, пусть в столовой сидят.

Ирка завизжала и опрометью ринулась в свою комнату. Зайка закрыла лицо руками, Маня стала пятиться ко входу в баню, я же перестала вдруг слышать, перед глазами откуда ни возьмись появилась серая вуаль. Сквозь трясущееся полотно тумана я увидела, как Костя сначала пошатнулся, а потом упал прямо у входа.

Глава 3

Следующие дни были заполнены неприятными хлопотами. Тело родным отдали не сразу, а лишь после того, как соответствующие специалисты сделали вывод: Людмила Звонарева погибла от яда неизвестного происхождения.

Я не буду детально описывать сейчас процедуру в крематории, сами небось понимаете, что никаких положительных эмоций никто не испытывал. У Милы с Костей было огромное количество знакомых. На погребение явились все. Стояли, словно нахохлившиеся вороны, и тихонько перешептывались, но стоило кому-нибудь из нашей семьи возникнуть возле группы только что беседовавших людей, как воцарялась тягостная тишина. Впрочем, поведение знакомых было понятно: Мила погибла в нашем доме, следовательно, по мнению сплетников, мы причастны к преступлению. Справедливости ради следует отметить, что подобной точки зрения придерживались подружки Милы и Нина Алексеевна. Когда гроб тихо поехал за бархатные занавески, мать Людмилы выпрямилась и, ткнув пальцем в меня, звонким, сильным, мигом перекрывшим печально-величавые звуки «Реквиема» голосом сказала:

— Вот они, убийцы! Это в их доме и с полнейшего согласия хозяев была зарезана моя несчастная Милочка!

Толпа зашепталась, я ощутила себя голой среди волков. Машка прижалась ко мне и воскликнула:

— Мы-то при чем? И потом, Милу же отравили!

Нина Алексеевна сжала губы и стала надвигаться на девочку. Еще секунда, и в ритуальном зале могла начаться совершенно отвратительная драка. Но тут откуда ни возьмись появились Стас Махалкин и Родя Власов, два закадычных приятеля Кости. Первый мгновенно схватил Нину Алексеевну и бесцеремонно вытолкал на улицу. А второй подскочил к нам.

— Маша! — с укоризной сказал он. — Ты же взрослая, чтобы понимать: похороны не лучшее место для выяснения отношений.

— А чего она врет? — сопротивлялась Манюня. — Милу отравили не мы, а Костя. Я хорошо видела, как он ей сначала в рот руку засунул, а потом Мила упала, и все! Он ей яд на язык положил!

Родя прищурился.

— Да, мне известно, что ваша семья, несмотря на долгие годы дружбы со Звонаревым, в момент испытания утопила его своими показаниями. Ты видела таблетку яда?

— Нет, — ошарашенно ответила Машка.

— Зачем тогда оговорила человека? — процедил Родя. — Это ведь не в Барби играть.

Маня стала белой, словно лилии, которые какой-то умник принес на кремацию.

— Никого я не оговаривала, рука Кости...

— Можешь ничего не объяснять, — отмахнулся Родя, — твоя позиция понятна без слов.

Пробормотав сию фразу, Родион отступил влево и смешался с группой мужчин и женщин, смотревших на нас с Машкой, словно домашняя хозяйка на невесть откуда взявшихся крыс. И мне стало понятно: мы тут парии. Милочкины подружки и приятели Костика, до сих пор не слишком любившие друг друга, сейчас оказались под властью одной эмоции: они ненавидят нас.

— Может, не ехать на поминки? — тихо спросила я у Зайки.

— Только хуже будет, — шепотом ответила Ольга.

Пришлось садиться в машину и рулить по хорошо известному адресу. Но не успели мы с Машкой войти в прихожую, как из глубины квартиры вылетела Нина Алексеевна и, схватив девочку за плечо, просипела:

— Ни стыда ни совести нет! Явились, не запылились! Вас звали? Думаешь, если твоя мать спит с полковником милиции, так вам все можно? Конечно, вас-то прикроют, убийцы!

Маня, успевшая стащить с себя ботинки, всхлипнула и прямо босиком ринулась на улицу. Я не удержалась, лягнула Нину Алексеевну ногой и воскликнула:

— Ах ты старая, мерзкая жаба!

На язык просилось много самых разных злых слов, но произнести их мне не дал Александр Михайлович. Дегтярев ухватил меня поперек талии и поволок из квартиры. Как назло, в этот момент в коридоре и вестибюле толпилось полно людей, кто пришел помянуть Милу. Я схватилась за косяк, последние остатки воспитания растаяли, словно кусок мыла в горячей воде.

— Да как вы смеете, — закричала я, — мы не

виноваты! Костя убил Милу, мы сами чуть не умерли, когда увидели ее тело!

Полковник легким движением руки взвалил меня на плечо, пронес сквозь строй осуждающе молчавших людей, поставил в лифт и рявкнул:

— Дура!

Из моих глаз полились слезы, Александр Михайлович прижал меня к себе.

— Ну тише, тише! Все обойдется.

Я навалилась на полковника, вдохнула запах хорошо знакомого одеколона и зарыдала сильнее. В этот момент лифт добрался до первого этажа и услужливо распахнул двери. Яркие вспышки света озарили полутемную кабину, несколько человек с фотоаппаратами стояло в подъезде.

— Разрешите пройти, господа, — каменным голосом заявил Дегтярев.

— Вы тот самый полковник? — быстро спросил один из папарацци.

— Дарья, ответьте на пару вопросов, — налетел второй.

Александр Михайлович выпихнул меня на улицу, в состоянии, похожем на сон, я добралась до машины и увидела около «Пежо» босую, зареванную Машку.

— Садитесь, живо, — велел полковник, открывая дверь своего черного «Запорожца».

Корреспонденты, увидав, что жертвы собрались улизнуть, бросились вперед, выставив на изготовку свои камеры.

— Дарья, правда, что вы ревновали Милу?

— Звонарева жила с полковником?

— Вы видели яд?

— За что вы ненавидели семью Звонаревых? — выкрикнул самый молодой парень, такой рыжий, что у меня заболела голова.

— Уроды, — зашипела Маня.

— Молчи! — рявкнул полковник, заводя драндулет.

— Ублюдки! — рявкнула Маруська и, спустив вниз стекло, выставила наружу известную комбинацию с торчащим вверх средним пальцем. — Вот вам ответ!

Дегтярев с такой силой нажал на газ, что я пребольно стукнулась головой о торпеду. Ругать Машку не стал никто, наверное, неприлично признаваться в этом, но я бы с огромным удовольствием показала журналюгам тот же жест.

Кстати, вас, наверное, заинтересовало, отчего похороны Милы привлекли внимание средств массовой информации? Простите, я совершенно забыла сказать, кем была Милка. В свое время она окончила ВГИК[1] и долгие годы прозябала в неизвестности, снимаясь в крохотных эпизодах. Но несколько лет тому назад фото Милы попалось на глаза могущественному режиссеру. Мэтр вдохновился и дал непопулярной актрисе центральную роль в сериале, над которым потом самозабвенно рыдала вся страна. И началось. Милку просто стали рвать на части. Ее не смущало, что предложенные роли были похожи, словно новорожденные гуппи. Во всех фильмах Мила изображала бедную, тихую, маленькую, всеми оби-

---

[1] ВГИК — Всесоюзный государственный институт кинематографии.

жаемую крошку, этакую смесь Золушки и белой мыши. Но именно данный образ у Милы получался великолепно, а ее лицо, с глазами, полными слез, обожали брать крупным планом операторы. Некоторые люди шагают к вершинам славы постепенно, а Мила получила славу разом, огромным куском, но не в молодости, а в том возрасте, когда актрисе уже нечего надеяться на роль Джульетты.

Во вторник я поехала на станцию, чтобы купить свежие бублики.

— Дарь Иванна, — закричала газетчица, высовываясь из своего ларька, — а тут про вас столько понаписали!

Я уже рассказывала как-то, что Ложкино стоит в лесу, около него никаких магазинов нет. Правда, на территории поселка имеется лавка, но в ней не торгуют ничем хорошим. Поэтому все приходится привозить из Москвы, только хлеб и газеты можно купить относительно недалеко, если доехать до платформы железной дороги. Услугами станционной торговли пользуются практически все обитатели Ложкина, поэтому нас на вокзале великолепно знают.

Я приблизилась к ларьку.

— Обо мне? Написано в газете? По какой причине? Вы, наверное, ошиблись.

— Здеся, — ткнула корявым пальцем баба в аршинный заголовок, — тут и фотка есть, вы с полковником. Знаете, Дарь Иванна, не обращайте внимания. Это просто зависть. Во как вам свезло: и богатая, и детки хорошие, и мужик есть, такое не каждому нравится.

Я уставилась на кроваво-красные буквы, бежавшие через страницу. «Богатые тоже плачут. Слезы на плече мента. Доказательство вины и раскаянья?»

Икнув, я уставилась на фото. Так, кабина лифта, Дегтярев отчего-то страшно толстый, с выпученными глазами, я обнимаю Александра Михайловича и выгляжу просто ужасно. Черная кофточка расстегнулась почти до пояса, юбка свалилась на бедра.

Ниже шел убористый текст.

«Дарья Васильева, ставшая после долгих лет нищеты одной из самых богатых женщин Москвы, усиленно демонстрирует презрение к окружающему миру. Дама проживает в поселке Ложкино, не посещает светские мероприятия, не работает, вроде воспитывает внуков. Нам приходилось лишь разводить руками, на репутации мадам имеется всего одно крохотное черное пятнышко: она живет во грехе с полковником милиции Дегтяревым. Впрочем, не станем бросать камни в Дарью. Александра Михайловича она не стесняется, он обретается в одном доме с богатым семейством, является, так сказать, вторым любимым мопсом Васильевых-Воронцовых, правда, в отличие от первого, молодого красавца Хуча, Дегтярев престарелый и плешивый. Думается, Дарья, с ее миллионами, могла купить себе любого мачо, но нашей дамочке по вкусу лысые пузаны, а о вкусах, как говорится, не спорят. И все бы ничего, кабы наши корреспонденты не узнали внезапно массу интригующих подробностей. Во-первых, сладкоулыбчивая Даша работает в МВД следователем по особо важным делам. Настолько важным, что о ее службе известно лишь самому узкому кругу начальства. В окружении полковника Дегтярева мадам Васильеву считают безалаберной идиоткой, но, поверьте, это не так.

Состарившаяся девушка, а как еще можно назвать женщину, которая, имея внуков, бегает по городу в майке с изображением Микки-Мауса, хитра и безжалостна, ей поручают весьма деликатные дела. Одно из них — помощь в убийстве Милы Звонаревой. Чем госпожа Звонарева помешала кое-кому наверху, мы знаем, но не скажем, потому как стопроцентных доказательств своим догадкам не имеем, а подводить родную газету не хотим. Что да как случилось в особняке, приходится лишь гадать. Ясно одно: госпожа Васильева, как всегда, блестяще справилась с задачей. Муж Звонаревой отравил жену в присутствии Дарьи. Убийственные показания дают дочь и невестка. А мы застали парочку голубков в тот момент, когда они никак не ждали посторонних, и теперь удивляемся: что, у ментов бывает совесть? Или слезы на глазах мадам вызваны слишком сильными объятиями бравого кавалера?

Мы намерены и далее следить за развитием событий».

Я потрясла головой. Ну и ну, слов нет!

— А тут еще, — услужливо подсунула мне другое издание торгашка.

Вновь яркий заголовок. «Дети «новых русских». Элитные школы, няни и гувернантки не способны прививать манеры». И новая фотография. Злое, перекошенное лицо Машки, ее рука, высунутая из окна машины, и неприличный жест. «На мой вопрос, сколько ей лет, Мария Воронцова отчего-то заорала: «На тебе, выкуси», а потом кликнула охрану, — гласил текст, — впрочем, реакция девицы понятна. Только что их с матерью самым позорным образом выставили с поминок Милы Звонаревой, нашей обожаемой, трагически погибшей любимицы. Вот что сказала мне мать Милы: «Дарья Васильева? Никогда более не упоминайте сие имя в моем присутствии. Она ненавидела Милу, хоть и считалась ее подругой, завидовала моей дочери, вынашивала злые планы и добилась своего. Да, фактический убийца Милочки Константин, но кто подтолкнул его на совершение преступления? Жаль, но истину не узнать. Васильева под патронажем МВД, она, как всегда, выйдет сухой из воды».

Я скомкала газету и швырнула в урну.

— С вас двадцать рублей, — деловито напомнила продавщица, — да не переживайте, никто из наших не верит. Газеты вечно врут. Правда, девочки?

— Ага, — начали кивать другие продавщицы, стоявшие у лотков с фруктами и тряпками, — брешут и брешут.

Тут до меня дошло, что мою персону небось с утра активно обсуждают на пристанционной площади. Старательно удерживая на лице улыбку, я махнула рукой.

— Я и внимания не обратила, экая лабуда! До свиданья.

— Прощевайте, Дарь Иванна, — закивала газетчица и не утерпела: — А че, ее и впрямь у вас в доме зарезали?

— Отравили, — машинально поправила я.

— Ой!

— Скажите, пожалуйста!

— Какие страсти-мордасти!

В один момент бабы бросили торговлю и ринулись ко мне.

— А кто?

— Правда, муж? Правда?

— Она перед смертью че говорила?

— Вау! Вас пока не арестовали?

Я попятилась, услышала звон мобильного, выхватила из кармана телефон и сказала:

— Да.

— Мамаша, — прохрипело из трубки, — малява тебе.

— Что? Вы, наверное, ошиблись номером.

— Ништяк, мамаша, не гундось. Костю Звонарева знаешь?

— Конечно.

— Малява от него. Триста.

— Что? — Я попыталась разобраться в ситуации.

— Лавэ бери.

— Ага, поняла. Мне записка от Кости, за которую вы хотите триста долларов?

— Верняк, кати сюда.

— Куда?

— Где топчусь.

— Адрес дайте.

— Ну, того... запоминай.

Улица и номер дома застряли в мозгу, я сунула телефон в сумку и, растолкав любопытных баб, пошла к машине.

— И, девки, — вонзился мне в спину противно тоненький голосок, — станет она с нами разговаривать! Из грязи в князи вылезла, такая с простым народом дела иметь не захочет.

Глава 4

Лишь очутившись перед обшарпанной дверью, я очнулась и задала себе вопрос: с какой стати Константину писать мне записки и зачем я явилась сюда? Но пока голова обдумывала вполне правильную мысль, рука сама собой нажала на звонок. Створка распахнулась, на пороге нарисовался невысокий жилистый дядька в грязной клетчатой рубашке и брюках от спортивного костюма.

— Че надо? — зевнул он.

— Вы мне звонили. По поводу письма, — быстро ответила я.

Мужик засопел и начал шарить глазами по моей фигуре. Его нехороший, тяжелый взгляд медленно ощупал сумочку, часы, перебрался на кольца. Я испугалась. Конечно, я никогда не надеваю для походов по городу эксклюзивные украшения, но то, что сейчас есть на мне, понравится любому грабителю. В ушах симпатичные сережки, они, правда, не с бриллиантами, но сапфиры тоже очень ценные камни. На пальцах красивые колечки. Еще при мне сумка, а в ней кошелек, дорогой мобильный... Людей убивают и за меньшее. Было страшной глупостью являться сюда в одиночестве.

— Лавэ давай, — зевнул мужик.

— Где записка? — предусмотрительно спросила я, хватаясь за сумку.

Дядька шумно вздохнул и вынул из кармана тоненькую трубочку, запаянную в полиэтилен.

— Во! Хапай.

Слегка успокоившись, я произвела обмен, быстро вышла во двор, села в машину, отъехала пару кварталов, припарковалась возле метро и, разорвав пленку, раскрыла письмо.

«Даша! Мне, как выяснилось, более не к кому обратиться. Елена Марковна сообщила следователю, что у нее нет сына. По ее словам, фамилию Звонаревых я опозорил и теперь должен получить по заслугам. Других родственников, кроме матери, у меня нет, и передачу принести некому. А тут без помощи с воли полная хана. Понимаю твое удивление, но вынужден просить об услуге. Пожалуйста, пришли мне продукты, ниже даю список того, что можно. Только имей в виду, ничего запакованного в стекло не возьмут. Еще очень нужны мыло, зубная паста, тетради, ручки и конверты. Впрочем, если выбросишь послание — не обижусь. Я вообще-то спокойный и понимаю, что ты не со зла оговорила меня. Может, со стороны выглядело так, словно я впихиваю Миле в рот что-то. На самом деле я просто хотел дать ей пощечину. Я очень много думал о произошедшем и понял, что случилось. Понимаешь, я был дико зол. Мила вместо того, чтобы попросить у меня прощения, стала нести какую-то дурь о том, что хотела со мной пошутить, поэтому и прикинулась Карой в чате. Но я ведь не кретин и хорошо понимаю, что это глупая отговорка. Идиотская ситуация, из которой, наверное, можно было найти выход, если бы не Нина Алексеевна. В тот день, когда мы с Милой поскандалили, а я уехал ночевать к вам, после того, как все пошли спать, Аркадий зашел в комнату для гостей и убедил меня успокоиться, дескать, ерунда получилась. Никто никому не изменял, лучше забыть эту историю. Я ехал домой с желанием помириться. Не успел я в квартиру войти, как Нина Алексеевна налетела на меня.

— Ага! Красиво получается! Сам с бабами виртуально знакомишься, а на Милу вину сваливаешь. Ступай туда, где сегодня ночевал.

Ну тут я и психанул. Схватил Милку, на лестницу вышвырнул, следом сумку ее выбросил и заорал:

— Не я уйду, а она отсюда отправится!»

Я дочитала письмо, вытащила сигареты, закурила и опять схватилась за листок бумаги. В изложении Кости события выглядели так. Сначала он, обозлившись до крайности, выгнал из квартиры жену, потом повернулся к теще. Нина Алексеевна, увидав разъяренного зятя, взвизгнула, побежала в свою комнату и заперлась изнутри. Костя, не сумев справиться с гневом, ринулся за противной старухой и обалдел. В конце коридора он увидел мужчину самого безумного вида. Волосы у парня дыбились, словно иголки у разбуженного дикобраза, глаза вывалились на щеки, а последние по цвету напоминали перезрелые томаты. От неожиданности Костя остановился, он хотел удивленно воскликнуть: «Вы кто?»

Но в ту же секунду до Звонарева дошло: неделю тому назад Мила повесила на дверь ванной комнаты снаружи большое зеркало, и сейчас Костя видит себя самого.

Гнев внезапно остыл, Звонареву стало смешно. Мало того, что он, оказывается, выглядит идиотом, так еще и испугался собственного отражения. Словно почувствовав изменение настроения зятя, Нина Алексеевна высунулась из спальни и запричитала:

— Выгнал жену! В дождь, одну! Ну хорош! Порядочный мужчина, коли ему что не по вкусу, сам уходит!

Отмахнувшись от бабки, Костя пошел на кухню, но теща посеменила за ним, зудя словно разбуженная зимой муха-навозница.

Тут же из недр апартаментов выползла Елена Марковна и налетела на тещу. Вообще говоря, милые старушки каждый день устраивали скандалы, и Костя привык к подобным «развлечениям», но на этот раз он не сумел вынести «семейный уют» и с воплем: «Живите без меня!», — швырнув в саквояж пару рубашек, унесся на улицу, оставив без внимания истерический взвизг Елены Марковны: «У меня инфаркт!»

Слегка остыв на октябрьском ветру, Костя позвонил Кате Симонян, одной из подружек Милы, и спросил:

— Моя у тебя?

Симонян живет в соседнем от Звонаревых

доме, и Костя предположил, что жена отправилась зализывать раны к Катьке.

— Ага, — затараторила Симонян, — только тебя я не пущу! Ишь какой! Нам поболтать надо, вдвоем, без мужиков.

— Да пошла ты, — буркнул Костя и, слегка придя в себя, сел за руль.

В родной машине успокаивающе пахло чем-то знакомым, своим. Костя машинально включил радио и неожиданно обрел трезвость мыслей. Ладно, конечно, сейчас разыгрался отвратительный скандал. Но, с другой стороны, скажите честно, вы что, никогда не ругались со своей второй половиной? Не орали, топая ногами: «Развод!», не хотели накостылять дорогой и любимой по шее за вздорность, глупость, болтливость и прочие милые качества?

Через полчаса сидения в автомобиле Звонарев превратился в прежнего Костю: нормального, рассудительного мужика, способного проигнорировать бабскую истерику. Еще через пятнадцать минут он начал испытывать угрызения совести. Ладно, Милка кокетничала в чате с незнакомым парнем. Но почему она это делала? Да очень просто: Костя не слишком много уделял своей второй половине внимания, если честно, они с Милой практически перестали общаться. Жена, правда, месяцами пропадала на съемках, но у нее случались и простои. И тогда Мила маялась дома, от скуки носясь по тусовкам. Сколько раз она просила Костю:

— Пойдем со мной!

Но муженек отмахивался:

— Вот еще! Была охота дураком в зале стоять. Я там кто? Муж Звонаревой!

— Ну тогда давай вместе вечерком поужинать сходим, — предлагала Милка.

— Я устал, — буркал Костя, — иди одна!

Получалось, что в произошедшем безобразии виноват сам муж. И потом, очень не хотелось признавать, но в словах Нины Алексеевны, только что брошенных в лицо зятя, была сермяжная правда. Как ни крути, а Костя-то тоже хорош, он ведь заигрывал с Карой. Сейчас, наедине с собой, Звонарев честно признал: хотел свильнуть налево от законной супруги.

На Костю навалилось раскаянье. Вообще-то он вспыльчив и в пылу гнева способен наговорить жуткие вещи. Но злоба покидает его столь же быстро, как и появляется. Некоторое время Костя бесцельно катался по улицам, заехал в кафе, затем невесть зачем в боулинг, но муки совести становились все сильнее.

Костя снова позвонил Катьке.

— Позови Милку, — велел он.

— Еще чего, — не послушалась Симонян.

— На секундочку.

— Не-а. И не вздумай сам прийти, не открою!

Костя вздохнул и включил зажигание, он решил поехать к нам, в Ложкино. Звонарев рассудил просто: сейчас он спокойно ляжет спать в комнате для гостей, а утром ситуация разрешится сама собой. Милка остынет, бабки утихомирятся, и жизнь покатит по прежним рельсам.

На дороге случилась пробка, и Костя не сразу добрался до Ложкина. Он позвонил в домофон, замок щелкнул, Звонарев вошел в прихожую и столкнулся с Милой.

Костю охватило гигантское удивление, а супруга завизжала. Секунду он пребывал в недоумении. Ну каким таким таинственным образом Милка ухитрилась докатить до общих друзей раньше мужа? И почему она вдруг решила покинуть Катьку? Но в следующее мгновение до Кости дошло: мерзопакостная Симонян нагло врала. Милки у нее не было. Подруга привычно покрывала Звонареву. В голове у Кости мгновенно стали оживать совершенно не нужные воспоминания. Вот Мила, уходя из дома, сообщает:

— Идем с Катькой в кино.

Через час Звонарев пытается соединиться с женой, слышит: «Абонент временно недоступен» — и набирает номер Катьки.

— Она в туалет пошла, — шепчет Симонян, — живот прихватило, сейчас вернется, перезвонит.

И правда, спустя десять минут голосок Милы сообщил:

— Ну, слушаю. Похоже, я съела несвежий творог, так желудок крутит!

И ведь подобные ситуации повторялись несколько раз, но Костя лишь сейчас сообразил, что они означают. Мила никуда не ходила с Катькой, подруга жены самозабвенно врала ему, а потом быстро соединялась с той и говорила:

— Атас! Твой нервничает.

Значит, Милка давно изменяет мужу! Наверное, ее путешествие по Интернету, а потом встреча с понравившимся субъектом частая практика. Гнев с утроенной силой охватил Костю.

У Звонарева помутился рассудок, и он кинулся бить жену, сначала размахнулся и отвесил вопящей супруге оплеуху. Дальше не помнит, что творил, затем снова захотел надавать Миле зуботычин, но его ладонь попала не по щеке, рука соскользнула, пальцы Кости оказались во рту жены. Звонарев отдернул карающую длань. И тут случилось невероятное.

Мила вздрогнула, замерла, уставилась на супруга враз остекленевшими глазами и, не сгибая коленей, рухнула на пол. Оторопевший Костя почему-то понял: супруга покинула его навсегда.

Я повертела в руках послание и вновь прочитала заключительный абзац.

«Не убивал Милу, клянусь своей жизнью. Я не понимаю, почему она умерла. Ну подумай сама, зачем травить жену в чужом доме, демонстративно, на глазах у свидетелей? Может, я и сволочь, но вовсе не идиот! Куда проще было купить обожаемые Милой консервированные грибы и подсыпать отраву туда. Ну с какой стати мне лишать ее жизни на глазах у вас? Нет, это сделал кто-то другой, а свалил на меня. Знаешь, как дело было? Людмила где-то поела, в ее тарелке был яд, который действует не сразу, а постепенно. Ну а потом она пошла к двери, увидела меня, заорала и упала мертвой. Я арестован вследствие ошибки, и твое дело теперь помочь мне. Пришли продукты и прочее, иначе сообщу о своих подозрениях кому надо. Ну-ка, вспомни, кто угощал Милу перед смертью?»

На этом письмо обрывалось. От последней

буквы вниз тянулась ровная линия, словно кто-то вырвал у Кости клочок бумаги и унес.

Я скомкала бумажонку и швырнула на заднее сиденье. Ай да Константин! И ведь мне сначала стало его жаль, я была готова нестись в ближайший магазин и покупать продукты по приложенному списку. Но конец письма охладил мой пыл. Вот оно что! Костя во что бы то ни стало хочет убедить окружающих в своей невиновности, и он выбрал для этой цели замечательную линию защиты: жену не убивал, просто повздорил с ней, поездку в Ложкино специально не планировал, отправился к нам спонтанно, о каком заготовленном яде может идти речь? И вообще, глупо убивать жену на глазах у знакомых. Вот тут я со Звонаревым согласна: и правда, лишь дурак способен на подобный поступок. Но есть и очень хитрые преступники, прикидывающиеся идиотами. Значит, сейчас Костя пытается свалить вину на нас. Дескать, кто-то из обитателей особняка в Ложкине подсунул госпоже Звонаревой медленно действующую отраву, а тут весьма кстати появился Костя и мигом был принят за убийцу.

И он еще ждет от меня продукты? В полном негодовании я нажала на газ и, стартовав ракетой с места, понеслась домой. Путь лежал мимо ресторана «Кофе и чай». Увидав знакомую вывеску, я притормозила. Ладно, зайду на минуточку, выпью латте, успокоюсь и покачу в Ложкино.

Я довольно часто заглядываю в «Кофе и чай», едальня привлекает меня вкусной выпечкой и отличным капуччино. Цены тут умеренные, пафоса никакого, поэтому так называемая тусовка сюда не заходит. В «Кофе и чае» не работают официанты, умеющие с одного взгляда назвать стоимость вашей одежды и определить, к какой коллекции относится сумочка. К тому же милая ресторация расположена довольно далеко от метро, в тихом переулке, рядом нет остановок общественного транспорта, поэтому основную массу клиентов приятного местечка составляют постоянные посетители, которым, как и мне, претят шум, суматоха и крик.

Предвкушая вкусный кофе, я вошла в холл и радостно сказала гардеробщице:

— Привет, Леночка.

Обычно девушка, увидав меня, мгновенно выскакивает из своего закутка, берет одежду и заговорщицки шепчет:

— Даша, здрассти! Не берите сегодня «Наполеон». Шеф с утра так орал! Коржи перепекли. Вот чиз-кейк — суперский.

Но сегодня Леночка отреагировала более чем странно.

— Ой, — вырвалось у нее, — это вы?

— Ну да! А что удивительного? Возьми куртку.

— Э... э... ага! Сейчас! — кивнула Леночка и ужом скользнула в служебное помещение.

Я удивилась. Что случилось со всегда милой девушкой? Впрочем, любые произошедшие с Леночкой метаморфозы не имеют ко мне никакого отношения. Может, у гардеробщицы живот болит, и она понеслась в туалет!

Сняв курточку, я положила ее на деревянный прилавок, шагнула в зал, с радостью отметила, что там находится всего лишь одна женщина, хотела сесть за любимый, расположенный у окна столик и услышала слегка задыхающийся голос метрдотеля Димы:

— Ах, Дарья Ивановна, простите, но мы закрыты!

— Не поняла! Как закрыты?

— Увы, спецобслуживание. Ресторан выбран для проведения дня рождения.

— Но вон там клиентка?!

— Да, да, она последняя. Сейчас уйдет, и все, начнем шарики развешивать.

— Мне только латте. Это быстро!

Дима заломил руки.

— Ужасно! Так неприятно вам отказывать! Все отключили, кухня только для праздника работает.

— Да, конечно, — кивнула я и пошла к выходу.

— Курточку возьмите, — пискнула красная Леночка.

Я вышла на улицу, села в «Пежо» и стала размышлять, где можно выпить латте. Ладно, поеду в «Колясочку», там, правда, намного дороже, зато сие заведение никогда не закрывается для постоянных клиентов. Кстати, там можно и поесть, допустим, мидии или морские гребешки.

И тут произошло нечто интересное. Пока я сидела в «Пежо», к «Кофе и чаю» подъехала машина, из нее выбрались парень с девушкой и прошли внутрь. Через пару мгновений я увидела, что влюбленные преспокойно уселись за мой любимый столик у окна. Мэтр Дима сам подал им меню.

Я во все глаза наблюдала за происходящим. Вот парочке принесли в высоких стаканах латте и пирожные, более того, сейчас на моих глазах в ресторацию впорхнули две девицы. Боковое стекло «Пежо» было опущено, и я великолепно услышала диалог девчонок.

— Во, давай сюда, — сказала она, ткнув пальцем в вывеску.

— Ладно, — согласилась другая, — надеюсь, тут не дерьмом поят.

Согласитесь, разговор мало походит на беседу гостей, приглашенных на день рождения, да и парочка, любезничающая сейчас у окна, тоже явно заглянула полакомиться кофейком. Значит, забегаловка преспокойно работает, Дима обманул меня.

Я схватилась за руль. Совершенно непонятно, по какой причине Дима решил бортануть Дашутку. Не стану требовать от наглеца объяснений, просто более никогда не загляну в этот отстойник!

Кипя от бешенства, я добралась до «Колясочки», поднялась по мраморным ступенькам, толкнула тяжелую дверь и оглядела зал. Одна из официанток, навесив на лицо улыбку, ринулась ко мне.

— Где хотите сесть? — затараторила она. — Может, в голубой гостиной?

Я не успела ответить на вопрос, потому что дама в темно-красном костюме, стоящая около стойки с пирожными, крикнула:

— Марина, иди сюда!

— Простите, — воскликнула девушка и кинулась к начальству.

Я спокойно сняла куртку, увидела, что официантка идет назад, и сказала:

— Лучше я здесь останусь, вон там, на диванчике.

— Извините, — залепетала девчонка, — у нас нет свободных мест.

— Как это? Да вон полно столиков пустых!

— Э... э... э... они заказаны, сейчас люди придут.

— Ладно, тогда в голубой гостиной.

— Ну... у... у... там... э... э... э... уборка!

— Но вы же секунду назад предлагали мне сесть именно там!

— О... о... о... и... я... совсем забыла! Да! Там наводят порядок. До свиданья.

В состоянии, близком к истерическому, я выпала на улицу, отошла чуть в сторону от «Колясочки» и тупо уставилась на витрину какого-то бутика. Что происходит? Я не прошла в «Колясочке» фейс-контроль? Но меня там великолепно знают. Был, правда, один случай, когда я заявилась в пафосное место после неудачной стрижки, в тот день меня в ресторане встретили без улыбки, но уже через секунду местное начальство по имени Алина всплеснуло руками:

— Боже, это вы! — и инцидент оказался исчерпан.

Но сегодня я выгляжу как всегда, а Алина сначала отвернулась, а затем, подозвав к себе официантку, приказала не впускать госпожу Васильеву.

Глава 5

Чья-то рука осторожно коснулась моего плеча, я обернулась. Рядом стояла та самая официантка, вроде Алина назвала ее Мариной.

— Дарья, — тихо сказала она, — простите. Это не я! Алина приказала вам дать от ворот поворот.

— Но по какой причине я не прошла фейсконтроль?

Марина потупилась.

— Извините, я являюсь подневольным человеком, приказали — выполняй.

— Вот бред! В «Кофе и чай» я тоже не сумела попасть!

Официантка закашлялась.

— Хотите мятную конфетку? — предложила я. — Всегда с собой ношу, помогает при простуде.

Марина тяжело вздохнула.

— Спасибо. Знаете, лично я против вас ничего не имею, поверьте! Это Роберт Иванович с утра позвонил и...

— Роберт Иванович?

— Ну да! Коваль.

— Это кто?

— Неужто не знаете?

— Среди моих знакомых человека с подобным именем нет, — растерянно ответила я.

Марина улыбнулась.

— Коваль — известный ресторатор. Он хозяин «Колясочки», «Шу-шу» и «Вешалки». Кстати, «Кофе и чай» тоже его точка, но рассчитанная уже на иной срез посетителей. Те, кто ест в «Коляске», ни за какие конфеты не заглянут в «Кофе и чай». Вы, наверное, одна такая, кто в оба места ходит.

— Чем же я досадила ресторатору? — окончательно растерялась я. — Мы с ним не знакомы, общих дел не имеем.

Марина замялась. Увидав ее растерянное лицо, я воскликнула:

— Сделай одолжение, скажи! Похоже, ты знаешь правду.

— Только вы не переживайте, ладно?

— Из-за чего?

— Ну... Роберт Иванович прочитал статью в газете «Треп», позвонил Артуру, а тот ему и сказал: «Имею очень надежные источники в нужных местах. Точно знаю, Васильеву не сегодня завтра посадят. Худо будет, коли ее в твоем заведении арестуют. Прикинь, вой по Москве! Где взяли убийцу? У Коваля! Да конкуренты мигом подсуетятся, и пойдет по газетам и журналам вал информации: к Роберту не ходите. Там в одном зале легко можно оказаться с насильником или другой какой сволочью. И потом, представляешь картину? Сидит пафосный банкир или депутат, а тут влетает ОМОН, укладывает посетителей мордой на элитный паркет, крушит ботинками аквариум, сметает на пол эксклюзивную посуду, стреляет по люстрам, сделанным на заводе Сваровски, и уводит Дарью Васильеву. Тебе такой пиар нужен?»

Я раскрыла рот, сначала не сумела выдавить из себя ни звука, потом все же произнесла фразу:

— Кто такой Артур?

— Пищиков. Журналист. Неужели никогда не слышали?

— По совету профессора Преображенского[1] я не читаю газет, — пробормотала я.

— Ваш доктор, похоже, умный человек, — закивала Марина, — но остальные-то с удовольствием «Треп» хватают. Знаете, какой у него тираж?! Хотите совет? Езжайте домой и сидите тихо, небось Артур не только Роберту Ивановичу в уши напел.

— Сомневаюсь, что он дозвонился до хозяина заведения, где торгуют сандвичами и газировкой, — прошипела я.

Марина хихикнула:

— Ага! Еще на вокзал можно пойти или в пельменную около кладбища. Говорят, у вас денег много, улетайте за границу и живите спокойно. Москва быстро сплетни забывает. Через годик вернетесь, все и не вспомнят о болтовне. А вы правда кого-то убили?

— Да, — рявкнула я, — журналиста! Брехливого и гадкого!

Марина шарахнулась в сторону, а я села в «Пежо» и схватилась за мобильный. Сейчас узнаю по справочной координаты редакции газеты «Треп» и отправлюсь туда бить гражданина Пищикова.

Раздобыть адрес пасквильного листка было нехитрым делом, намного труднее оказалось проникнуть внутрь тщательно охраняемого здания.

---

[1] Профессор Преображенский — один из героев романа М.Булгакова «Собачье сердце».

Внешний вид небольшого домика, где помещалась редакция газеты, изумлял. Окна первого этажа были наглухо заделаны железными листами, дверь представляла собой стальную пластину, сбоку виднелся звонок, прикрытый чем-то вроде клетки, воспользоваться им можно было, лишь засунув палец в маленькое отверстие между прутьями.

Я ткнула в пупочку.

— Вам кого? — прохрипело слева.

— Артура Пищикова.

— Фамилия?

— Пищиков.

— Не его, а ваша, — бесстрастно вещал секьюрити.

На секунду я призадумалась, потом сообщила:

— Воронцова.

Если представлюсь Дашей Васильевой, Артур, скорей всего, побоится иметь со мной дело. И потом, я совсем даже не соврала! Воронцовым звали моего первого мужа.

— Вас нет в списке.

— Но...

— До свиданья.

— Мне очень надо попасть в редакцию.

— Звоните секретарю.

— Номерок подскажите.

— Без понятия.

— Может, все же сообщите Пищикову о моем приходе?

— Не имею подобных полномочий.

Я ударила ногой по створке, послышался обиженный, гулкий звук.

— Ща допинаешься, — сообщил охранник, — милицию вызову.

Да уж, похоже, в «Треп» частенько являются люди, чтобы поколотить местное руководство вкупе с журналистским коллективом, иначе с какой стати особняк напоминает бункер.

— Ступай отсюдова, — велел секьюрити, — не фиг на крыльце маячить!

Я вернулась к «Пежо» и перевела дух. Моя бабушка частенько говаривала: «То, что нас не убивает, делает нас сильнее» и «Никогда не сдавайся». Впрочем, богатый личный опыт научил меня еще одной истине: «Все, что ни происходит, делается к лучшему».

Вот сейчас я не попала в «Треп», и очень хорошо, потому что следует действовать аккуратно и осмотрительно. Ну назвалась я Воронцовой, и что? Артур-то мгновенно узнает меня, значит, надо слегка изменить внешность. И где тут ближайшее метро?

Спустившись в подземный переход, я медленно потащилась мимо мелких магазинчиков. Так, горячий хлеб, газеты, мобильные телефоны, фототовары, керамические фигурки... Неужели я ошиблась и париков тут нет?

Но не успела я тяжело вздохнуть, как глаза выхватили стойку, украшенную разноцветными волосами разной степени кудлатости. Обрадовавшись, словно щенок, получивший лишнюю порцию ужина, я подошла к палке и стала изучать вывешенный на крючках товар.

— Не сомневайся, — лениво произнесла продавщица, — отличная вещь! Волос искусственный!

— Натуральный, наверное, лучше, — решила поспорить я.

Торговка прищурила хитрые глазки, потом дернула за руку красивую блондинку с локонами, спускавшимися ниже плеч.

— Слышь, продай прическу!

Девушка, преспокойно разглядывавшая до этого керамических собачек и свинок, шарахнулась в сторону.

— Офигела, да?

— Не задаром, деньги заплатим!

Блондинка повертела пальцем у виска.

— Ваще! Я другим зарабатываю.

— Во, — повернулась ко мне торгашка, — слышала? Все еще хочешь натуральные космы? Имей в виду, их либо у трупа отстригают, либо у таких кадров покупают...

— Дайте вон тот померить! — я быстро сделала выбор.

— Он дорогой.

— Все равно.

— Возьми рыжий.

— Хочу черный.

— Тебе не пойдет, — решительно помотала головой баба, — никто не узнает!

— Отлично, снимайте, буду брюнеткой! — обрадовалась я.

Получив новые волосы, я пришла в полный восторг, потом купила еще в придачу большие очки с простыми стеклами, водрузила их на нос, вернулась к «Пежо» и предприняла новую попытку обнаружить Артура. На этот раз позвонила по телефону и потребовала:

— Соедините меня с Пищиковым.

— Кто его спрашивает? — проявила бдительность секретарь.

— Э... — взгляд упал на аптечный ларек, — Аспиринова.

— Минутку, — сухо ответила девушка, потом в ушах заиграла музыка. — Артур Германович отсутствует, можете оставить информацию мне, — заявила девица.

Но я была готова к подобному повороту событий и, зажав пальцами нос, загундосила:

— Ишь, хитрая! Расскажи ей все, а деньги?

— Какие? — совершенно искренне удивилась секретарь. — Артур вам что-то должен?

Я внимательно вслушивалась в звуки, доносящиеся из трубки. Девушка разговаривала звонким голосочком, чистым, высокого тона дискантом. Неужели я ошиблась? Вдруг гадкого Пищикова и впрямь нет за рабочим столом? Журналисты не писатели, им, прежде чем накропать статью, следует собрать материал.

Но тут вдруг до слуха долетело тихое покашливание, и я моментально обрадовалась. Ага, я верно рассчитала, Пищиков сейчас слушает беседу по второму аппарату. Ну, Артурчик, погоди! Посмотрим, кто кого!

— Ща, — занудила я, — такое денежек стоить. Промежду прочим, вашу газетку я читаю!

Значитца, так! Ты Артуру-то передай! Аспиринова звонит...

— Вы уже представлялись, — перебила девица.

— ...я домработницей у Дарьи Васильевой служила, — как ни в чем не бывало продолжала я, — старалася изо всех силов. Ну, могет, чаво порой и не замечала, пыли, например, под столом, или золу из камина не выгребала. Только все мы люди, этих... ну... как их...

— Идеальных, — подсказала секретарша.

— Во-во, идейных нет, — старательно пыталась я изобразить из себя полуграмотную бабу, — уж пласталась на ихних коврах, собачатам жопу лизала. И че? Выперли вчера и зарплаты не дали! А денюжки мне ой как нужны, прям башку сломала, ну где их надыбать. Во, таперича любимому журналисту звоню. Говорять, вы за всякие рассказы платите?

В трубке щелкнуло, послышался приятный баритон.

— Конечно, платим, дорогая... э... Как вас величать?

— Анна Ивановна, лучше просто Нюша, не привыкшие мы к отчеству, — сдерживая рвущееся наружу ликование, ответила я.

— Нюша, если ваша информация окажется эксклюзивной...

— Какой? — дурачилась я. — Кс... икс... зив...

Артур тихо засмеялся:

— ...очень интересной и необычной, тогда вы имеете шанс получить великолепную сумму.

— Ну я такое знаю! В ихнем доме бабу отравили, сама видела!

— Вы были свидетелем убийства?

— А то! Она об пол хлопнулась! Ен как завопит! Дарь Иванна визжать! Девка ее противная, Машка, вот исчадье, прости господи, тараканов домой принесла ящериц кормить, та прямо ишшо...

— Вы где находитесь?

— А тута, возле вас! Меня унутрь не пустили, хоть и просилася.

— Около входа стоите?

— Угу.

— Посмотрите налево.

— И чаво?

— Видите вывеску «Голубой кот»?

— Ну. Ресторан.

— Заходите внутрь.

— Ой, не одетая я для праздника, голова неприбранная!

— Плевать мне на вашу голову! — раздраженно воскликнул Артур.

— Ой, — не утерпела я, — не надо мне на башку плевать!

— Не в том смысле, — начал выходить из себя Артур, — а в том, что насрать!

— Мама! Если денежки даете только на этих условиях, то лучше уж наплюйте! — немедленно отреагировала я.

Тяжелый стон вырвался из трубки.

— Нюша!

— Аюшки.

— Ступай в «Голубого кота».

— Ага.

— Тебя в зале встретит мэтр.

— Погодьте, запишу.

— Что ты, дурья башка, записывать собралась? — вышел из себя Пищиков.

— Так имя вашего знакомого! Как, говорите, не разобрала, Митр? Митя, што ль?

— Нюша, топай в жральню и скажи официанту: «Проводите меня в кабинет к Артуру». Ясно? Повтори!

— Проводите меня в кабинет к Артуру. Вы че, там работаете? Я ваще куды попала-то? Звонила в «Треп»!

— Правильно. Делай, что велю. Через пять минут приду в трактир. Усекла?

— Угу.

— Ступай.

— Уже побегла.

Из трубки понеслись частые гудки. Я сунула телефон в карман и, довольно улыбаясь, пошла в сторону высокой башни, на первом этаже которой виднелось огромное изображение кота интенсивно синего цвета. В этой жизни женщина может добиться огромного успеха, если будет помнить об одной простой вещи: каждый мужчина, любой, исключений в данном случае нет, уверен, что он умнее всех на свете, остальные парни ему и в подметки не годятся, их мыслительные способности на порядок ниже. Но, признавая за другими представителями сильного пола наличие хоть нескольких извилин в мозгу, мужики пребывают в уверенности, что все бабы — дуры. Не следует спорить с ними на эту тему. Надо помнить, мужчины сами вкладывают нам в руки оружие, давайте просто умело им пользоваться для достижения собственных целей.

Одна моя подруга сейчас владеет огромной конторой, занимается недвижимостью. Когда я еду к себе домой в Ложкино, то любуюсь рекламными щитами, стоящими на Новорижском шоссе буквально через сто метров друг от друга: «Дома в элитном поселке», «Таун-хаусы для вас», «Роскошные участки у озера». Это Ванда рекламирует свои поселки, иногда мне кажется, что она ухитрилась скупить всю землю между Москвой и Питером. А с чего начинался бизнес? С пустого места. Ванда не имела денег, богатых покровителей, связей, вообще ничего. Зато, пока другие стояли в очередь к богу за всякими благами, Ванда пристроилась в хвост за умом и получила его даже больше чем надо. Так с чего начался ее бизнес? С похода в парикмахерскую. Ванда вышла из салона кудрявой блондинкой, этакой Барби. В образе глупой куклы она начала бродить по кабинетам, хлопая глазами и приговаривая:

— Господи, я пока плохо разбираюсь в том, что затеваю...

Страну трясло в лихорадке перестройки, и один из влиятельных мужчин, твердо зная, что все блондинки дуры, решил использовать идиотку, пришедшую просить кредит на постройку дома. Дядечка задумал сделать Ванду ширмой, чтобы провернуть личные делишки. Для начала он выделил «Барби» некую сумму. Умный начальник думал потом списать на тетку немалые деньги, подставить ее, но... у «Барби» оказалась хватка акулы и редкостное умение мгновенно перемножать в уме трехзначные числа. Свою аферу мужик провернуть не сумел. Ванда обвела его вокруг пальца, получив огромные дивиденды. Сколько раз потом ей помогал имидж блондинки из анекдотов, и не сосчитать. И сейчас «Барби» ворочает миллионами. Судьба умных мужчин, «скушанных» трепетной, кудрявой, глупой на вид девушкой, мне неизвестна.

Умная женщина никогда не станет спорить с мужиком, который, влезая в проржавевшую, старую машину, горделиво восклицает:

— Все бабы дуры!

Нет, она кивнет, улыбнется, сядет в свою роскошную иномарку и укатит прочь. Правильно, признаем, мы, женщины, очень глупы, как только мужчина осознает это, он успокаивается, расслабляется и... Уж простите за сравнение, но знаете какие грызуны чаще всего попадают в мышеловки? Самцы — это доказано наукой. Самки, очевидно, полные кретинки, они не понимают, что сыр можно съесть. А мужская особь, обладатель широких познаний, делает вывод: нос чует кусок сыра. Ну и...

Вот и Артур угодил в ловушку, сейчас прибежит на свидание с Нюшей, абсолютно уверенный, что легко и за копейки получит эксклюзивную информацию. А почему? Да потому что я оправдала его ожидания. Раз баба — то дура. Думаю, я не достигла бы успеха, начав цитировать Пищикову «Опыты» Монтеня[1] или труды Макиавелли[2].

Глава 6

Очевидно, Пищиков часто пользуется «Голубым котом» в качестве места для свиданий с информаторами. Метрдотель не выказал никакого удивления, услыхав от меня имя Артур. «Нюшу» провели в небольшую комнату с одним столиком и оставили в полном одиночестве, забыв предложить кофе или чай.

Впрочем, долго сидеть мне не пришлось, дверь распахнулась, в кабинетик влетел худенький черноволосый парнишка и с ходу затараторил:

— Ты Нюша? Прекрасно! Эй, кто-нибудь, тащите мне чаю, зеленого, с жасмином, пирожков с мясом и ваших пирожных. Сто долларов!

Последняя фраза относилась ко мне.

— Да ну! — восхитилась я.

В глазах Артура промелькнуло разочарование, в них ясно читалось: «Эх, прогадал. Этой бы и двадцати баксов хватило».

— Целая сотняшка, — радовалась я, — да мне за такие тугрики полмесяца работать надо.

---

[1] Мишель де Монтень (1533—1592) — философ-гуманист.

[2] Никколо Макиавелли (1469—1527) — итальянский политический мыслитель, литератор и историк.

Артур опустил руку в карман, потом вытащил ее наружу и воскликнул:

— Васильева так мало платит прислуге?

Сообразив, что мерзавец включил диктофон, я затараторила:

— Ой, беда! Богатые же жаднючие! Работы у ей сколько! Одних вазов сто штук, ищо с собак грязь летит...

— Милочка, — перебил меня Артур, — вы об убийстве говорите.

— А че? Сами не знаете?

— Нет.

— Ваще ничего?

— Нет.

— Во как! А я севодни «Треп» купила, тама статья! Про мою хозяйку! Чего ж таперь говорите, будто не знаете? Прям все подробно описано! Она эту отравила, а на мужа свалила! Ну, не своего, а того, в общем, ейного! Понятно, да?

— Нет! Говори нормально.

— Ща! Ой, можно дверь прикрою, а то дуеть! Я шибко простудливая, мигом заразу цепляю, а все потому, что в яслях...

— Ступай захлопни створку и начинай рассказ по теме, — процедил Артур, — имей в виду, сто баксов предельная цена, если ерунду наболтаешь, и десяти не получишь.

— Вау, — воскликнула я, идя к двери, — ща такое услышите, что и двести не пожалеете!

Артур хмыкнул, я быстро схватилась за ручку, хлопнула створкой о косяк, повернула торчащий в замочной скважине ключик, положила его в карман и спокойно сказала:

— Уважаемый, сто долларов за эксклюзивный рассказ о жизни семьи, которая никогда не пускает в свой дом корреспондентов, является смехотворной суммой. Если платите столько информаторам, то неудивительно, что они приносят вам малозначимые сведения.

Артур вытаращил глаза.

— Вы...

— Давайте познакомимся, — мило улыбнулась я, сдергивая парик и снимая очки, — Даша Васильева. Впрочем, думаю, мое лицо вам знакомо.

Пищиков вскочил.

— Спокойно, дружочек, — предостерегла я, — лучше сядьте. Вам не следует сейчас опасаться физической расправы. Вы видите перед собой слабую, беззащитную женщину, без оружия, газового баллончика, электрошокера и пакетика с перцем. Давайте просто поболтаем. Я отвечу на ваши вопросы, а вы на мои, но с одним условием: выньте из правого кармана диктофон.

Артур медленно сел, потом положил на стол сверкающий прямоугольник.

— Что за маскарад? — возмущенно воскликнул он. — Неужели нельзя было нормально сказать: «Артурчик, поговорить надо»?

— Заинька, — снова озарила я комнату улыбкой, — а теперь сделай одолжение, вытащи звукозаписывающий аппарат из другого кармана.

Пару секунд Пищиков молча смотрел на меня, потом рассмеялся и выложил на столешницу еще один диктофон.

— Теперь все, — ухмыльнулся он.

— Нет, выруби телефон. У тебя какой? О, замечательная модель, она тоже умеет фиксировать слова.

Пищиков захохотал.

— Вас полковник научил таким штучкам?

— Нет, сама докумекала. Кстати, с чего ты взял, что я и Дегтярев любовники?

— Эка новость! Все говорят.

— Кто?

— Все.

— Назови имена.

— Ну... все.

— Понятно. По какой же причине ты решил, будто Звонареву убила я?

— Кто ж еще?

— Действительно. Вообще говоря, это сделал ее муж, Костя.

Артур кивнул.

— Ага. Хорошая версия, но глупая. Никакой критики не выдерживает. Хотя, понимаю, у полковника не было времени, чтобы придумать нечто более внятное. Просто обхохотаться! Вошел в дом и на глазах у всех начал травить бабу. Ни в какие ворота не лезет.

— Ты понимаешь, что оклеветал меня?

— Не. Я высказал собственное мнение.

— Тиражом в несколько сот тысяч экземпляров.

— Ну... имею право! У нас свобода слова, — нагло заявил Артур.

Мои руки сжались в кулаки, Пищиков заулыбался.

— Если сейчас полезешь драться, я не стану

оказывать сопротивления. Но имей в виду, мэтр мигом вызовет ментов. Конечно, твой любовничек выручит курочку из обезьянника, но мне-то рта не заткнуть.

Я раскрыла кошелек.

— Сколько хочешь за молчание?

Артур потер слишком маленькие для мужчины руки.

— Значит, я не ошибся! Ты отравила Людмилу. А теперь хочешь погасить волну. Ну нет, милочка! Артур не продается, хоть кого спроси, Пищиков всегда пишет только то, что думает. Ни один человек не может похвастаться, что купил меня. Вот сейчас вернусь в редакцию и быстро сообщу читателям, как госпожа Васильева пыталась заткнуть рот свободной прессе кляпом из бабла. Ошиблась ты, цыпа. Я не Семенов из «Утки», вот тот за лавэ все отдаст.

Поняв, что совершила глупость, я обозлилась и рявкнула:

— Подам в суд на «Треп»!

— Ой-ой, — закривлялся Артур, — действуй. У нас целый отдел юристов нанят, постоянно судимся. Ей-богу, мне насрать на результат процесса, «Треп» только больше читателей приобретет, а твоя репутация умрет. Народ знаешь какой? То ли она отравила, то ли ее отравили, но случилась там неприятная история, давайте держаться от Дарьи подальше.

— Ну ты и сволочь!

— Ага, хороший комплимент.

— Просто мерзавец!

— Верно.

— Зачем наболтал ресторатору Ковалю гадости про меня?

Пищиков усмехнулся. Гадливая улыбочка борзописца окончательно лишила меня самообладания, я стукнула кулаком по столу и заорала:

— Меня теперь в кафе не пускают!

— Правильно, — кивнул Артур, — а то вы, богатые, полагаете, если сумели натырить народные денежки, так на все имеете права? Нет уж! Я Робин Гуд, который искореняет несправедливость. Отравила Людмилу и думаешь спокойно по трактирам ходить? Решила, что любовничек отмажет? Нетушки! МВД у нас куплено, суд тоже, но я-то не продаюсь, всем правду расскажу и накажу тебя! Не пустили пожрать? Эка беда, еще и в бутики не войдешь!

Я уставилась в злобное, покрасневшее личико парнишки. Господи, похоже, он и впрямь считает себя борцом за правду и справедливость, санитаром леса, врачом, вскрывающим нарывы.

— И сколько тебе лет? — вырвалось у меня.

— Какая разница?

— Это тайна?

— Нет, двадцать.

— Учишься на журфаке?

— Ха! Туда только свои попадают, по блату, за бабки. А у меня их нет, и у матери тоже, она инвалид. Да и зачем мне диплом? И без него хорошо пишу, — вновь начал размахивать саблей над головой юноша.

Внезапно мне стало жаль мальчишку.

— Отец у тебя есть?

— Не-а! И не нужен! Проживем без него!

— Мама чем больна?

— Диабет, — вдруг тихо ответил Артур, — ужасная болячка, особое питание, уколы, да еще ногу год назад отрезали. Зачем любопытничаете? Думаете, деньги возьму?

Из Пищикова снова потоком полились обличительные речи, но я перестала воспринимать звуки. Вот бедолага! Вырос, не зная любви, очевидно, тяжелобольной маме было недосуг говорить сыну хоть раз в неделю: «Ты самый хороший, умный, замечательный». Вот Артур и получился волчонком, озлобленным на всех тех, кому в жизни улыбнулось счастье. Еще он, наверное, завидует успешным людям и чувствует собственную значимость, кусая богатых и знаменитых. Только не всегда материальное благополучие достигается воровством, много людей обрело финансовую стабильность благодаря трудолюбию.

— Послушай, милый, — тихо сказала я.

Артур осекся.

— Вы мне?

— Разве тут есть еще кто-нибудь? Ты ошибаешься!

— В чем же, интересно?

— Я не богата.

— Ой, не могу! Да одни часики состояние стоят.

— Это подарок. Деньги наша семья получила по наследству.

— Ага!

— И принадлежат они моим детям.

— Ага!

— Зайди на сайт баронессы Макмайер, вот тебе адрес, и почитай, там рассказана наша история[1].

— Ага!

— Я не любовница Дегтярева.

— Ага!

— Он просто мой давний друг.

— Ага!

— Да, обитаем с Александром Михайловичем в одном доме.

— Ну конечно!

— И что из этого? Неужели ты бы не пустил к себе приятеля, если у того проблемы с квартирой?

— Нет.

— Да ну? Почему же?

— Я живу в крохотной «двушке», не во дворце, как вы, — оскалился Артур, — собаку завести не могу, так тесно! И денег нет гостей кормить! Самим не хватает! И нечего на стол смотреть, у редакции договор с «Голубым котом», бартер. Они нас бесплатно кормят, а «Треп» их рекламирует.

Я молча смотрела на мальчика. Похоже, нам не понять друг друга. Мы не всегда жили в Ложкине, когда-то имели более чем скромные условия, но вместе с нами обретались собаки, кошка, жаба. А потом заявилась Наташка, она спала в коридоре, и ничего, уместились. Бедный Артур,

---

[1] См. книгу Дарьи Донцовой «Крутые наследнички», издательство «Эксмо».

похоже, он не имеет друзей, вот не повезло мальчишке, тяжело ненавидеть весь свет.

— Обломалось тебе? — радостно воскликнул Пищиков. — Ну не переживай! Рули на своем «Бентли» в «Утку», забашляешь Семенову, он шоколадом тебя обмажет! Дать адресок?

— Ты опять ошибся, у меня «Пежо-206», не самая дорогая машина.

— Ага!

— Выгляни в окно, вон она.

Артур встал.

— Ну... и чего? «Бентли» небось дома, в гараже! Все вы, богатые, брехать горазды!

Внезапно мне стало жарко.

— Значит, ты пишешь только правду?

— Да!

— Тогда давай договоримся.

— О чем?

— Ты пока приостановишь поток дерьма в наш адрес. А я предоставлю тебе через некоторое время эксклюзив.

— Какой?

— Найду настоящего убийцу Людмилы Звонаревой и расскажу «Трепу» о своем расследовании. Ничего не утаю.

— Ха! Нашла дурака! Ты будешь десять лет меня за нос водить.

— Нет. Давай заключим перемирие на месяц, если к середине ноября я не распутаю дело, можешь начинать снова швырять бомбы с навозом.

— Все вы, богатые...

Я встала, подошла к двери, вставила на место ключ, повернула его и сказала:

— Неужели зависть и злоба настолько затмили тебе мозг, что он перестал работать? Что станется с Артуром в тридцать лет, если сейчас он похож на безумного старикашку с транспарантом: «Пусть все живут на сто рублей в год»? Зайди на сайт баронессы Макмайер, а еще можешь поговорить с Олегом Лоскутовым, директором фонда «Помощь». Может, отношение к нашей семье и изменится. Убийцу Людмилы я все равно стану искать, а когда найду, не потребую от тебя публичных извинений, просто пришлю документы, почитаешь, подумаешь, вдруг поймешь: мир полон хороших людей. Впрочем, опарыш, живущий в навозе, считает весь свет дерьмом, на то он и червяк, а ты человек или, по крайней мере, издали похож на него!

В состоянии крайней усталости я села за руль, включила мотор и услышала тихий стук в боковое стекло: около «пежульки» маячил Артур. Я приоткрыла дверь.

— Чего тебе?

— У вас и правда нет «Бентли»?

— Зачем он мне?

— Ну, престижно.

— Я без понтов, это раз. Во-вторых, не люблю большие машины, в-третьих, мне нравится «Пежо», в-четвертых...

— Дайте ваш телефон.

— Записывай.

— Хорошо, — кивнул Артур, — я готов принять ваше предложение о месяце перемирия. Три условия. Первое — я обладатель эксклюзива. Второе — времени у вас тридцать дней, и никому не рассказываете о нашем договоре.

— Идет, — кивнула я, — но и без этой беседы я все равно бы начала расследование. Кстати, я не являюсь штатным сотрудником МВД.

Артур повернулся, я нажала на газ и понеслась по улице. Время пошло, некогда балбесничать, любое преступление легче всего раскрывается по горячим следам.

Неожиданно ко мне вернулось хорошее настроение. Встав в левый ряд, я поехала вдоль белой линии, сейчас она из непрерывной должна превратиться в пунктирную, во всяком случае, знак, обещающий разворот, я уже проехала.

Сзади недовольно заквакало, мой взгляд переместился на зеркальце. Так и есть, прямо на моем багажнике «сидит» навороченный черный джип, за рулем дядька лет пятидесяти, явно не хозяин, а шофер, ишь, как злится! Привык летать в левом ряду, все небось, завидя тонированный танк со включенными струбоскопами, мигом шарахаются вправо. Я, между прочим, всегда уступаю дорогу тем, кто торопится, и вообще не имею привычки раскатывать в скоростом ряду. Но сейчас-то я хочу развернуться!

Джип заморгал фарами, закрякал, завозмущался. Я вцепилась в руль. Хоть умри — не подамся вправо, мне потом не перестроиться. Во, теперь еще и руками размахивает! Ну что за человек! Неужели так опаздывает? Неожиданно из роскошной иномарки раздался громовой голос:

— Эй, гонщик Спиди[1], ну, ты, на букашке! У машины есть педаль газа. Если не умеешь ею пользоваться, уйди вправо!

У меня вспотела спина и свело шею: у этого джипяры еще и громкоговоритель имеется.

— Слышь, идиотина, стой! — понеслось сзади. — Куда полетела, дура! У тя тачка сломалась!

От неожиданности я нажала на тормоз. «Пежулька» немедленно послушался. Сзади раздался взвизг шин.

Я затрясла головой. «Пежо» испортился? Но он же едет? Я открыла дверь и увидела злого мужика в черном костюме.

— Ты ваще как, с головой дружишь? — заорал он. — Встала в левом ряду!

— Мне надо развернуться.

— Так чего затормозила?

— Сами же велели, заорали: «Пежо» сломался».

Шофер плюнул на дорогу.

— Во, блин, мартышка! Где ехала, там и замерла. Направо податься надо и у тротуара припарковаться, а не на трассе! Хорошо, у меня тормоза мертвые...

— Что с моей машиной?

— Стопы не горят.

— Это где?

---

[1] Гонщик Спиди — герой популярных мультфильмов.

— Задние фонари.

— Фу, ерунда!

— Дура! Непонятно ж, тормозишь или нет, езжай срочно чинить, иначе домой с битым задом прикатишь.

— Да?

— Да! И еще проводку замкнет.

— Ой!

— И током долбанет.

— Ой!

— А там пятьсот вольт.

— Это много?

Шофер прищурился.

— Ну, в розетке двести двадцать, всунь туда пальчики и посмотри.

— Мамочка!

— Верно, изжаришься за рулем! Получится электрический «Пежо», прямо в нем и похоронят.

— Почему?

— К креслу пришкваришься, — заржал шофер, — не отдерут. Видела, как яичница на сковородку наваривается? Так и с тобой будет.

Меня затрясло.

— И что делать? Вот беда.

— Ох, мартышки вы за рулем, — продолжал веселиться мужчина, — ладно, помогу. Сворачивай ща направо, там сервис стоит, позвоню туда, примут как родную.

— Спасибо! — с жаром воскликнула я. — Вы настоящий джентльмен.

Глава 7

У нас в семье много машин, собственно говоря, одна лишь Маня пока не имеет колес. Но если вы живете в Подмосковье, да еще в таком месте, куда не ходит ни электричка, ни автобус, ни маршрутное такси, то вам без личной лошади не обойтись. Поэтому все члены семьи, включая домработницу Ирку, кухарку Катерину и садовника Ивана, получили права и рулят теперь по шоссе. Из всех «гонщиков» я самая аккуратная. В крупные аварии, слава богу, я не попадала ни разу. А почему? Да очень просто. Я реально оцениваю свои возможности и плюхаю с небольшой скоростью в правом ряду. Мне не понять людей, которые мечутся, словно зайцы, шмыгают в любые «дырки», чтобы опередить остальных участников движения.

Москва настолько забита транспортом, что, как ни старайся, пересечь мегаполис из конца в конец за десять минут не получится. А еще мне делается очень страшно, когда, проезжая пост ДПС в Красногорске, я вижу около него «выставку» покореженных, гнутых железок, бывших некогда красивыми машинами. Миновав «экспозицию» с замершим от ужаса сердцем, я хватаюсь за мобильный и начинаю названивать Аркашке и Зайке с вопросом:

— У вас все в порядке?

Ольга, услыхав меня, обычно рявкает:

— Сколько раз тебе говорила: езди через МКАД! Нечего по Красногорску кататься.

А Кеша недовольно заявляет:

— Мать! Я всю жизнь за рулем! Ну сколько можно!

Противные дети абсолютно уверены, что они бессмертны, и от этой их наивности мне делается еще тревожней. Вот катались бы, как я, со скоростью не более сорока километров в час, и проблем никаких. А еще я очень хорошо понимаю, что жизнь и водителя, и пассажиров зависит от состояния автомобиля, поэтому всегда вовремя прохожу всякие ТО и меняю летнюю резину на зимнюю. Не надо думать, что самостоятельно ворочаю домкратом, нет, приезжаю на сервис, отдаю машину мастеру и отправляюсь в местное кафе пить чай. Потом просто подписываю счет, честно говоря, даже не читаю его, да и зачем? Все равно ничего не пойму. Один раз заглянула в калькуляцию, приметила там загадочное слово «сальник» и отложила бумагу. Если «Пежо» для лучшей работы следует смазывать салом, пожалуйста, я не против. Главное, чтобы техническое состояние машины было безупречным.

Может, кому-то мое поведение покажется глупым, говорят, что на некоторых сервисах клиентов обманывают, вписывают в калькуляцию невесть что, но я абсолютно доверяю своему мастеру, малоразговорчивому Диме. И сейчас, конечно же, следовало ехать к нему. Одна беда, сервис Димы расположен в Кузьминках, а я нахожусь на Волоколамском шоссе, поломка серьезная... Придется обращаться к незнакомым людям.

Кое-как, со скоростью беременного ленивца, я доплюхала до ворот мастерской. Внешне сервис выглядел вполне пристойно, да и изнутри тоже внушал доверие. Не успела я войти в просторный зал ожидания, как ко мне моментально подошел мужчина в синем комбинезоне.

— Добрый день, — вежливо сказал он, — у вас проблема?

— Да, да, — залепетала я, — стопы... электричество... кресло... пятьсот вольт.

Механик кивнул.

— Мне Игорь Львович звонил, разъяснил ситуацию. Где машина? Давайте глянем. Эй, Леша, загони «Пежо» в бокс.

Я молча последовала за мастером, в душе скреблось раскаянье, я так злилась на водителя джипа, нагло пытавшегося согнать меня вправо, а он оказался хорошим человеком. Обычно-то люди пообещают и ничего не делают, а Игорь Львович и впрямь позвонил на сервис. Надо потом взять его телефон и поблагодарить за заботу.

Спустя полчаса механик вынес вердикт:

— Да уж! Хорошо, что до нас доехали!

Я посмотрела на бейджик, приколотый к комбинезону, и спросила:

— Скажите, Миша, стопы долго чинить?

— Не очень, но не в них дело.

— Что еще?

— Цапфа еле держится, у нее хомутики лопнули, и сейчас кроншпунт полетит, — спокойно ответил Михаил.

Я вздрогнула. Цапфа, хомутики, кроншпунт. Чего только нет в автомобиле!

— Эти детали обязательно менять?

Миша пожал плечами.

— Так вопрос ставить нельзя. Обязательного

ничего нет. Давайте объясню ситуацию. Цапфа держит ребрик, а тот стопорит тормозную колодку руля...

— У баранки есть тормоз? — изумилась я.

— Конечно, — кивнул Миша, — ну подумайте сами, вы поворачиваете налево, крутите, крутите руль, потом бац, он дальше не идет, а почему? Ведь круглый, должен вращаться постоянно? Ан нет, там тормозная колодка имеется. Так что, если цапфу не починить, вы контроль над «Пежо» теряете. Ясно?

Я кивнула. Надо же, какой симпатичный дядька. Дима никогда мне ничего не объясняет. Раньше, когда я еще пыталась задавать на сервисе вопросы, Дмитрий закатывал глаза и отвечал:

— Дарь Иванна, за фигом вам все знать, а? Я ж не спрашиваю, из чего бабы суп варят!

А этот Миша очень спокойно, без всякой насмешки, растолковывает ситуацию.

— Если надо — чините цапфу, — приняла я решение.

Михаил кивнул.

— Очень разумно, кое-кто из водителей экономит на ремонте, а результат... Да вон, поглядите!

Я проследила взором за рукой механика и вздрогнула. В соседнем боксе стояла, нет, лежала, груда покореженного металла, похожая на мятый листок бумаги.

— Увы, — продолжал Михаил, — не послушался нас человек, на цапфе сэкономил.

— Мамочка, — прошептала я, — немедленно поменяйте ее, вместе с этими... как их...

— Хомутики и кронштпунт.

— Да, да!

— А тормозные колодки у руля?

— Непременно.

Михаил вздохнул.

— Ладно, это выполним.

— Что-то еще не так? — напряглась я.

— Ну...

— Говорите сразу.

— Машина не в лучшем состоянии. Хотя то, что вам не сделали полировку от ворон, ерунда.

— Полировку от ворон? — растерялась я. — Есть такая?

— Конечно, — спокойно кивнул Михаил.

— Но к чему она?

Механик поманил меня пальцем.

— Вон на крыше пятнышко, видите?

— Ага.

— Знаете, что это?

— Ну... птичка наследила, надо помыть.

— Как бы так просто! Экология в Москве жуткая, вороны теперь, простите, пожалуйста, кислотой срутся. Это раньше мы тряпочкой дерьмо отмывали, а теперь фекалии разъедают краску, начинается коррозия, и в результате приходится полностью перекрашивать авто. Дабы избежать неприятности, продвинутые сервисы предлагают специальную полировку, разработанную в Германии. Средство двойного действия: оно отпугивает птиц и защищает корпус. Дороговато, правда, зато эффективно. Ну и в конечном результате вы сберегаете свои деньги, иначе такая коррозия кузова пойдет!

Я разозлилась на Диму: ну почему он мне не рассказывал об этой полировке?

— Ну да краска ерунда, — спокойно говорил Миша, — намного хуже, что у вас колеса из вспененной резины.

Я покосилась на покрышки.

— Вроде дорогие брала!

— Дорого не всегда хорошо, — улыбнулся Михаил, — ваш баллон в любой момент рвануть может. Удержите машину?

— Нет, — прошептала я.

— О чем и речь!

— Господи! Что делать?

— Давайте поставим каучуковые, литые.

— Да, конечно.

— Но к таким колесам нужны диски из титана.

— Ага.

— И гайки анодированные.

— Угу.

— Подшипники с цапфами.

— Цапфу уже договорились менять, — напомнила я.

Михаил вздохнул.

— Рулевую. О колесных пока речи не шло. Потом...

Механик замолчал.

— Умоляю, говорите все, — потребовала я.

Михаил сдвинул брови.

— Шайба коленчатого вала погнута.

— Меняйте.

— Сход-развал грязью забит.

— Чистите.

— Насос подтекает.

— Ремонтируйте.

— Еще свечи!

— У вас нет электричества! — возмутилась я. — Хороша мастерская.

Мастер кашлянул.

— Свечи для мотора.

— Ой, конечно! Простите.

— А еще сцепление расцепилось.

— Соединяйте, — в полном отчаянии заявила я, — реанимируйте мой «Пежо». Больше никогда не поеду в свой старый сервис, теперь только к вам! Спасите, миленький. Кстати, это долго? И сколько стоит услуга?

Михаил чихнул.

— Тут есть еще одна проблема.

— Какая? — безнадежно поинтересовалась я.

— Вот, — сообщил мастер, — смотрите, дна нет.

— Где?

— Под мотором.

Я уставилась в пространство под капотом. Действительно, там всякие штуки, а под ними виднеется кафельная плитка, напольное покрытие сервиса.

— В салоне все в порядке, — продолжил Михаил, — ничего не сгнило, а тут отвалился.

— Но «Пежо» совсем новый, — только и сумела промямлить я.

— Случается, — меланхолично пожал плечами Михаил, — французы, блин, может, какие гайки недовинтили, вот он и отпал.

— Так сколько с меня? — окончательно испугавшись, повторила я недавно заданный вопрос.

Страшно подумать, какой опасности я подвергала свою жизнь, раскатывая на «убитой» машине!

Михаил вынул из кармана калькулятор.

— Сейчас прикину. Да, такой вопрос. Детали берем родные, французские, или китайский аналог?

Ну и что бы вы ответили? Я не исключение, поэтому с жаром воскликнула:

— Естественно, сделанные во Франции.

— Ладно. Кстати, вы получите десятипроцентную скидку, мы ее обычно в первый визит не даем, но как будущему постоянному клиенту пойдем навстречу. Итого, с учетом вашей личной суперскидки... э... э... восемнадцать тысяч.

Я обрадовалась. Такой ремонт — и недорого.

— Можно оплатить карточкой?

Михаил замялся.

— Лучше наличными.

— Но у меня с собой только десять тысяч наличными.

Миша улыбнулся.

— Не беда! Отдадите сейчас часть, остальное довезете завтра. Машину возвратим по факту полной оплаты. Пойдемте в кассу.

В небольшой комнатке за стеклом сидела рыжеволосая девушка. Миша быстро заполнил квиток, сунул его в окошко и велел:

— Ира, прими пока десятку.

— С удовольствием, — улыбнулась кассирша.

Я вытащила тысячные бумажки.

— Это что? — удивилась девушка.

— Деньги, рубли.

— Но тут всего десять тысяч!

— Правильно, с меня восемнадцать, но мы договорились...

Кассирша и механик переглянулись, Миша кашлянул.

— Восемнадцать тысяч в валюте!

Я подлетела над полом.

— Восемнадцать тысяч долларов!!!

— Нет, евро, — спокойно поправил Михаил.

Меня затошнило.

— Господи, дешевле новый «Пежо» купить.

Механик пожал плечами.

— Вам видней. Не хотите — уезжайте, только осторожно, не ровен час, цапфа вывалится.

Я схватилась за телефон и набрала номер Кеши.

— Котик...

— Мать, я сейчас занят!

— У меня машина сломалась!

— И что случилось?

— Стопы не горят, цапфа отваливается, хомутики рвутся, тормозная колодка у руля барахлит, еще мои колеса из вспененной резины ужасны, баллон может рвануть в любой момент, и потом, надо сделать полировку от ворон! А под мотором исчез пол!

Аркашка закашлял.

— Тебе Дима такое сказал?

— Нет, — зарыдала я и рассказала Кеше о событии на дороге.

— Мать, — сурово заявил адвокат, — говори адрес, сейчас приеду!

— С деньгами!

— Непременно, — рявкнул Кеша, — еще и чаевые прихвачу!

В отличие от меня, робкого, даже боязливого водителя, Аркадий носится по городу, словно черт с пропеллером. Он скачет по трамвайным путям, рулит по газонам, не всегда обращает внимание на знаки и нагло пользуется незаконно установленными спецсигналами. Но сейчас он побил все свои рекорды. Не прошло и десяти минут, как дверь сервиса распахнулась, и на пороге возник Кеша. Я посмотрела в его сердитое лицо и завиляла хвостом.

— Извини, бога ради, но...

— Ну-ка, — велел Аркадий, — покажи механика. Вон тот, ага! Сиди тут!

Через четверть часа сын снова вошел в зал ожидания.

— Все, поехали.

— Как? Уже починили?

— Да, шевели каблуками.

Мы вышли во двор.

— Садись, — велел Аркадий, — «Пежо» в полном порядке.

— Но они говорили...

— Мать, лампочку поменять плевое дело.

— А цапфа! — возмутилась я.

Внезапно Кеша развел руки в стороны, присел и сказал:

— Ку-у-у.

— Что с тобой? — испугалась я.

— Ничего. Фильм «Кин-дза-дза» помнишь? Они там постоянно «ку-у-у» кричали и тоже то ли цапфу, то ли цапф искали, — расхохотался сын.

Я потрясла головой.

— Ты хочешь сказать... Постой, а отвалившийся пол? Извини, я сама видела, под мотором нет ничего!

Кеша крякнул, влез в свою машину, потом вылез, открыл капот и велел:

— Гляди.

— Ой! И у тебя дна нет, — испугалась я, — как же ты ездишь! Немедленно на сервис!

— Мать, — вымолвил Аркадий сдавленным голосом, — под мотором ничего и быть не должно!

— Как?

— Так!

— Но в салоне-то пол есть!

— Верно. А под мотором нет.

— Почему?

Аркашка облокотился на «Пежо», его буквально складывало пополам от смеха.

— Муся, — простонал он, — купи в магазине учебник по автоделу. Узнаешь массу интересных деталей. Цапфы в «Пежо» нет, тормозных колодок у руля тоже, о колесах из вспененной резины и говорить не хочу. От водительского кресла не может шибануть током в пятьсот вольт...

— А полировка от ворон? — растерянно поинтересовалась я.

Кеша вытащил носовой платок, промокнул глаза и простонал:

— Наивная ты моя! Незачем тебе учебник читать, это я погорячился, не езди никуда, кроме как в сервис к Диме! Цапфа, умереть не встать. Ну нельзя же быть такой идиоткой!

Вымолвив последнюю фразу, наш адвокат сел за руль и полетел, не разбирая дороги, вперед. Я включила мотор. Идиотка! Обидно, ей-богу! Идиотия — болезнь, диагноз. А у меня это просто отсутствие необходимых знаний. Ну-ка, мои милые, положа руку на сердце скажите, кто из вас знает всю правду про цапфу? Вот-вот! Более того, я абсолютно уверена, что многие мужчины с удовольствием бы заказали полировку от ворон. Не может человек знать абсолютно все, тот же Аркадий ни за что не ответит на вопрос, что такое целлюлит и с чем его едят!

Продолжая возмущаться, я поехала в сторону проспекта. Ладно, пусть я идиотка, но мне сейчас предстоит справиться со сложной задачей: доказать, что наша семья не имеет никакого отношения к убийству бедной Милы, Звонареву отравил муж. И Машка, и Зайка великолепно видели падение Людмилы на пол после того, как рука мужа проехалась по лицу жены. Если бы это утверждала одна Ольга, я могла бы усомниться, предположила бы, что Заюшка ошиблась, но ведь Машка подтвердила слова невестки. Дело за малым — найти доказательства виновности Константина и продемонстрировать их сначала Артуру Пищикову, а потом и следователю. А начну я с ерунды. В своем письме Костя утверждает, что, подумав над ситуацией, решил более не злиться на жену и поехал в Ложкино, чтобы успокоить нервы. Но когда он увидел Милу в холле, гнев снова охватил мужика. Да и понятно почему. Катя-то Симонян соврала ему, будто Людмила сидит у нее. Наверное, эту версию Костя озвучил и следователю, Звонаревым руководил хитрый расчет. То, что супруга у нас, он не знал, более того, был уверен, что женушка сплетничает с подругой. Следовательно, Звонарев никак не мог подготовить убийство, встреча с Милой произошла случайно, Костя лишь решил надавать врунье оплеух, отравили Милу раньше, за ужином в Ложкине.

Вроде логичный рассказ, обеляющий Звонарева. Но милый Костик слегка просчитался, я сейчас порулю к Катьке и задам ей один простой вопрос: «Ну-ка скажи, когда последний раз ты болтала с Костей?» Симонян вытаращит свои огромные карие глаза и воскликнет: «Не помню. Наверное, в марте, когда с днем рождения поздравляла!»

И это будет первым доказательством того, что Звонарев врал, а маленькая ложь, как известно, рождает ложь большую.

Глава 8

Увидав меня, Катька раздраженно воскликнула:

— Ты?

— Я.

— Без звонка!

— На минуточку заглянула.

Симонян нахмурилась.

— Я не ждала гостей, не убрано у нас.

Я заулыбалась.

— Ерунда, видела бы ты нашу кухню.

Ну не говорить же Катюхе правду: у тебя всегда жуткий бардак! Сколько помню, у Симонян постоянно пыльно, а на креслах и диванах лежат горы вещей, причем порой самых неожиданных. В большой комнате около телевизора может обнаружиться зимняя резина для «Жигулей» или невесть как попавший сюда баллон с пропаном. Один раз я стала свидетелем замечательной сцены. Муж Катьки, Арам, зашел в гостиную, где мы с его женой рассматривали журналы по домоводству, и заорал:

— Никаких сил нет! Никакого порядка! Никакой аккуратности! Правильно моя мама говорит: жениться следовало на армянке. Вы, русские бабы, грязнули!

Приступ национализма накатывает на Арама, как правило, в воскресенье, после визита к любимой мамочке. Свекровь-армянка терпеть не может невестку и всякий раз поет сыну одну и ту же песню: Катя хорошая женщина, но она не наша, ой, не наша! Баклажаны не фарширует, гостей в доме не привечает, мужу подобострастно не прислуживает. Ох, Арамчик, зря ты не послушал маму, следовало идти в загс с Лианой, она своей свекрови пятерых родила, а твоя лишь на одного согласилась, да еще назвала ребенка Эдиком.

Разве ж это имя для мальчика? Жу-жу-жу, гыр-гыр-гыр, гав-гав-гав...

Получив дозу материнских нотаций, Арам приносится домой и кидается на Катьку. Та, великолепно зная, в каком настроении муж заявится от маменьки, бойко отбивает удары, и вечер воскресенья заканчивается воплем:

— Развод и девичья фамилия!

Утром в понедельник супруги мирно завтракают вместе и всю неделю живут душа в душу до следующего выходного.

Но день, когда я посетила Катьку, был средой, и Симонян искренне удивилась.

— Арамчик! С какой стати ты сегодня ездил к Розе Варкесовне?

Супруг затопал ногами.

— Не трогай мою маму! Лучше сыном займись! Глянь на стол.

Я невольно посмотрела туда, куда указывал разозленный муж, и ухмыльнулась — на скатерти громоздилась пара отвратительно здоровых ботинок.

— Они чистые, — бросилась защищать мальчика Катя, — я только сегодня купила. Эдик их еще не надевал.

— Туфлям место в прихожей, — завопил Арам, — немедленно убери, пока я их из окна не швырнул.

Катька фыркнула, но встала, взяла штиблеты и понесла их в коридор.

— Безобразие! — воскликнул Арам и убежал, правда, ненадолго.

Спустя несколько мгновений он вернулся,

таща в руках ржавую грязную трубу, то ли глушитель, то ли еще какой кусок от «Жигулей». Сопя от напряжения, Арам водрузил железку на обеденный стол и ушел. Я расхохоталась, на мой взгляд, чистые, ненадеванные ботинки куда лучше покрытого копотью металлолома. Хотя и обуви, и запчастям явно не место среди чашек и тарелок.

Поэтому сейчас Катьке незачем петь про беспорядок, она в нем постоянно живет.

— И чего ты хотела? — недружелюбно спросила Симонян.

— Голова очень заболела, — соврала я, — ехала как раз мимо твоего дома. Дай, думаю, загляну, таблеточку попрошу, небось найдется что-нибудь типа аспирина...

На лице Катьки отразилась мука, видно было, как в душе Симонян сейчас идет битва. С одной стороны, ей дико не хотелось впускать меня, с другой — неприлично отказать хорошей знакомой в такой малости, как аспирин.

Воспитание победило, Симонян навесила на лицо улыбку.

— Вползай.

— Спасибо, — защебетала я, — ей-богу, я ненадолго!

Аспирина у безалаберной Катьки не обнаружилось, Симонян подвигала ящичками и заявила:

— Нету таблеток.

Я обрадовалась.

— Ерунда, наплескай мне чайку, и все как рукой снимет.

— Зато имеется вот это! — торжествующе заявила Катерина, выуживая из недр шкафчика яркую упаковку. — Классная вещь, со вкусом банана.

Подавив отвращение, я опустошила стакан, в котором шипела жидкость неприятного, резко желтого цвета. Странное дело, я очень люблю бананы, готова есть их целыми днями, но почему все лекарства с банановой отдушкой имеют столь мерзкий вкус? Вот загадка.

— Легче стало? — осведомилась Катька.

— Просто оживаю, — пробормотала я и схватила со стола карамельку.

Может, сумею забить невероятные ощущения во рту?

— Это погода, — вздохнула Симонян, — то холодно, то жарко.

— Я не метеозависима, просто понервничала.

Глаза сплетницы Катьки вспыхнули огнем.

— С невесткой поругалась? — с надеждой воскликнула она. — Или с детьми чего случилось?

— Слава богу, нет!

— И по какой причине дергаешься? — не успокаивалась Катя. — Заболела, да?

— Никак не могу Звонареву из мыслей выбросить!

Симонян всплеснула руками.

— Во жуть! Костя просто Отелло. Хотя я Милку предупреждала: будь осторожна, не ровен час, просечет и накостыляет по шее. Но то, что он ее жизни лишит, я и в голове не держала. Скорей уж Милка должна была его пристрелить, сколько раз тут сидела и плакала: «Он меня не любит, на сторону глядит, небось любовницу завел. Узнаю правду — убью его».

Катька схватила чайник, вытащила из коробки пакет, плюхнула его в кружку и плеснула сверху воду. Ниточка с бумажкой моментально утонула в кипятке, Симонян ножом поддела размокший листочек и поставила передо мной чашку.

— Угощайся.

Я вздохнула, темную жидкость украшали разводы. То ли неряха Катька взяла грязную посуду, то ли нож был в масле.

— Навряд ли Милка и впрямь хотела Костю убить.

Катька дернула плечом.

— Думаю, тебе о ее проблемах ничего не известно!

— Сделай одолжение, расскажи.

Симонян плюхнулась на стул.

— Ну слушай.

Я навострила уши, Катька самозабвенная сплетница, для нее нет большей радости, чем растрепать всему свету о чужих тайнах.

— Помнишь небось, кем Милка работала? — с горящими глазами воскликнула Симонян.

— Естественно, в кино снималась.

— Вот, ты прямо в корень проблемы угодила! Мила звезда, а Костя кто? Так, не пришей кобыле хвост. Никому не известная личность, потом, деньги, Мила очень хорошо зарабатывала...

Я пыталась спокойно слушать рассказ Симонян. Вроде Катька говорит правду, Мила в последнее время красовалась на всех программах. Включишь первый канал — Звонарева в бальном платье кружится в вальсе, нажмешь вторую кнопку — снова Людмила, на этот раз в образе нищенки, переберешься на СТС — здравствуйте, вновь она, скачет на лошади или рыдает, заламывая руки.

А еще Милу, киногеничную, интеллигентную, образованную, охотно звали во всякие токшоу. Да и получала она очень хорошо, Костя не мог по заработку сравниться с женой. Кстати, кем он работал? Я напрягла память. Вот странно, точное место службы старого приятеля я не назову, знаю лишь, что у него техническое образование и что служба Кости как-то связана с авиацией.

Так что на первый взгляд Симонян права — удачливая, обеспеченная жена и муженек, никому не известный инженеришка.

Но на самом деле ситуация обстоит по-иному! Востребованной лицедейкой Мила стала всего пару лет назад, до этого она рыдала от счастья, получив роль со словами: «Кушать подано».

Семью худо-бедно содержал Костя. Он мотался по командировкам, гробил здоровье в самолетах, поездах и гостиницах, чтобы прокормить и одеть трех баб: жену, маму и тещу. Впрочем, особого достатка у Звонаревых никогда не имелось, Костя трудился «на унитаз». Но мне всегда казалось, что Мила любит мужа, ну пусть не с такой страстью, как в первые годы брака, но ее чувства, слегка потускнев, не исчезли вовсе.

— Ты себе представить не можешь, — тарахтела Катька, — что Костя за тип. Жадный до опупения. Кстати, последние годы он Милке ни копейки на хозяйство не давал! Тратил заработанное на себя, а раньше! Сунет ей пару бумажек и орет: «Все! Не шикуй, скромно живи, больше получек в этом месяце не предвидится».

Если Мила позволяла себе некие радости в виде губной помады, перчаток или духов, супруг шел пятнами от злости.

— Отвратительно, — визжал он, — мы живем без запаса. А если со мной инфаркт приключится? И ты, и моя мама по миру пойдете!

— Я только косметику купила, — пыталась оправдаться Милка.

— А ну покажи чеки, — начинал еще сильней злиться супруг, — живо!

Первое время, услыхав приказ мужа, Мила дрожащей рукой протягивала «отчетный документ», и, как правило, начинался новый виток скандала.

— Ага, — вопил муженек, — заплатила такие деньжищи за пудру! Ты в курсе, сколько я получаю? Впрочем, люди из любых доходов на черный день откладывают, а у нас пшик!

Мила сделала выводы и стала вести себя поиному. Нет, вы ошибаетесь, если полагаете, что она завела амбарную тетрадь и принялась тщательно записывать свои траты, анализируя семейный бюджет. Конечно, многие журналы рекомендуют безалаберным хозяйкам именно такое поведение, обещая не слишком богатым и при этом малоразумным женщинам, что их достаток от сей нехитрой процедуры резко возрастет.

Но, на мой взгляд, учитывать доходы и соотносить их с расходами надо людям, которые не особо стеснены в средствах. Вот они как раз способны потратить тысячи на ерунду. А что за смысл заниматься «калькуляцией» нищей тетке? Ну занесет она в тетрадку: «Отдала двадцать рублей на продукты», и что? Купюр станет больше? Или психологи предполагают, что, увидав запись, бедняжка скажет себе: «Ага! Не следовало покупать хлеб, деньги бы при мне остались». Но кушать-то хочется! Как ни крути, а две десятки никогда не превратятся в две тысячи, отложи их в коробочку — покроются пылью, но никоим образом не размножатся. Можно, впрочем, сунуть «накопления» в банк, под проценты. И снова выйдет ерунда, потому что хороший прирост дает лишь большой капитал. Не слишком обеспеченной бедняжке лучше поразмыслить на иную тему, ей не стоит пытаться отложить свои копейки. Нет, нужно пораскинуть мозгами и подумать, где можно заработать рубли. Следует опасаться не больших трат, а маленькой получки. Но ради повышения заработка надо крутиться, менять работу, суетиться, в общем, забыть о спокойном распорядке дня и отдыхе, поэтому многие женщины попросту дурят мужа и на вопрос: «Сколько же стоила новая кофточка?» — лихо врут: «Сущие пустяки. Она из коллекции позапозапозапрошлого года, я приобрела ее на распродаже».

Мила пошла тем же путем, чеки она больше домой не приносила. Денег у Звонаревых, как вы догадываетесь, больше не появилось, зато жизнь стала спокойней.

Ну а после того, как Милочка внезапно превратилась в звезду, Костик притих. Первое время он, правда, злился и орал на супругу:

— Опять новые брюки! Ты офигела!

Но потом Милка бросила перед ним журнал и, ткнув пальцем в глянцевую страницу, велела:

— Читай. Вслух!

Удивленный Костик уставился в статью и озвучил текст:

— «Модная нонче актрисулька Звонарева смело может заслужить звание самой жадной бабы Москвы. Зарабатывая немереные тыщи, она с сентября (напомним, что сейчас декабрь) появляется на тусовках в одном и том же платье. Ай-ай-ай, Милочка, нас не обмануть! То пришьете бантик, то воротничок приляпаете, то поясочек нацепите, но базовая шмотка одна. Десять баллов за скупердяйство».

— Понял, идиот? — прошипела Мила. — Я теперь публичный человек. Кстати, я зарабатываю на порядок больше тебя. Какое право ты имеешь указывать, как мне собственные деньги тратить?

Костя прикусил язык, он прекратил ругать жену за непомерные расходы. Это с одной стороны, но с другой — Звонарев более не давал супруге денег на хозяйство. Милка не стала требовать, как она говорила, копейки. Ее гонораров за съемки вполне хватало на безбедную жизнь для всей семьи. Супруги сделали ремонт, купили хорошую иномарку и стали посещать дорогие магазины.

Со стороны их жизнь казалась безоблачно счастливой, но Катя Симонян, близкая подруга Милы, знала, что благополучие касается лишь финансов.

Последний год Звонарева, придя к Симонян, с порога начинала закипать.

— Боже! Костя меня просто ненавидит. Денег не зарабатывает, благодарности ко мне не испытывает! Зудит целыми днями! Да еще мамаша его, ополоумевшая баба! Ноет и ноет, прямо домой идти неохота.

Первое время Катька пыталась помочь Миле и давала ей примитивные советы типа: «Съездите вместе отдохнуть, быт убивает любовь».

Мила послушалась закадычную подругу, они с Костей отправились сначала в Париж, а потом в Испанию, на море. Но ничего хорошего из совместного отпуска не получилось. В Мекке влюбленных Звонаревы ежедневно ругались, а в Испании чуть не убили друг друга, споря по любому пустяку.

Вернувшись, Мила мрачно сказала Кате:

— Он не способен выдерживать меня более пяти минут рядом.

— Так разведись, — воскликнула Катька, — что вас держит вместе?

Мила вздохнула:

— Я его люблю.

— Глупости!

— Потом, квартира.

Катька всплеснула руками:

— Господи! Ты с ума сошла! Ее можно разменять.

— Ага! И жить в дыре!

— Ты же вполне можешь сейчас любую купить, — напомнила Симонян.

— Ну да, — нехотя признала Мила, — оно вроде так!

— Что тогда не так?

— Машина...

— Милка! — окончательно вышла из себя Симонян. — Не пори чушь! Если мужик не способен находиться рядом с тобой, следует расстаться. За фигом мучиться? Ты же материально независима.

— А имидж?

— Чего? — не поняла Катька.

— Дура ты, — вздохнула Звонарева, — я звезда, следовательно, обязана думать о производимом на людей впечатлении. У зрителя сложился мой образ: милая, слегка наивная, чуть глуповатая особа, тонко переживающая неприятности, хорошая жена, замечательная невестка, преданная дочь. Если сейчас затеять развод, то это впечатление разрушится. Газеты начнут смаковать детали разрыва, и люди не пойдут на фильмы с моим участием.

Катя заморгала, но потом нашла нужные слова:

— Том Круз и Николь Кидман разбежались, да масса голливудских звезд постоянно меняет партнеров. Наши тоже не отстают, однако народ все равно в кино таскается.

— Кое-чего я тебе не объясню, — вздохнула Мила, — есть продюсеры, режиссеры, спонсоры, и они хотят, чтобы у Звонаревой была определенная репутация. Нет, терпеть мне Константина до смерти.

Симонян пожала плечами, она была абсолютно уверена: коли хочешь развестись — ничто не помешает, мигом забудешь и про роли, и про гонорары. Значит, в планы Милы не входит разрыв с мужем. Жалуется она на Костю, ноет, страдает, но разбегаться с опостылевшим супругом не собирается. Следовательно, ее что-то связывает со Звонаревым. Неужели любовь?

А еще через некоторое время Мила попросила Катю:

— Слышь, если Костька тебе позвонит, скажи, что мы в кино сидим, я в туалет отошла, или еще чего-нибудь придумай. А сама мне на мобильный звякни. Запиши номер.

— Он у меня есть, — тихо ответила Катька.

Мила хихикнула:

— Не, это новый. Я специально дешевую SIM-карту приобрела, только тебе номерок скажу. Свой мобильный отключу, а то, не ровен час, он вычислит, где я.

— Как же Костя такое проделает?

Мила прищурилась.

— Эх, Катюха! Сейчас чего только нет! Аппараты специальные продаются, такие коробочки, а к ним карта Москвы. Человек звонит тебе на мобильный, и хоп! — мигом видит, где ты стоишь. Много всяких прибамбасов имеется. Еще можно мне трубочку поменять на другую, идентичную. Я подмену и не замечу, а зря, потому что новый аппарат — хитрая штучка, Костя его без моего ведома включить может.

— Как? Зачем? — стала удивляться ничего не понимающая Симонян.

Звонарева со снисхождением посмотрела на подругу.

— Наивняк. Ладно, объясню. Костя набирает номер, но мой сотовый не звонит, не гудит, не пищит, вообще никаких признаков жизни не подает. Но на самом деле телефончик не спит, он превращается в передающее устройство. Константин великолепно слышит теперь все звуки в радиусе до двадцати метров вокруг меня. А поскольку мобильный, как правило, носят при себе, то муженек окажется в курсе всех моих дел. Более того, посредством подобного телефона легко можно подслушивать мои разговоры, единственный способ избавиться от шпиона — выключить его. Но как это проделать, не вызывая у супруга подозрения? Ну с какой стати среди дня я отрубилась?

— Ну... ты на съемочной площадке или не подзарядила мобильник!

— У меня сейчас перерыв в работе.

— Тогда... э... в кино!

— Вот, правильно. Поэтому я и купила новую SIM-карту. Усекла? Звонарев ничего о ней знать не будет, другой мобильный в машине держать стану.

— Вдруг он к тебе в тачку сядет и на сотовый наткнется? — предостерегла ее Катька.

— Пустяки, — отмахнулась Милка, — скажу, ты забыла. Специально приобрела старую модель, Костька знает, мне с такой западло появляться...

— Мила изменяла мужу, — констатировала я.

Катька пожала плечами.

— Мне она говорила, что ходит в косметическую клинику на фотоомоложение. Процедуры надо делать полтора года, долго, зато эффект безо всяких операций сногсшибательный. Косте же она о манипуляциях рассказывать не собиралась. Муженек вечно все маменьке выбалтывал, а Елена Марковна потом Нине Алексеевне плешь проедала, зудела: «Вот ваша дочь...» Милке скандалы опостылели, она решила тайком омолодиться, лицо для актрисы визитная карточка, рабочий инструмент.

— И ты ей поверила? — закричала я.

Глава 9

Катька хмыкнула:

— Не-а.

— Но помогала!

— А ты бы отказала?

Я вздохнула:

— Нет, конечно.

— И незачем меня упрекать, — надулась Катька.

— Просто я констатирую факт: ты покрывала Милку.

— Любая на моем месте так поступит, — злилась Симонян.

Я вздохнула. Многие женщины доверились подружкам и жестоко поплатились за свою наивность. Вот, например, Альбина Максимова, она тоже решила наставить муженьку рога и попросила Таню Риткину прикрыть ее. Танюшка согласилась, Альбинка поехала с кавалером на дачу, а Риткина мигом позвонила обманутому супругу и раскрыла тому глаза. И каков результат: разгневанный муж выгнал провинившуюся жену из дома, а через короткий срок женился на... Таньке. Вот и делайте вывод, стоит ли сообщать подружкам о всех своих тайнах! Впрочем, кое-кому из нас повезло, допустим, мне. Ни Оксана Глод, ни Маша Трубина, даже если их подвергнут страшным пыткам, никогда не выдадут Дашутку. Я могу смело бегать от мужа налево, девочки «отмажут» изменницу. Одна деталь — я не замужем и никому ничем не обязана. И еще, наверное, я плохо разбираюсь в людях, потому что до сегодняшнего дня считала Катьку Симонян жуткой сплетницей, не способной удержать никакие тайны. А она, оказывается, настоящая подруга, раскрывшая рот лишь после смерти Милки.

— Он ее убил, — бурчала Катька, — и я знаю за что!

— Всем понятно, за измену.

— Ты про дурацкую ситуацию с Интернетом, — махнула рукой Катька, — не о ней говорю!

— А о чем ведешь речь?

— За неделю до смерти, — тихо сообщила Симонян, — принеслась ко мне Милка...

Я старательно запоминала нужную информацию.

Катька, увидав на пороге взволнованную Звонареву, решила, что та явилась опять жаловаться на мужа, но Мила неожиданно сказала:

— Больше не могу. Устала.

— Конечно, — закивала Катька, — виданное ли дело! Иззвездилась вся! Со съемки на съемку скачешь! Этак и нервный срыв заполучить недолго, поезжай отдохнуть.

— Надо ковать железо, пока горячо, — пробормотала Мила, — не о работе речь!

— Если снова заведешь стоны о Костике, то лучше не начинай, — предостерегла ее Катька, — ты мое отношение к ситуации знаешь. Развод...

— Нет, — перебила ее Мила, — как раз я хочу все рассказать мужу.

— Что? — вытаращила глаза Симонян.

— Правду.

— Какую? — еще больше изумилась Катька и потом деликатно закончила: — О фотоомоложении?

Мила стала водить пальцем по скатерти.

— Я тебе наврала, — наконец сообщила она, — ни в какую клинику не хожу!

— Да я уж поняла! — воскликнула Катя.

— Ничего ты не поняла и понять не сможешь, — тихо сказала Мила, — потому что правды не знаешь, а если я сообщу тебе истину, то не поверишь. Я попала в ужасную ситуацию, скорей всего, меня в живых не оставят.

Катерина вздохнула, понятно, Мила учит новую роль. Несколько раз Звонарева до икоты пугала подругу, заявляя той:

— Я смертельно больна.

Или:

— Злой рок преследует моих детей, они сброшены в пропасть.

Сначала Катька хваталась за сердце, но, спустя пару мгновений вернув себе способность соображать, кричала:

— У тебя же нет ни сына, ни дочери!

Звонарева мотала головой, ее глаза меняли выражение, и актриса сообщала:

— Ох, прости, Катюх! Как получу сценарий, так все, кранты, вживаюсь по полной. Очень, честно говоря, мне это жить мешает, я уже перестаю понимать, где я сама, а где героиня очередной ленты.

Симонян привыкла к ее истерикам, но так и не научилась разбираться, когда Милка плачет от настоящей обиды, а когда ее слезы вызваны очередным разучиваемым сценарием. Поэтому, увидав сейчас Звонареву, заламывающую руки, Катя просто принялась разливать чай, а Мила тем временем грустно вещала:

— Никогда я не уронила чести мужа, верна ему и чиста, как слеза младенца. Просто некий человек, о, не могу открыть его имя, втянул меня в очень важное, государственное дело. Если узнаешь, кто он и чем я занимаюсь в последнее время, — упадешь в обморок. От сведений, добытых мною, зависит судьба многих людей...

На этом пассаже Катька привычно перестала вслушиваться в текст очередной роли. Симонян лишь отметила, что на данном этапе режиссер, очевидно, захотел повернуть Милку к публике иной стороной, похоже, Звонаревой предстоит сыграть не слезливую, обиженную судьбой дамочку, а некое подобие Никиты́.

Сыграв у Симонян на кухне очередной эпизод, Милка сгорбилась и обхватила руками чашку. Катя поняла, что подруга смертельно устала, и участливо предложила:

— Хочешь, ложись на мою кровать, поспи.

— Нет, — тихо ответила Звонарева, — мне домой пора.

Больше подруги не встретились, Мила не звонила Катьке, но Симонян не волновалась. Когда у Люды начинались новые съемки, она целиком уходила в работу и забывала обо всех. Катька же обладает отличной памятью, считает дружбу понятием круглосуточным, поэтому, когда ей позвонил Костя и зло спросил: «Слышь, моя небось у тебя сейчас сидит?» — быстро ответила: «Да, но нам следует поболтать наедине, ты сюда не суйся, дверь не открою!»

— Мила просила тебя так ответить? — уточнила я. — Ты же секунду назад сообщила: мы давно не созванивались.

— Не просила, — буркнула Симонян.

— А зачем тогда ты наврала?

— По привычке, — пригорюнилась Симонян, — о чем мне с Костей болтать? Хоть он и муж Милки, да особой дружбы с мужиком я не водила. Так, перебрасывались вежливыми фразами при встречах: «Привет, как дела?» — «Спасибо, классно, а у тебя?» Он мне всего раз пять звонил и каждый раз Милку искал.

— А ты?

— Отвечала: в кино сидим, она в туалете. Или: в кафе балдеем, у Милкиной машины сигнализация завыла, пошла поглядеть. Всякий раз новую причину придумывала. Ну а в тот день глупо так набрехала, я ж не знала, что у них ерунда с

Интернетом вышла! Только Костя сразу поверил, подумал, что Мила плачет мне в жилетку, и к вам порулил. А там...

Симонян зашмыгала носом, схватила бумажную салфетку и, комкая ее, воскликнула:

— Ну за фигом ее знакомиться потянуло!

— Похоже, Милка, при всей ее звездности, была крайне одинока, — протянула я, — и потом, наверное, надоедает постоянно быть в центре внимания, хочется иногда, чтобы с тобой общались не как с известной актрисой, а просто, по-человечески, вот Звонарева и решила спрятаться за псевдонимом.

— Ага! И явилась на свидание! Со своей мордой, которая у народа в глазах навязла.

— Ну... небось думала, мужчины подобные сериалы не смотрят!

— Газет не читают, радио не слушают, телик не включают! Дашка! Очнись! Милка изменяла Косте!

— С кем?

— Не знаю, но кое-какие соображения на сей счет имею. Помнишь, с чего ее суперкарьера началась?

— Конечно, Звонарева сто раз рассказывала. Режиссер, задумавший снять сериал, искал новое, незатасканное лицо, стал изучать картотеку, увидел фотографию Милы и...

— Господи! Да в такую лабуду могли поверить лишь идиоты!

— Но почему? В истории театра, например, есть примеры, когда примадонна внезапно, стоя в кулисе, за минуту до начала спектакля, заболевала, и ее заменяла никому не известная статистка, знающая роль. После представления девушка превращалась в звезду, да и на съемочных площадках такое бывало. Главная героиня начнет топать ногами, истерики закатывать и бегом в свой вагончик, коньяк пить. А режиссер вместо того, чтобы за кумиром миллионов спешить, плюнет да и выхватит из массовки первую попавшуюся под руку девчонку. Результат? Рождение новой суперстар.

— Глупости, — топнула ногой Симонян, — сказочки для малолетних идиоток. Во-первых, для просмотра снимков так называемой актерской базы есть специально обученный помощник, очень важный человек и для исполнителей, и для постановщика. Это он отбирает на кастинг претендентов, не царское дело груду снимков лопатить. Режиссер получает уже узкий круг, из которого и вытаскивает героя. Во-вторых, новое лицо, конечно, хорошо, но малоизвестный актер может загубить сериал, не вытянуть роль, не привлечь зрителя. Люди-то любят своих кумиров и специально ходят на них, а тут некий Вася Пупкин, кому он нужен, даже дико талантливый. Поэтому постановщики рисковать не хотят. А в-третьих... Ты думаешь, режиссер главный?

— А кто?

Симонян снисходительно усмехнулась.

— Наивняк. Кто платит, тот девочку и танцует. Основное лицо — спонсор или продюсер, короче, тот, кто дал бабло на сериал. Вот он может заявить: «Получите денежки на серии с небольшим условием. Главную роль сыграет Людмила

Звонарева». Режиссер берет под козырек, а потом, чтобы не уронить себя в глазах зрителей и коллег, принимается щебетать в каждый подставленный микрофон: «Надоели одни и те же лица, вот, открыл новое, случайно фото попалось». Дурочки вроде тебя верят, а свои пересмеиваются. Знаешь, сколько в базе фоток? Закачаешься. Фамилия Милки на З начинается. До нее еще на А, Б, В, Г, Д, Е и Ж люди имеются. Думается, начни Волк в снимках рыться, раньше бы подходящую морду нашел. Ну какой в Милке эксклюзив?

— Волк?

— Ага, это фамилия Никиты, который первый сериал с Милкой снял. Волк, Никита Волк. Думаю, Милке повезло переспать с богатым женатиком, который решил отблагодарить ненавязчивую любовницу и отстегнул деньжонок на серии. Впрочем, Милка на все сто воспользовалась предоставленной возможностью, вцепилась в ситуацию и вынырнула из болота. У нее нельзя было отнять ни работоспособности, ни упертости.

— Послушай, — перебила я Катьку, — Миле ведь уже, гм, не двадцать лет было, намного больше натикало. Неужели таинственный богатый спонсор не мог себе помоложе и посвежее найти?

Симонян захихикала.

— Может, он геронтофил? А потом... Тридцатилетнему парню Милка и впрямь подгнившей сосиской покажется. А если богачу семьдесят или даже шестьдесят? Для такого Мила сладкая ягодка!

Я молча теребила скатерть. Верно. На каждый товар есть свой купец, и не правы те сорокалетние женщины, которые с горечью говорят:

— Все. Больше я никому не нужна. Сегодня ехала в метро, так ни одна сволочь внимания не обратила.

Бабоньки, вы небось по привычке пытаетесь поймать улыбки молодых парней, а вам, кисоньки, следует сменить, так сказать, целевую аудиторию и обратить взор на дядечек, стоящих на пороге пятидесятилетия. Вот в этой среде снова увидите восхищенные лица. Неприятно осознавать, что твои кавалеры дедушки? Ну, не надо капризничать, еще не вечер, ночь наступит позднее, когда поймете, что кавалеры просто физически отсутствуют, они вымерли. Вот в девяносто лет надеяться не на что. Хотя... Вспоминается мне одна история.

Моя подруга Оксана замечательный хирург, она помогла тысячам больных людей, но, увы, Ксюня работает в обычной городской больнице и получает скромные деньги. Поэтому она никогда не отказывается от любой возможности подработать. Не так давно Оксанка пристроилась в дом престарелых, ездит туда пару раз в месяц для оказания старикам помощи, чаще всего ерундовой. Кто-то из бабушек занозил палец, кто-то мучается от фурункула... Оксана человек жалостливый, поэтому она не только размахивала скальпелем, но еще и вела с престарелыми людьми беседы. Одна из старушек, девяностопятилетняя Елизавета Михайловна, как-то раз сказала ей:

— Милочка, у нас на этаже новый жилец, Сергей Никанорович. Такой странный! По ночам ходит по коридору, стучит в мою комнату, право, я в смущении.

Оксана не поленилась потом сбегать к главврачу и рассказать об услышанном.

— Ерунда, — отмахнулся эскулап, — Никанорович тихий, никому зла причинить не может.

Решив успокоить Елизавету Михайловну, Ксюня поднялась наверх и поскреблась в дверь.

— Войдите, — отозвалась старушка.

Оксанка вошла в спальню и удивилась. Елизавета Михайловна была одета в белую кружевную блузочку, морщинистую шею старушки украшали яркие бусы, волосы топорщились от лака.

— Это вы, душенька, — протянула бабушка, — а я думала, опять Сергей Никанорович, озорник!

— Я специально пришла вас предупредить, — быстро сказала Оксана, — можете не бояться нового соседа, он абсолютно безопасен.

— Безопасен? — повторила Елизавета Михайловна. — Совсем?

— Абсолютно, — кивнула Оксана.

— То есть он не... к женщинам... не...

— Верно! Сергей Никанорович просто божий одуванчик, — улыбнулась Оксанка.

Подруга думала, что Елизавета Михайловна радостно воскликнет:

— Слава богу!

Но старушка отреагировала по-иному.

— Надо же! — с обидой в голосе воскликнула она. — Зачем тогда в дверь стучал! Я очень разочарована!

Оксанка вовремя подхватила падающую челюсть. Только сейчас до нее дошло: белая блузочка и яркие бусы надеты ради нового соседа, Елизавета Михайловна собиралась завести роман, и ей было наплевать на свои годы и на то, что кавалер ненамного моложе дамы.

Глава 10

По дороге домой я попала в пробку, но злиться не стала. Ну какой смысл сейчас ерзать на сиденье, заставлять «Пежо» моргать фарами, гудеть в клаксон и портить нервы себе и окружающим. Намертво вставший поток от этого не сдвинется. Лучше спокойно покурить и поразмыслить над полученной информацией.

Значит, Костя не врал! Он на самом деле полагал, что Милка льет сопли на кухне у Катьки, поэтому и взбесился, увидев жену в нашей прихожей. И что из этого следует? Да простой вывод: Константин явился к нам, чтобы провести ночь в спокойной обстановке, подумать в тишине, как жить дальше... А тут Милка собственной персоной, следовательно, Симонян привычно наврала, выгораживая бабу, ну и...

Все объяснимо, желание Кости надавать пощечин жене лично у меня вызывает понимание. Мне не ясна лишь одна деталь, маленькая, но очень важная.

Каким образом Костя ухитрился запихнуть Милке яд в рот?

Вернее, как, я знаю. Людмила, увидав внезапно мужа, заорала во всю глотку, то ли от ужаса, то ли от страха, а Костя, потерявший от гнева способность владеть собой, решил надавать изменнице пощечин, занес руку, ударил супругу по лицу, потом всунул ей в рот таблетку, Мила упала...

Но ведь Костя не был готов к встрече с Милой. Кстати, еще одна деталь: следователь, который занимается этим делом, забрал у нас видеозапись. Дом в Ложкине оборудован камерами, которые фиксируют все, что происходит вокруг забора и на пороге, когда открывается дверь. Прежде чем отдать милиционерам кассету, я сама просмотрела ее несколько раз и сейчас попыталась в деталях вспомнить «кинофильм».

Вот Костя входит в вестибюль, его лицо спокойно, потом выражение резко меняется, Звонарев замечает жену. В глазах Константина загорается огонек удивления, который меньше чем за секунду трансформируется в негодование, гнев, бешенство... Щеки его резко краснеют, он хватает жену, начинается вульгарная драка. Вот Костя размахивается и с явным наслаждением отвешивает женушке оплеуху, рука Кости скользит по лицу Милы, на мгновение пальцы мужа попадают в рот жены, Звонарев отдергивает длань и тихо, но очень четко шипит:

— Получи, сука! Дрянь, мерзавка...

Далее следует совсем уж непечатный текст.

Затем на пленке начинают мелькать лица Зайки с Машкой, и запись обрывается. Вроде полнейшее доказательство совершенного преступления. Муж сунул в рот жены яд, на пленке отлично видно, как пальцы Кости исчезают между губами Милы. Но только сейчас мне в голову пришел очень простой вопрос. Звонарев что, постоянно носит с собой отраву? Ходит по городу, зажав в кулаке ядовитые таблетки? Костя ведь не знал, что Мила у нас! На его лице было такое выражение, когда он увидел супругу! Если Звонарев сумел так сыграть недоумение, то он великий актер, а до сих пор Костя не выказывал никаких талантов к лицедейству. Еще один штрих. Константин не знал, что мы ведем видеосъемку происходящего в прихожей. Камера размером с песчинку автоматически начинает работать, едва нога любого человека ступает на одну из плиток с внешней стороны двери. Кстати, домашние ведут себя безобразно. Следователь, наверное, здорово повеселился, просматривая весь «фильм». Машка обычно корчит рожи, Зайка способна высунуть язык, Кеша может начать махать руками и петь:

— К нам приехал, к нам приехал наш Аркадий дорогой.

Один Дегтярев стоит около замочной скважины с самым серьезным видом, и от этого почему-то делается совсем смешно. Но, повторяю, Звонарев о съемке и не подозревал. Мила открыла ему дверь сама, услышала звонок и решила похозяйничать, в прихожей в тот момент никого, кроме нее, не было. Ну с какой стати Косте изображать недоумение, гнев... Зрителей нет, можно просто надавать жене тумаков. К тому же он сильно покраснел, а каким образом он сумел симулировать такую реакцию, мне не понять. Следовательно, Костя не убивал Милу, он просто от души треснул ей, а та свалилась и умерла... отравившись.

Из всего вышесказанного напрашивается лишь один вывод: Милку накормили ядом раньше. Кто? Ясное дело, что следователь через некоторое время задаст себе тот же вопрос и мигом ответит: жители Ложкина, вернее, обитатели нашего дома. Ну-ка, кто из нас имел зуб на Милку? Машка? Звонарева частенько говорила девочке:

— Манюня, ты очень много ешь! Скоро превратишься в трансформаторную будку. Посмотри на меня: стройная, джинсы двадцать пятого размера ношу, а у тебя какой? Небось тридцать четвертый!

Маня мужественно сносила «выступления» Звонаревой, но некоторое время спустя, когда Милка уехала, воскликнула:

— С огромным удовольствием придушила бы ее!

— Я бы тоже, — мрачно отозвалась Зайка. — Трясет передо мной своими силиконовыми сиськами и ржет: «Оля, ты в профиль на лист бумаги похожа».

А еще Милку недолюбливали кухарка Катерина и Ирка. Звонарева постоянно заявляла:

— Дашута, ты не умеешь управляться с прислугой. Глянь-ка! На камине пыль, а мясо подгорело.

Да и Кеша кривился, обнаружив в гостиной Милу. Звонарева при виде Аркадия ухмылялась и восклицала:

— Привет работникам правосудия! Ну, кому

еще сегодня пожизненное заключение обеспечил?

Кеша, который не всегда выигрывает дела, вежливо улыбался, по слегка сузившимся глазам сына я хорошо понимала: он бы сейчас с огромным удовольствием пнул Звонареву, но, увы, хорошее воспитание мешает. По моим наблюдениям, хорошее воспитание сильно осложняет жизнь того, кто им обладает.

Да и я сама не всегда оказывалась рада визитам старой знакомой, чаще всего думала: «О господи, принесло же ее! Прощай спокойный вечер с книгой!»

Под подозрением у следователя окажемся мы все. Я-то знаю, что никто из домашних не способен на убийство, но первая пришедшая в голову менту мысль будет о том, что Миле подсунули отраву во время ужина. Значит, я должна действовать быстро, чтобы в тот момент, когда нас начнут вызывать на допросы, сказать:

— Стоп! Я знаю убийцу! Это...

«Пежо» замер у поселка, я начала рыться по карманам, пытаясь найти брелок, открывающий ворота. Неужели опять потеряла его?

Спустя пару минут пришлось вылезать из машины и идти к будке охраны. Да, снова я посеяла неизвестно где электронный ключ, ну не понимаю, куда он мог подеваться, зато очень хорошо знаю теперь, кто отравил Милку. Любовник! Тот самый таинственный благодетель, давший денег на сериал. Наверное, Людмила поругалась с ним, пообещала рассказать журналистам о тайном романе, и мужик решил избавиться от нее. Дело за малым — отыскать аманта и доказать его виновность. С первой задачей справиться легко, со второй трудней, но... Ладно, моя покойная бабушка говорила: «Дашенька, не хватайся сразу за все, разбирайся с трудностями по мере их поступления». Значит, я связываюсь с Никитой Волком и...

Строя планы, я вошла в прихожую и вздрогнула. На небольшом диванчике стоит ярко-розовая спортивная сумка, очень похожая на увеличенный во много раз аксессуар Барби. Блестящие стразы украшали бока поклажи, с ручки свисал прехорошенький мишка, в его животик вставлена карточка, на которой написано: «Женя Писаренко».

Фамилия отчего-то показалась знакомой. Писаренко, Писаренко... Женя... вроде слышала это имя, но поразмыслить над загадкой не удалось. Ноги подогнулись, я шлепнулась на сиденье около розовой сумки. У нас гости! Некая девушка явилась на постой! Отчего я решила, что незваный посетитель женщина? Господа, включите логическое мышление. Это же элементарно, Ватсон! Можете представить себе мужчину, который купил розовый баул, украшенный фальшивыми бриллиантами и плюшевым мишкой?

— Муся, — закричала Маня, — сырники будешь?

Я пошла в столовую, творожники — замечательная вещь, в особенности если я не сама их готовила. Сейчас спокойно поем и узнаю, кто такая Женя.

Сев за стол, я оглядела присутствующих, выхватила взглядом незнакомое лицо и кивнула:

— Добрый вечер.

— Тетя Даша, — хриплым меццо спросила стройная девушка, сидевшая около Машки, — вы меня не узнаете?

Я вздрогнула, наверное, глупо, но категорически не выношу, когда кто-нибудь говорит в мой адрес «тетя». Еще хуже воспринимаю обращение к себе по отчеству, меня коробит сочетание «Дарья Ивановна». Может, это происходит оттого, что не знала своего отца? О моих родителях, своей дочери и зяте, бабушка Фася внучке никогда не рассказывала, пресекала все вопросы фразой:

— Вырастешь — узнаешь, потом объясню.

Но даже перед смертью Фася не открыла тайны, унесла ее с собой в могилу, о матери мне известно лишь одно: она была. Иногда в памяти всплывает воспоминание о маленькой худенькой женщине, одетой в застиранный халат. Меня, совсем крошку, приводят к ней, в странную комнату, почему-то без окон. Тетка начинает рыдать... далее видение меркнет. Об отце нет вообще никаких мыслей, иногда я даже сомневаюсь, что его звали Иваном.

Может, поэтому недолюбливаю свое отчество? Ну с какой стати привязывать к себе имя человека, с которым никогда не была знакома?

— Муся, — засуетилась Машка, — это Женя!

Неужели ты забыла тетю Галю Писаренко? Ну соседку по старой квартире? Еще той, где мы до первой поездки в Париж жили?[1]

Вилка выпала из рук. Галка Писаренко! Она обреталась на третьем этаже и частенько давала Даше Васильевой рубли в долг. А еще Галка отлично готовила и с удовольствием угощала всех пирогами собственного производства, нас связывали очень хорошие соседские отношения, но близкими подругами мы никогда не были. Понимаете, о чем я веду речь? Я перехватывала у Писаренко деньги до получки и забирала к себе Галкину кошку, когда она уезжала в командировку. Мы часто ходили друг к другу, так сказать, в халатах и мило болтали о пустяках. Но я никогда не раскрывала перед Галей душу, впрочем, и она не делилась своими проблемами. Не знаю, во что трансформировалось бы наше знакомство, но мы уехали из Москвы, потом построили дом в Ложкине и потеряли Писаренко из виду. Насколько помню, у нее подрастало двое детей, мальчик и девочка, вот имена их выпали из памяти.

Значит, я вижу перед собой дочку Галки.

— Конечно, я помню вашу маму! — воскликнула я. — Только, когда мы уезжали, дети были маленькими!

— Ага, — засмеялась Женя, — выросли мы. Сашка дизайнер, а я работаю в фэшн-бизнесе, стилистом: прически, макияж...

---

[1] См.: книгу Дарьи Донцовой «Крутые наследнички», издательство «Эксмо».

— Как мама? Здорова? — осторожно осведомилась я.

— Она давно замуж вышла, — улыбнулась Женя, — за хорошего человека, и живет в Екатеринбурге. Мамуля у меня красавица.

— Ты в нее, — кивнула я.

И в самом деле, девушка очень симпатична. Темно-каштановые блестящие волосы падают на плечи, аккуратное личико с точеным носиком, кожа цвета спелого персика. Хотя вполне вероятно, что на мордочку Жени нанесен тональный крем. Если она стилист, то небось умело управляется с гримом, вон как ловко сумела накрасить глаза, издали кажется, что они огромные, а присмотришься и понимаешь: на ресницах слой туши, на веках тени, и от этого очи стали яркими, взор глубоким. Да и форма губ, похоже, слегка изменена при помощи декоративной косметики. Я считаю, что каждая женщина должна умело пользоваться макияжем, именно умело, а не размалевывать физиономию во все цвета радуги. Вот у Жени, похоже, со вкусом полный порядок. Косметика сделала ее настоящей красавицей, нежно-розовый пуловер изумительно оттеняет цвет лица, в ушках поблескивают сережки, брильянтовые «гвоздики», не вычурные, но дорогие, запястье украшают браслеты, золотые, но не купечески «богатые», а на шее цепочка изящного плетения с брелком в виде собачки. Мило, приятно, соответственно возрасту.

Беседа потекла своим чередом. Поедая сырники, я узнала, что Женя приехала в Москву по приглашению фирмы «Жан Ришель». Фамилия Ришель мне, проводящей по полгода в Париже, хорошо известна. Жан владелец сети салонов красоты, он имеет свои отделения во многих европейских столицах, в том числе и в Москве. Попасть на работу к Ришелю трудно, он берет лишь тех, кто способен выдержать суровый экзамен на мастерство. Женя с честью прошла испытание и прибыла в Москву. На службу ей выходить через неделю, девушка специально приехала пораньше, чтобы спокойно осмотреться в ставшем чужим городе. Галя и отчим купили Жене квартиру, симпатичную «однушку» в Строгине, и девушка отправилась в Москву в твердой уверенности, что проблем с жильем у нее нет. Люди, продавшие Писаренко квартиру, клятвенно пообещали съехать к пятому октября, и Женечка ни секунды не сомневалась, что сейчас получит у риелтора ключи.

Но человек предполагает, а господь располагает. Когда Женечка явилась в риелторскую контору, агент схватилась за голову.

— Ой, совсем забыла вас предупредить! Фу, как неудобно получилось!

Женя испугалась.

— Квартиры нет? Но мама заплатила полную стоимость, получила нужные документы.

— Не волнуйтесь, — стала улыбаться риелтор, — просто у продавцов форсмажор случился. Сначала у них бабка умерла, а потом хозяйка ногу сломала, вот и не успели выехать. Но я им велю быстро выметаться, через неделю квартиру освободят!

Женя бросилась звонить маме, Галя поахала, поохала и сказала:

— Вот что! Есть у меня телефон нашей бывшей соседки, Даши Васильевой, сейчас соединюсь с ней, авось пустит тебя к себе на время, больше-то в Москве никого нет, а на гостиницу деньги тратить жаль, только на ремонт тебе осталось, да и то впритык.

Телефон у Галки и впрямь невесть откуда был, только не мой, а Машкин, Писаренко поговорила с девочкой. Дальнейшее можно не рассказывать. И вот теперь Женя извиняющимся, низким голосом гудит:

— Я только на неделю, постараюсь вас не обременить, я вообще-то не шумлю.

— Не бойся, никому не помешаешь, — воскликнула Маня, — а ты волосы красить умеешь?

— Ну конечно, — ответила Женя, — кстати, сейчас разработана новая техника, называется «блики солнца».

Зайка, до сих пор молча ковырявшая салат, оживилась.

— Это как?

Женя отодвинула тарелку.

— О! Суперски!

Я тихо встала и, стараясь быть незамеченной, пошла к себе. Галка Писаренко была очень симпатичной, Женечка производит впечатление милой девушки, я только рада возобновлению нашего приятельства. Дом в Ложкине большой, места для хрупкой девочки хватит. Маруся и Кеша никогда не проявляют агрессии по отношению к малознакомым людям, единственная заноза — Зайка. Ольга очень ревнива, и то, что у нас бужет жить, хоть и временно, хорошенькая девушка, может спровоцировать скандал. Но, похоже, услыхав про новую методику окрашивания волос, Заюшка потеряла настороженность. Ольга обожает экспериментировать со своей внешностью и не упустит предоставившейся возможности. Вот! Я не ошиблась! В спину мне понесся голосок Зайки:

— А краска у тебя с собой?

— Спрашиваешь! — прогудело меццо.

— Давай пойдем вместе в баню, — оживилась Ольга.

— Я с тобой? В парную? — слегка удивилась Женя.

— Ну да, у нас там большая комната отдыха, покрасим мне голову, — зачастила Заюшка.

— А я посмотрю, — встряла Маня.

— Ну-у... — протянула Женя, — если меня не стесняетесь... то хорошо! Мне тоже интересно, у тебя, Оля, волосы нестандартные!

Зайка хихикнула.

— С какой стати нам тебя стесняться? Чем ты таким обладаешь, чего мы никогда не видели?

— В общем, правильно, — засмеялась Женя.

Конца разговора я не услышала, пошла в свою спальню. Пусть девчонки красят волосы, разрисовывают тело, делают себе макияж, мне некогда заниматься глупостями, следует отыскать координаты Никиты Волка.

Глава 11

Первый звонок я сделала своему бывшему мужу Максу[1].

Полянский, более чем успешный бизнесмен, богатый человек, постоянно находится в процессе: женитьба—развод—новая свадьба. Ну хобби у мужика такое. Честно говоря, я запуталась в его супругах и сразу не скажу, сколько их было. Десять? Двенадцать? Не подумайте, что я ехидничаю, моя семейная жизнь с Максом лопнула давно, никакой ревности к последующим мадам Полянским я не испытываю. Сейчас мы с Максом хорошие приятели, помогающие друг другу в разных ситуациях. Я непременный гость на всех его бракосочетаниях и главный утешитель при разводе. Честно говоря, глупость и наивность Макса поражают. Обычный человек наступает на грабли раз, ну ладно, дважды, трижды за жизнь. Большинство мужиков, получив ручкой по лбу, все же делают правильные выводы. Но Полянский, умный, расчетливый бизнесмен, поднявший с нуля фирму, в личных делах проявляет себя младенцем.

Все его женушки словно клоны: длинноногие блондинки с роскошным бюстом. Увидав женщину со светлыми волосами, стройными ногами и пышной грудью, Макс теряет способность соображать. Он быстро разводится с предыдущей, точь-в-точь такой же красоткой, и кидается к

---

[1] См. книгу Дарьи Донцовой «Жена моего мужа», издательство «Эксмо».

другой с предложением руки и сердца. Без толку пытаться спустить его с небес на землю, говоря: волосы покрашены, под кофтой силикон, без каблуков дама похожа на таксу. И как назло, все его супруги начинающие актрисульки. Ясное дело — Максик мгновенно покупает им роли в кино. Сколько раз я внушала ему:

— Не ходи в загс, поживи с девушкой, не оформляя отношений, спокойно разберешься, что к чему.

Но Полянский не внемлет голосу рассудка.

— Это последняя любовь, — вопит он, — Лена (Катя, Нина, Тамара, Галя, Лиза, Настя) закроет мне в гробу глаза!

У Макса должно быть по меньшей мере десять пар очей, дабы каждой «последней» любви досталась своя во время скорбной процедуры.

— Привет, — сказала я, услыхав голос Макса, — как дела?

— Вчера подал заявление на развод, — воскликнул бывший супруг, — понимаешь, Алла...

— Погоди, — неосторожно вмешалась я, — ты же под Новый год женился на... э... Розе!

— Так я расстался с ней в мае и расписался с Аллой.

Я плюхнулась в кресло. Надо же! Упустила одну жену.

— Посылал тебе приглашение, — обиженно бубнил Макс, — а вы в Париж укатили.

— Послушай, — перебила я его, — ты что про Волка знаешь?

— Волка?

— Ну да! Неужели никогда не слышал?

— Ну, живет в лесу...

— Адрес знаешь?

— Чей?

— Волка, — я стала выходить из себя, — а еще лучше телефон!

— Телефон?!

— Да! И домашний, и мобильный! Не тяни, говори скорей.

— Э... такой информацией не обладаю.

— Можешь узнать?

— Господи! Зачем тебе?

— Надо! Очень! Прямо сейчас!

— Странная ты, и...

Тут с первого этажа послышался сначала грохот, следом истошный вопль Зайки:

— Мама!

Перепугавшись, я швырнула трубку на диван, успев крикнуть в нее:

— Уточни координаты Волка, скоро перезвоню, — и опрометью бросилась ко входу в баню.

В большой комнате отдыха обнаружились красная Зайка и Аркадий.

— Что стряслось? — воскликнула я.

— Мама! — взвизгнула Ольга. — Он мужчина.

Кеша попятился.

— Мужчина, — топала босыми ногами Зайка, — парень, юноша...

Аркашка закашлялся.

— Ну-ка, принеси ей валокордин, — велела я и, повернувшись к Ольге, спросила: — Ты только сейчас поняла, что муж относится к представителям сильного пола? Извини, но подобное открытие после стольких лет брака удивляет! Неужели раньше не догадалась?

Ольга упала в кресло и ткнула пальцем в деревянную вешалку, на которой у нас болтаются халаты.

— Он мужчина!

Один кусок махровой ткани с капюшоном зашевелился, и я поняла, что это Женя.

— Там мужчина, — перешла в диапазон ультразвука Зайка.

— Спокойно, Зая, — решительно ответила я, выхватывая из рук запыхавшегося Кеши бело-синюю упаковку, — сейчас глотнешь — и баиньки. Ты переутомилась. Виданное ли дело, с утра до ночи звездить на телике!

— Там мужчина.

— Тише, тише, это Женечка.

— Мужчина!

— В бане никого, кроме нас, — пела я, отсчитывая капли, — не следует бояться бандитов. В Ложкине отличная охрана, ты сейчас в доме не одна...

— Она мужчина! — завизжала Оля. — Женя — парень! Хватит из меня кретинку делать! Спроси у Машки, она так ржать стала, потом в кладовку удрала! А я не от ужаса заорала, а от удивления.

Я посмотрела на милую, хрупкую девушку, занавесившую лицо каштановыми завитыми кудрями, и попыталась деликатно выбраться из идиотской ситуации.

— Женечка, душечка, извини. Понимаешь, Оля работает на телевидении, у нее нет ни выходных, ни праздников, те, кто работает там... э... люди неадекватные, психически нормальных личностей в Останкине сыскать трудно... Уж ты не обижайся!

— На что? — прогудела Женя и посильней завернулась в халат.

— Ну на Олю...

— Я и не злюсь.

— А... да... действительно. Она не желала тебя обидеть, когда парнем обозвала! Поверь, котенька, ничего мужского в тебе нет! Симпатичная девушка, настоящая красавица...

Зайка истерически захохотала, потом стала стучать ногами по полу, приговаривая:

— Ну прикол!

— Тетя Даша... — тихим басом начала Женя.

— Ой, миленькая, — не дала я девушке договорить, — сделай одолжение, слово «тетя» вызывает у меня почесуху.

— Простите, Дарья Ивановна...

— Еще хуже! Зови меня просто Даша!

— Ладно, Даша, не...

— Женечка, — всплеснула я руками, — давай забудем глупый случай! Сейчас позову Машеньку, вы с ней вместе попаритесь, потом...

Зайка сползла на пол и согнулась пополам.

— Тебе плохо? — кинулся к супруге Кеша.

— Нет, — простонала та, — но я могу умереть от смеха. Женька, немедленно сними халат!

Девушка покорно стащила с себя шлафрок[1]. Я деликатно опустила глаза, Женечка стояла топ-

---

[1] Шлафрок — халат *(нем.)*.

лесс, на ней красовались лишь узкие ярко-розовые трусики, украшенные изображениями разноцветных сердечек. Ей-богу, девушка слишком раскованна, лично я стесняюсь обнажаться даже в присутствии Оксаны, хотя Ксюня врач и повидала всякое.

— Ужас! — воскликнул внезапно Аркадий.

Я с легкой укоризной глянула на Кешу. Даже если раздевшаяся девушка не обладает красотой, следует все же держать себя в руках и не высказываться столь хамским образом. Кому понравится, если мужчина сначала бросит взгляд на ваше обнаженное тело, а потом заорет от испуга!

Кеша плюхнулся в кресло и захохотал. Вот теперь я обозлилась на него по-настоящему, затем осторожно посмотрела на Женю и удивилась. А где грудь? Конечно, мне не следовало задавать сей вопрос вслух, потому что я сама не обладаю роскошными формами, но все же кое-какой намек на бюст имею. Во всяком случае, вооружившись лупой, вторичные половые признаки на теле Дашутки обнаружить можно, а бедняжка Женечка лишена их вовсе! Представляю, как страдает бедная девушка! А тут еще Кеша с Зайкой тычут в нее пальцами и хохочут без умолку. Отвратительное поведение! Не ожидала от них такой жестокости! Да, Женечка не красавица, личико у нее миленькое, а с фигурой беда. Под одеждой изъянов не видно, но сейчас, когда на девушке лишь кокетливые трусики, мигом стало понятно, что плечи у нее слишком квадратные, руки длинные, талии нет. Очень странное телосложение, я бы сказала, не женское. Да и ноги слегка кривоваты, ступни излишне большие, педикюр, сделанный, похоже, перед поездкой в Москву, не спасает положение. Кроваво-красный лак на ногтях лишь притягивает внимание к крупным, не женским стопам. И бедра слишком узкие, юношеские...

— Ты не врубилась? — простонала Зайка. — Женя — мужчина!

— Что вы так удивляетесь, — захлопало ресницами существо в розовых трусиках, — Евгений Писаренко, сын Гали! Я сразу представился.

— Э нет, — простонал Кеша, — ты сказал: моя мама Галя!

— И профессия стилист, — высунулась из кладовки Маня, — и имя такое, не пойми чье!

Женя пожал плечами.

— Это я чуть челюсть не уронил, когда вы меня в баню позвали. Ну, думаю, и порядки у них в Москве!

— А мать-то! — всхлипнул Кеша. — Ой, не могу! «Женечка, кошечка, не обижайся, ничего мужского в тебе нет!»

Мои щеки неожиданно стали горячими.

— Но почему у тебя розовая сумка? — вырвалось у меня.

Стилист вытаращил накрашенные глазки.

— Что, нельзя?

— Можно, конечно, просто этот цвет...

— Самый модный в этом году, — пояснил Женя, — вокруг так много мрачного, серого, хочется добавить яркости. У меня и белье такое! Скажите, супер?

Я не стала дожидаться конца беседы, выскользнула за дверь и поплелась на второй этаж. Со всяким случиться может. Между прочим, и Зайка, и Кеша, и Маня тоже приняли Женю за девушку. Но о своей оплошности члены семьи уже забыли, а надо мной станут теперь потешаться до конца дней!

По спальне несся противный писк, телефон прыгал, трясясь от звона. Я схватила трубку:

— Да!

— Сначала обращаешься с идиотской просьбой, а потом не подходишь, — рявкнул Макс.

— Нашел телефон Волка?

— У него нет номера.

— Ну да? Странно.

— Почему?

Действительно, почему? Кое-кто из творческой интеллигенции намеренно не обзаводится мобильником, чтобы не ощущать себя на поводке, но дома-то должен быть аппарат!

— Ладно, адрес?

— Только примерный.

— Записываю.

— Тамбовская область, — заявил Макс, — думаю, он там. Слышь, Дашута, собирайся, поедем к Леонову. Я договорился уже, он нас ждет.

— Это кто?

— Психиатр, мировая величина. Не надо его бояться, попьешь таблеточки, микстуру...

— Ты какого Волка мне адрес дал? — взвыла я.

— Серого, с хвостом, — растерянно сообщил

Макс, — думаю, он под Тамбовом обитает. Давай сам за тобой заеду, таблеточки, микстурка, сейчас безнадежных психов на ноги ставят.

— Я не сумасшедшая! Это ты идиот! Мне нужны координаты режиссера Никиты Волка!

Макс икнул и тихо ответил:

— А!.. Ясно! Я прям испугался! В другой раз нормально формулируй вопрос.

— Я спросила спокойно, кто виноват, что у тебя в голове в футбол играть можно! Отчего меня за дуру держишь или психопатку, которая решила отправиться в гости к тамбовскому волку? — возмутилась я.

Макс быстро продиктовал нужные сведения, а потом заявил:

— Зная тебя, я ничему не удивлюсь. Это не я с пустой головой, а Дашутка с полным отсутствием умения ясно излагать свои мысли!

Я снова швырнула телефон на диван, спорить с Полянским дело бесполезное, все равно он никогда не воскликнет: «Ну и свалял я дурака!» Нет, любой представитель сильного пола мигом заявит: «Ох и дуры бабы! Запутали начисто, из-за них глупость получилась!»

Ни один мужчина не способен признать свою, даже очевидную, вину.

Номеров у Волка оказалось целых пять, три раза я услышала одинаковую фразу:

— Абонент временно недоступен.

В четвертый до уха долетело гундосое:

— Сейчас не могу ответить на ваш вопрос, оставьте сообщение после гудка.

Я не стала общаться с автоответчиком и предприняла попытку обнаружить Волка по пятому номеру. Из трубки неслись длинные гудки, но хозяин не спешил на зов телефона. Решив не сдаваться, я снова соединилась с автоответчиком и наговорила текст:

— Уважаемый Никита, вас беспокоит Дарья Васильева. Необходимые сведения обо мне можете узнать у Максима Полянского, хотела бы переговорить с вами о съемках нового сериала, деньги имеются.

Отложив телефон, я пошла в ванную, но была остановлена звонком. Ага, я верно рассчитала, Волк сейчас сидит дома, просто он не желает подходить к телефону, слушает сообщения и ухмыляется. Но покажите мне режиссера, который равнодушно отнесется к известию о возможности запуска многосерийного фильма!

— Алло, — радостно воскликнула я, — слушаю внимательно.

— Это ты сейчас трезвонила? — просипело из трубки.

— Да, — ответила я.

Однако Никита не обременен особым воспитанием.

— Ну и... — полетело в ухо, — чего привязалась! Раз не подхожу — значит, сплю!

— Вы мне?

— Тебе, тебе... ...!...! ...!

Нецензурная брань лилась на голову. Голос Волка, хриплый, пропитой, вызвал головную боль.

Не дослушав вопль до конца, я швырнула трубку и отправилась мыться. Мобильный ожил вновь, но я не стала откликаться на зов. Однако сей режиссер рискует навсегда остаться без работы, коли станет обращаться подобным образом с людьми, которые хотят дать ему денег на много новых лент.

Полная возмущения, я влезла в воду, повалялась в пене, потом переместилась в кровать и моментально заснула, решив забыть обо всех проблемах до завтра.

Я не принадлежу к категории людей, которым некто по ночам демонстрирует цветное кино. Вот Маруся, та почти каждое утро рассказывает о том, как каталась на синей лошади, собирала розовые поганки или в ужасе убегала от многоногого чудища.

— Иногда мне кажется, что лучше вообще не спать, чем так мучиться, — жалуется девочка, — встаю разбитая, все тело ломит.

Я же проваливаюсь в темную пропасть и иногда даже завидую Маруське. Надо же, как ей повезло: проживает две жизни, одну наяву, другую во сне. Отчего я сплю, словно кирпич?

Но сегодня неожиданно я увидела изумительную картину. Теплое солнышко освещает красивую поляну, я иду по ней, любуясь красивыми цветами, ноги выносят меня к маленькому домику, беленькому, с голубыми ставнями. Во дворе стоит столик, на нем высится кувшин с компотом, лежат конфеты... А вот и удобное кресло с мягкой подушкой, рядом гора детективов. Вокруг стоит полная тишина, прерываемая лишь тихим звоном невесть откуда взявшихся комаров: з-з-з-з. Я падаю в кресло и вдруг понимаю: вокруг на много тысяч километров никого нет, никаких людей, ни плохих, ни хороших, ни родных, ни друзей, ни соседей, только звенящая тишина: з-з-з-з, полное одиночество. Вот оно, счастье, сейчас спокойно погружусь в чтение. З-з-з. Съем конфетку, з-з-з-з. Рука потянулась к яркому томику, глаза раскрылись. З-з-з-з.

В ту же секунду стало понятно: я дома, в спальне, за незанавешенными окнами темнота, а в воздухе висит не комариный писк, а сердитое нытье не выключенного на ночь мобильного.

Руки схватили трубку, глаза невольно отметили время: шесть утра. Ужас вполз в душу. Господи, что случилось? Аркадий, Зайка, Маша, Дегтярев? Нет, они же дома, спят. Оксана, Дениска!!!

— Алло! — закричала я. — Говорите скорей!

— Дашенька, доброе утречко, — вырвался из трубки бархатный баритон, — как спали-почивали?

Я потрясла головой.

— Вы кто?

— Не узнали, ангел мой?

— Нет, простите.

— Никита Волк вас беспокоит.

Я упала в подушки и попыталась унять бешено бьющееся сердце.

— Вы оставили сообщение на автоответчике, — пел режиссер, — хотели поговорить? Я не осмелился позвонить вечером, решил проявиться утром, готов к встрече, хотите, подъезжайте прямо сейчас, или я к вам. Выбирайте удобный вариант.

— На часах шесть утра, — пробормотала я.

— Ну да, работать пора.

— Не рано ли?

— Ну что вы, дружочек, я уже встал, — с детским эгоизмом заявил Никита, — так кто к кому направится?

— Давайте адрес, — окончательно проснулась я и взяла блокнот.

Похоже, милейший господин Волк принадлежит к той категории людей, которая считает, будто весь мир вращается вокруг них. Если они встают в шесть утра, то и остальные живые существа обязаны в столь ранний час с песней идти на службу.

Глава 12

Я всегда теряюсь, услышав вопрос:

— Вы кто? Сова или жаворонок?

По идее, следует ответить:

— Несчастная, переученная сова, вынужденная петь жаворонком.

Долгие годы Даша Васильева являлась на службу ровно в девять ноль-ноль, вставать приходилось за три часа до расчетного времени. Следовало привести себя в порядок, умыться, накраситься, уложить волосы, выгулять и покормить собаку, нарезать мясо кошке, вытолкнуть в школу Аркадия, почистить на ужин картошку... Женщины, работающие по графику, очень хорошо меня поймут. Спать хотелось всегда, в первой половине дня я пыталась еще бороться с зевотой, но ровно в шестнадцать тридцать меня просто уносило. Последние силы покидали несчастную преподавательницу, ноги делались ватными, голова тяжелой, хорошо еще, если в этот момент я имела возможность сесть. Где-то через полчаса усталость проходила, и я вновь обретала умение ходить, улыбаться и разговаривать.

Но, слава богу, теперь у меня нет необходимости вылезать из-под одеяла ни свет ни заря, поэтому я мирно дремлю, замотавшись в перинку, до тех пор, пока Хучик не начнет раздраженно скрести лапой дверь спальни, требуя немедленно выпустить его во двор. А вот режиссер, похоже, типичный жаворонок, и ему глубоко плевать на то, что в мире есть еще и совы.

До Волка я доехала за двадцать минут, никаких пробок на дороге и в помине не было, основная часть машин появится на трассах позднее. Поэтому настроение у меня было просто замечательным. Ну, Волк, погоди. Похоже, тебе страшно хочется получить денег на сериал, а бесплатный сыр, как известно всем, бывает лишь в мышеловке, дружочек. Сейчас вытрясу из тебя всю правду о Миле Звонаревой, узнаю, кто велел тебе снимать в главной роли неизвестную широкой публике актриску.

— Доброго денечка, душенька, — воскликнул Никита, впуская меня в квартиру, — экая вы быстроногая, словно птичка!

Я оглядела шкафообразную фигуру, облаченную в стеганую куртку с атласными лацканами и мешковатые штаны. Птицы вообще-то быстрокрылые, с лапами у них беда. Если, на взгляд Волка, мои ноги похожи на рогульки, торчащие из тела вороны или воробья, то это совсем не комплимент.

— И как мы с вами до сих пор не сталкивались? — плотоядно воскликнул режиссер. — Ведь имеем кучу общих знакомых! Хотя Макс поведал, что вы, прелестная малютка, настоящая затворница!

Я молча шла за Волком по бесконечному коридору. «Прелестная малютка» — это уж слишком. Хотя, если учесть, что Никите на вид лет двести, я и впрямь могу показаться ему несмышленой малышкой, младенцем, сидящим на мешке с золотыми дублонами.

— Но все равно удивительно, — вещал Волк, входя в огромный, обставленный старинной мебелью кабинет, — что мы даже ни разу не перебросились парой слов.

Не дожидаясь приглашения, я плюхнулась в дубовое, обтянутое синим атласом кресло и ухмыльнулась. В среде творческой интеллигенции много людей, страдающих от элементарного пьянства. Странное дело, ежели какой-нибудь каменщик или плотник глушит водку, то его называют отвратительным алкоголиком, неспособным справиться с гадким пристрастием. На мужика ополчаются все: семья, начальство, милиция... Но коли «огненной водой» наливается актер, режиссер, художник или писатель, о, тут извините. Просто тонко чувствующая натура не способна вынести подлости внешнего мира, она терзается муками творчества, безумно устает, размышляя о судьбе планеты, и поэтому вынуждена снимать стресс. Плотника мы осудим, а популярного артиста станем жалеть, ах он бедненький, так вымотался на съемках.

Но, на мой взгляд, никакой разницы между мужиками нет. И тот и другой отвратительные пьяные морды, избивающие жену, вгоняющие в могилу мать и пугающие детей. Ну с какой стати представители так называемой творческой элиты решили, что им можно все? На основании того, что при рождении без всяких усилий со своей стороны получили от родителей определенный генетический набор, талант, переданный предками? Впрочем, не слушайте сейчас меня, тема пьянства больная для Дашутки, в моем анамнезе имеется муж-алкоголик, и честно скажу вам:

— Дорогие, уносите ноги прочь от того, кто любит бутылку. Кем бы он ни был, хоть царем, счастья с ним не будет.

— Почему не разговаривали, — покачивая ногой, обутой в замшевую туфельку, прищурилась я, — вчера весьма мило потолковали.

— Мы с вами? — изумился Волк, доставая из бара конфеты. — Любите шоколад? Все бельгийский советуют, но, честно говоря, наш, львовский, лучше. Вернее, Львов уже не наш, я это так по привычке сказанул, я-то как был советским, так и остался.

— Привычка — страшное дело, — ухмыльнулась я, — в особенности коли приучаешься безостановочно глотать горячительное!

Никита осторожно поставил на стол коробку.

— Душечка, я плохо понимаю пока, о чем ведете речь.

— Вчера я оставила вам сообщение на автоответчике, у меня в руках имелось пять номеров телефонов, но ни по одному режиссер Волк не был доступен.

— Верно, — кивнул Никита, — я в монтажной сидел. Наивные люди полагают, что основная работа происходит на съемочной площадке! О, как они ошибаются...

— Я знакома с производственным процессом! — рявкнула я.

Волк слегка растерялся.

— Я сразу перезвонил вам, как прослушал запись.

— Точно! И начали материться!

— Я?

— Вы. Я очень удивилась! Ну почему вы так неадекватно отреагировали на мое сообщение? Если не хотите снимать сериал, то никто вас не заставит, отдам свои деньги другому...

Лоб Никиты покрылся мелкими каплями пота.

— И что я вам сказал?

— Извините, я не способна повторить ваши выражансы. Сейчас очень сожалею, что приняла ваше предложение о встрече. Судя по цвету лица, вас пинает похмелье, но меня еще больше настораживает иной факт: вы забыли о своем хамстве. Ну как в таком случае я могу доверять вам съемки?

Дверь кабинета слегка скрипнула, ее приоткрыл сквозняк. Волк подошел к створке, со всей силой шарахнул ею о косяк и мрачно сказал:

— Это не я звонил.

— Да ну? Кто же? Дух Александра Македонского? — скривилась я.

Никита осторожно пригладил взъерошенные волосы.

— Я вообще не пью.

— Ага!

— Мною снято множество лент.

— Ага!

— По-вашему, алкоголик способен продуктивно работать?

Я стряхнула с брюк шерстинки, осенью наши собаки начинают интенсивно линять, и, как ни старайся, выйдешь из дома в мелких волосках.

— Знаете, мой бывший муж по вечерам наливался «горючим» по уши, буянил, дрался, потом спал пару часов, а утром выглядел огурцом. На службе и предположить не могли, что он пьянчуга.

Никита опустился в другое кресло.

— Ладно, понятно, вы ничего не знаете!

— О чем?

— Господь наградил меня сыном. Великовозрастный Митрофан, нигде не трудится. Его мать рано скончалась, я мотался по съемкам, в Москве бывал наездами, мальчика воспитывали бабки. Старухи умерли, когда дитятко училось на четвертом курсе. Я присмотрелся к нему и ахнул: ну и фрукт, никаких интересов, кроме девок и шмоток. Гуляка, бонвиван, зазнайка, гедонист...

Поймите меня правильно, я не ханжа, могу пропустить рюмочку, поухаживать за красивой дамой, только твердо уверен: гулять следует на лично заработанные средства. Я никогда не брал у родителей на сигареты, да они и дать не могли, лишних денег не имели. В общем, испортили старухи парня. Куда я ни пристраивал бездельника, через месяц его выгоняли. Потом Илья начал пить и со временем превратился в алкоголика. Это мой крест, о нем знают и близкие, и дальние знакомые. Илья регулярно становился героем скандальных публикаций, но последнее время из уважения к моим сединам бульварная пресса прекратила посвящать ему материалы. Вчера с вами беседовал Илья, приношу свои глубочайшие извинения, душенька.

— Простите, — пробормотала я, — не хотела никоим образом ущипнуть вас.

— Вы, ангел, совершенно не похожи на человека, способного на гадкий поступок, — улыбнулся Волк, — давайте считать инцидент исчерпанным. Увы, я не управляю Ильей, это мое горе. Стараюсь не роптать и достойно исполнять божью волю, очевидно, прогневил господа, раз тот наградил меня подобным отпрыском. Но лучше вернемся к делу. Итак, сериал. Мы имеем сценарий?

— Нет, — помотала я головой, — только деньги.

— Сколько?

— На двести серий.

Волк присвистнул.

— Однако! Большой проект. Кстати!

Не успела я моргнуть, как режиссер помчался к книжным полкам.

— Вот, — азартно воскликнул он, отодвигая стекло, — я давно думал о Боборыкине. Слышали про такого писателя?

Я порылась в закоулках памяти.

— Боборыкин... Вроде он прожил чуть ли не сто лет, родился еще при Пушкине, а скончался в сталинские времена, написал много книг!

— Верно! — азартно воскликнул Волк. — Сейчас, увы, он незаслуженно забыт. А еще имеется Мельников-Печерский с великими романами «В лесах» и «На горах». Боже! Какой материал! Купеческий быт, монастыри, любовь, смерть, трагедия и... тонкий юмор. Мы могли бы сделать несколько сериалов, объединенных одной темой...

Мне стало неудобно. Глаза Волка искрились, руки размахивали, изо рта потоком лились слова. Право, нехорошо обманывать человека, способного, словно ребенок, увлечься новой идеей, но мне надо найти убийцу Милы Звонаревой!

— Сценарий станете писать сами, — кивнула я, — с моей стороны лишь вложение денег и никаких ограничений по творчеству. Вы признанный гений и лучше знаете, чем привлечь зрителей.

Никита заломил руки.

— Ангел, ниспосланный мне за все страдания, — вы...

— Есть небольшое условие, — быстро перебила его я.

— Какое? — осторожно спросил Волк.

— Главную роль должна исполнять моя сестра Оксана.

— Ну-у... — протянул режиссер, — кхм, кхм...

— Вот фото! — положила я на стол специально прихваченный с собой снимок лучшей подруги. — Цветное, отлично передает черты лица, виден характер.

— Э... э... а она кто?

— Оксана? Только что сказала, моя родная сестра.

— А... а... а!.. Я имел в виду, какое образование у дамы?

— Базовое, актерское, — лихо соврала я, — училась в театральном, сейчас имеет мелкие выходы, ну типа «кушать подано», понимаете, о чем речь?

Волк кивнул:

— Угу!

— Оксана мечтает прославиться, она невероятно трудоспособна и на редкость талантлива, просто судьба не складывается. Фотографии давно в актерской базе лежат, но внимания к себе не привлекают, вот я и решила помочь ближайшей родственнице, — соловьем заливалась я.

— Понятно, — вяло ответил Никита.

— Не понравились снимки?

Волк пожал плечами.

— Ну... ничего.

— Вы уж со мной говорите откровенно.

— Симпатичная особа.

— Значит, по рукам?

Никита сел в кресло, вынул из хьюмидора[1] сигару и принялся деловито готовить ее к употреблению, вытащил гильотинку, отрезал кончик... По комнате поплыл тяжелый, удушливый аромат. На мой взгляд, дядечку, смачно затягивающегося «гаваной» при дамах, следует расстрелять на месте, да и многие мужчины не способны находиться в одном помещении с таким курякой, не зря же в дорогих ресторанах имеются специальные гостиные, где отираются те, кто не мыслит себя без сигар.

Отмахнувшись от облака сизого дыма, я повторила:

— Ну, договорились?

— Понимаете, душенька, я человек старой формации. Сейчас молодежь хватается за любой материал, лишь бы снять кино, и не стесняясь говорит о заработках, но мне деньги не важны, поймите правильно, я имел все и сейчас обладаю, так сказать, материальными благами: дачей, машиной, квартирой, вокруг полно молоденьких дурочек, готовых подстелиться под постановщика, полагают, что они потом Джульеттой Мазиной[2] станут. Но мне интересно лишь одно — самовыражение.

Я кивнула.

— Выражайтесь сколько хотите, только снимите Оксану.

---

[1] Хьюмидор — специальный ящик для хранения сигар, снабженный увлажняющим устройством.

[2] Джульетта Мазина — великая итальянская актриса, жена режиссера Федерико Феллини.

— В главной роли никогда.

— Почему?

— Ну...

— Говорите!

— Э... э... э...

— Не тяните.

— Ладно, — решился Волк, — я совершенно не хочу никого обидеть...

— Дальше!

— Не уверен, что Оксана сумеет справиться с возложенными на нее задачами.

— Почему?

— Опыта нет.

— Ей не двадцать лет.

— То-то и оно!

— Вам нужна молоденькая дурочка?

— Нет, но Оксана до сих пор прозябает, образно говоря, сорок пятым лебедем в правой кулисе. Ее не заметили, значит, таланта особого не наблюдается.

— Гляньте еще раз на фото!

— Душенька, снимок не дает представления об актерских задатках.

— Зачем же тогда фототеки?

— Ну... чисто внешне. Допустим, надумали снимать цыганку, вот и ищет ассистент похожий типаж, и потом...

— Что?!

— Зрители любят звезд, ходят на фамилии. Если в титрах стоит: Удовиченко, Садальский, Стержаков, Харатьян, люди понимают, что получат за свои деньги. А ваша Оксана... Опасный эксперимент, не сумеет сыграть, завалит роль.

Плакали тогда ваши денежки и моя репутация. Да, имеются режиссеры, которые любят открывать новые фамилии, устраивают кастинги никому не известных мальчиков и девочек. Порой они выуживают бриллиант в навозной куче, но я звездозажигательством не занимаюсь, предпочитаю работать с теми, кто уже зарекомендовал себя на площадке. Да, кстати, ваша сестра театральная актриса, я подобных категорически не приемлю. Только непрофессионалу кажется, что кино и театр — близнецы.

— Значит, отказываетесь?

— Снимать вашу сестру? Да.

— Даже при условии денег на двести серий?

— Да, — уверенно ответил Волк, — простите, ангел, вы обратились не по адресу.

— Интересное дело, а как же Мила Звонарева?

— Что такое? — вздернул косматые брови Никита.

— Вы же с ней работали?

— Конечно, — кивнул мэтр, — какая трагедия! Погибнуть в зените славы, не реализовав в полной мере данный господом талант! Эта ситуация ждет своего Эсхила[1] или Софокла[2]! Говорят, муж убил бедную детку в порыве ревности.

— Значит, Милу снимали, — упорно гнула я

---

[1] Эсхил (около 525—456 гг. до н.э.) — древнегреческий поэт-драматург.

[2] Софокл (около 496—406 гг. до н.э.) — древнегреческий поэт-драматург.

свою линию, — ради Звонаревой вы поступились принципами.

— Какими? — заморгал Волк.

— Не иметь дел с профанами.

Никита воздел руки к потолку.

— О чем вы! Людмилочка талант, она почти гений, к тому же работоспособна... была. Увы, была!

— Карьера Милы началась с сериала «Стужа».

— Верно.

— Ваша работа?

— Да, я получил за нее престижную премию, — не упустил возможности похвастаться Никита. — Первые две серии народ воспринял вяло, зато после Людмила бесподобно сыграла Марию, тонко, с нервом, она...

— До «Стужи» Мила была малоизвестной, никому не нужной актрисой, отчего вы изменили своим принципам и связались с женщиной не первой свежести, совершенно не замеченной никем из других постановщиков?

Никита захлопнул рот.

— Только не говорите про найденное случайно в базе фото Звонаревой, — предостерегла я его, — сейчас-то вы даже не захотели разговаривать об Оксане, а ведь у нее с Милой совершенно одинаковая стартовая позиция!

Волк уставился в окно.

— Я не подошла вам в качестве спонсора? Мои деньги плохо не пахнут, они честные.

— Деточка, как вы могли подумать такое! У вас вид ангела, случайно спустившегося на землю.

— Спасибо за комплимент, вернемся к Звонаревой. Кстати, кто дал денег на «Стужу»?

— Э... не помню!

— Да ну?

— Не в том смысле!

— А в каком?

— Спонсор пожелал остаться неизвестным, мне просто перевели сумму на счет.

— С условием, что снимете Милу?

— Да! То есть нет, — начал выкручиваться Волк, — я имел в виду совсем другое. Сам захотел снять Звонареву, она пронзила мою душу удивительным взглядом и волнующим голосом.

— Разве фото могут болтать? Вы же уверяете всех, что приняли решение, только посмотрев на снимок, так откуда сведения про тембр голоса? — ядовито поинтересовалась я.

Глава 13

Целый час я пыталась расколоть Волка, но режиссер, словно намыленный уж, выскальзывал из рук.

Потом он хлопнул себя ладонью по лбу.

— Господи, ангел небесный! Совсем забыл, меня же Андрей Семенович ждет! Как же я так запамятовал. Лена, Лена! Куда подевалась?

За дверью кабинета послышался шорох и быстрый, тихий разговор.

— Подвиньтесь, Илья Никитович.

— Куда прешь, дура-баба!

— Меня хозяин зовет.

— Это еще не повод, чтобы остальных людей с ног сшибать.

— Да пустите, тороплюся!

— Не фига, подождет, не барин.

Никита нахмурился, потом решительным шагом подошел к двери, распахнул ее и велел:

— Елена! Сколько тебя звать можно?

— Так Илья Никитович...

— Замолчи и проводи гостью, она спешит, — велел хозяин.

— Вовсе нет, — быстро ответила я, — я совершенно свободна, мы еще не договорили.

— Увы, душенька, у меня назначена встреча с очень важным человеком, готовым дать денег на проект.

— Так я тоже не с пустыми руками пришла!

— Ваши условия неприемлемы!

— Мила Звонарева...

— Она умерла, — перебил меня Волк и протянул руку: — Прошу!

Я машинально пожала повисшую перед носом длань и в ту же секунду оказалась выхваченной из кресла и дотащенной до выхода.

— Прощайте, ангел, — улыбался Волк.

Я попыталась сопротивляться, но уже давно немолодой режиссер обладал просто чудовищной силой. И куда было деваться? Пришлось признать полное поражение и спуститься во двор. Сами понимаете, в каком настроении я оказалась около «Пежо». Садиться за руль совершенно не хотелось, оглядевшись по сторонам, я увидела небольшое кафе и решительно направилась в его сторону.

— Мадам, — послышался за спиной сиплый бас, — мадам! Остановитесь. Вас зову! Ау! Куда летите!

Я обернулась, ко мне торопился обрюзглый дядька неопределенного возраста. Красавцу можно было дать от тридцати до шестидесяти, в его темно-каштановых волосах не блестело ни одного седого волоса, но уголки рта съехали вниз, а на переносице виднелись две глубокие морщины.

Одет незнакомец был с деревенской кокетливостью. Широкие брюки, ботинки на высокой подметке, темно-красная короткая курточка, на шее шелковый платочек цвета фуксии. Впрочем, тужурочка была расстегнута, объемистый живот «Аполлона» не желал умещаться в прикиде тинейджера.

— Экая вы, несетесь, словно трамвай, — укорил незнакомец, распространяя сильный запах мятной жвачки.

Я отметила опухшие веки, красные белки, слегка выцветшую радужку глаз и поняла — передо мной хронический алкоголик, изо всех сил пытающийся казаться нормальным человеком.

— Что вам нужно? — резко спросила я.

Мужик улыбнулся.

— Нужно вам.

— Мне? От вас? Поверьте, ничего!

— Хотели снять сестру в сериале? — продолжал демонстрировать хорошо сделанные протезы незнакомец.

Я моргнула, значит, это Илья, сын режиссера Никиты Волка.

— Могу вам помочь, — закашлял алкоголик, — за небольшой процент.

— Что вы имеете в виду? — осторожно поинтересовалась я.

— Даете мне десять тысяч баксов, — алчно воскликнул пропойца, — а за это получите услугу.

— Интересно, какую?

— Сведу вас с Никитой Михалковым. По рукам?

Я не выдержала и засмеялась.

— Насколько знаю, он не снимает сериалы.

— Хорошо, — моментально пошел на попятную Илья, — есть возможность за те же бабки отвести вас к Сергею Козлову и Игорю Толстунову, они кучу всего выпускают. Начну перечислять — упадете! Лучшие сериалы — их!

— Спасибо, не надо.

— Всего десять кусков.

— Благодарю, не стоит утруждать себя.

— Девять.

Я повернулась и пошла к кафе.

— Восемь, — воскликнул Илья, — а за эту сумму я еще могу познакомить вас с руководством канала СТС. Вы не верите? У меня такие связи!

Я покачала головой и прибавила шагу.

— Семь, шесть, пять, четыре, — ныл Илья, плетясь сзади.

В конце концов мошенник, пытавшийся найти денег на выпивку, мне надоел.

— Послушай, — рявкнула я, — ступай себе мимо! Ничего мне не надо.

— Сестру же снять намеревались.

— Нет.

— В главной роли!

— Уже не хочу.

— У меня и сценарий сесть.

Бывают же такие люди, настоящие репейники!

— Кофе угостите, — застонал Илья, — эспрессо хочется.

— Бог подаст, — ответила я.

— Постойте.

— Ну что еще?

— Давайте расскажу, почему мой папенька, старый пидор, Звонареву снимать начал.

Я вздрогнула.

— А ты откуда знаешь, о чем мы с Никитой беседовали? Подслушивал?

— Эка тайна, — промямлил Илья и поморщился, — шел в ванную и услыхал. Голос у предка въедливый, прямо в мозг втыкается. Всегда его разговоры слышу, оно бы и ни к чему, само получается. Угостите кофейком, все и выложу.

— Заходи, — кивнула я.

Устроившись за маленьким столиком, Илья потер руки и велел хмурой официантке:

— Ну-ка, быстроногая лань, сгоноши мне коньячку в графинчике и кофе покрепче, двойную порцию по крепости и объему.

— Только после того, как деньги покажете, — гавкнула подавальщица, — вас вообще-то не велено на порог пускать.

Илья начал покрываться синими пятнами, но я быстро вытащила из кошелька кредитку и, помахав ею перед носом девицы, сказала:

— Порядок, я угощаю его.

— Конечно, конечно, — засуетилась девчонка и унеслась.

— Мы договаривались лишь о кофе, — напомнила я.

— Жаль бедному сироте рюмочку налить? — жалостно улыбнулся Илья.

— Быстро рассказывай, что знаешь о Звонаревой, — вздохнула я, — и давай договоримся: сейчас ты лакомишься кофейком, хочешь с пирожными, хочешь — с булочками, могу покормить обедом, но спиртное выпьешь лишь после того, как закончишь повествование.

— Значит, я стану смотреть на графинчик, а попробовать не смогу? Это жестоко! — насупился пьянчуга.

Я поманила официантку.

— Девушка, несите нам кофе и сладкое.

— Есть я не хочу, — заявил Илья.

Действительно, алкоголики, как правило, страдают отсутствием аппетита.

— Значит, тащите эспрессо ему, мне латте и яблочный пирог с ванильным кремом, а коньяк подадите, когда велю.

Официантка понимающе кивнула.

— Вы просто фашист, — возмутился Илья.

— Давай, приступай, — отмахнулась я от обвинений, — а то никакого горячительного не будет, впрочем, если рассказ окажется интересным, приобрету для тебя полную бутылку.

— Я такое знаю! — воскликнул Илья. — Ням, конфетка.

— Ты не тяни, — потеряла я остатки терпения, — выкладывай информацию скорей.

Младший Волк ухмыльнулся и завел рассказ. Сначала он жаловался на злодейку-судьбу, лишившую его в детском возрасте матери.

— Сирота я, сирота, — со слезами в голосе причитал Илья, — никому не нужный, лишенный тепла родительского, заботы и ласки. Отец только о себе думал: съемки, экспедиции, бросил меня, бедного, без внимания. Отчего я пью? От горя и тоски...

Мне быстро надоели стоны, поэтому я спросила:

— Тебе сколько лет?

— Сорок, а что?

— Да то, что в этом возрасте многие люди сироты. Мог бы и работать пойти!

Сказав последнюю фразу, я моментально пожалела о ней, а Илья, воспользовавшись моей оплошностью, принялся педалировать иную тему.

Он гениальный, но непризнанный режиссер, может снимать потрясающие картины, но в нашем кинобизнесе двух Волков не надо. Отец задавил карьеру сына! Не позволяет мальчику развиваться, лишил его возможности реализоваться, вот почему Илья пьет! От горя и тоски, живет никому не нужный, мама умерла, он сирота...

— Ты о Звонаревой рассказывай, — снова

прервала я нытье пьянчуги, — а то не видать тебе коньяка как собственных ушей.

— Ладно, — неожиданно легко перешел к нужной теме Илья, — отец мой ханжа, не пьет вообще! Ну лишь по праздникам, грамм пятьдесят. Скажи, идиот?

Я только вздохнула.

Никита в отличие от Ильи совершенно не балуется горячительными напитками. Одно время, правда, отец держал в доме бутылки для гостей, но потом, сообразив, что сын-алкоголик регулярно пользуется баром, вынес из дома все пахнущее спиртом, даже одеколон в ванной не стоит.

Представляете теперь, как удивился Илья, когда однажды, открыв отцу дверь, обнаружил того пьяным в лоскуты.

— Папа! — пораженно воскликнул он.

К тому времени отношения между Ильей и Никитой были безнадежно испорчены. Младшему никогда не приходило в голову говорить старшему ласковое «папа», но удивление было столь велико, что Илья внезапно превратился в маленького растерянного мальчика.

— Пошел вон, ублюдок! — проревел всегда интеллигентный Никита и рухнул в коридоре у вешалки.

Илья и домработница перепугались еще больше. Кое-как они подняли каменно-тяжелое тело главы семьи и уложили на кровать.

Пораженный до глубины души Илья в тот вечер сам не стал прикладываться к бутылке, лег спать трезвым. Но утром он испытал еще большее удивление: не успели большие часы в кабинете пробить семь раз, как в дверь позвонили, и в прихожей появился Олег Ремизов, самый близкий приятель Никиты. Увидав Ремизова, Илья просто лишился дара речи.

Дело в том, что Олег много лет назад попал в автомобильную катастрофу и с тех пор ездит в инвалидной коляске. Ремизов работает переводчиком, он востребован и имеет неплохой заработок, но Москва не приспособлена для человека, которого злая судьба лишила возможности двигаться самостоятельно. Двери в лифты узкие, пандусы повсеместно отсутствуют, о том, чтобы спуститься в метро, и речи быть не может. Ремизов основную часть времени проводит на даче, рукописи для перевода ему присылают с курьером. Никита часто встречался с Олегом, ездил к нему за город, когда-то брал с собой и маленького Илью, но Олег приехал на квартиру к старому другу лишь один раз, в день смерти жены Никиты. Илья, хоть и был совсем крошкой, очень хорошо помнил, как после поминок двое крепких мужчин на руках снесли Ремизова вниз: инвалидная коляска не вошла в лифт и не проехала по лестнице. И вот сейчас Олег вкатывается в холл, теперь у него было импортное кресло на колесах, узкое, компактное, легкое.

— Где Никита? — сурово спросил он.

— В кабинете или спит еще, не знаю, дядя Олег, — растерянно пробормотал Илья.

Ремизов молча порулил по коридору, а Илья в глубокой задумчивости отправился на кухню, но до пищеблока пьяница не добрался, его мучило жуткое любопытство. Что случилось у отца?

Отчего он вчера назюзюкался до потери пульса? С какой стати затворник Ремизов покинул свою фазенду?

Сняв тапочки, Илья на цыпочках подкрался к двери комнаты отца и приник ухом к замочной скважине.

— Все знает, — послышался тихий голос Никиты, — все! Имеет на руках документы.

— Обещает отдать?

— Да, в обмен на съемки Звонаревой. Какой подлец, мерзавец, негодяй!

— Давай не будем сейчас оценивать моральные качества других.

— Ты презираешь меня, ты, который все знает и понимает! А что же теперь говорить о других людях!

— Успокойся, я просто хотел сказать, незачем заниматься самоедством, и потом... все давно умерли.

— Документы! Документы целы, — заорал Никита, — бумаги-то не горят, оказывается, все сберегли, сволочи, подшили в папочки, сброшюровали. А теперь представь вой, который поднимут газеты.

— Тише, — шикнул Олег, — не ори. Или хочешь, чтобы народ оказался в курсе дела?

— Дома никого нет!

— Мне дверь Илья открыл.

— Он, как всегда, пьяный лежит.

— Выглядел трезвым.

— Ошибаешься, мое горе практически не бывает в разуме.

— Ладно, это бессмысленный спор. Незачем

бояться газет, если рискнешь рассказать правду... Хочешь совет?

— Да, — тихо ответил Никита.

— Ох и испугался я ночью, когда ты, еле-еле ворочая языком, позвонил, — протянул Ремизов, — подумал, инсульт тебя разбил! Как назло, машина сломалась, пока такси за мной ехало, я чуть с ума не сошел, а ты, оказывается, напился!

— Лучше посоветуй, как поступить, — перебил лучшего друга Волк.

— Собери журналюг побольше и честно расскажи все, с самого начала, с шестидесятых годов, про Веру, ну и так далее. Тебя поймут, к тому же участники событий давно покойники.

— Богоявленский жив!

— Пустяки, он безумный старик.

— Окстись, Владлен нашего возраста.

— Так мы и есть старики, — засмеялся Ремизов, — поверь, лучше упредить удар, пусть потом этот твой человек в черном губы кусает, ну как шантажировать личность, которая все секреты сама растрепала.

— Нет, не могу! Меня проклянут.

— Кто?

— Бурмистров и Коган.

— Они умерли.

— А жены? А дети? А внуки? Господи, что я наделал, что!

— Никита, успокойся.

— Скажи, ты осуждаешь меня?

— Нет. И говорил тебе об этом не один раз. Ты спасал Веру.

— О боже, не спас ведь!

— Хоть попытался! А теперь поверни ситуацию наоборот, ты отказался от предложения Ивана Ивановича, и Вера скончалась. Ну и каково тебе было бы потом? Так хоть ты ощущаешь, что сделал все возможное, пытался вырвать ее у смерти, и ведь почти удалось! Подарил Вере два года жизни! Два!!! Вдумайся! Сколько умирающих сейчас людей мечтают о таком счастье!

— Нет, — пробормотал Никита, — невозможно, я не сумею открыться, я выполню его требование. В общем-то, ерунда, сниму в главной роли эту Звонареву.

— И провалишь работу, деньги потеряешь.

— Они не мои, а его.

— У тебя безукоризненная репутация режиссера, выпускающего фильмы экстра-класса.

— Справлюсь, если совсем не потянет, придумаю фишку какую-нибудь, выкручусь, — с жаром воскликнул Никита, — ты только никому ни слова, ни гугу.

— Странная просьба, — глухо ответил Олег, — по-моему, за долгие годы ты мог убедиться в моем умении держать язык за зубами, право, обидно.

— Прости! За все! И за ночной звонок. Я дико испугался, напился...

Ремизов продолжал говорить дальше, но Илья больше не сумел подслушивать, послышался стук входной двери: на работу явилась горничная.

— Ну что, интересно? — хитро улыбнулся Илья. — Где мой коньяк? И графин, и бутылка на вынос.

Я поманила официантку.

— Подайте выпивку.

Алкоголик потер ладонью затылок.

— И лимончик, — крикнул он в спину подавальщице, — нарежь на кусочки, я не пьяница, чтобы без закуски спиртное лакать.

— Мне нужен телефон Ремизова.

— Без проблем, — заулыбался Илья, — две тысячи долларов на стол, и даю номер.

Я покрутила пальцем у виска.

— Головой не ударялся? Эту информацию легко раздобыть и без тебя. Думаю, у нас не так много переводчиков в инвалидных креслах, пару звонков в крупные издательства, и все! Но мне недосуг морочиться, поэтому вот тебе десять долларов, называй цифры.

Илья, сопя, выудил из кармана допотопный растрепанный блокнот.

— Да, кстати, — улыбнулась я, — кто такие эти Бурмистров, Коган и Богоявленский?

— Понятия не имею, — развел руками алкоголик, — в первый и последний раз фамилии слышал.

Глава 14

Сев в «Пежо», я потянулась за телефоном, но он зазвонил сам.

— И где ты носишься? — послышался слегка раздраженный голос Зайки.

— Да так, в магазин поехала, кое-что купить на вечер из еды хочу, — уклончиво ответила я.

Неожиданно Ольга рассмеялась.

— Я думала, ты забыла!

Я чуть было не спросила: «О чем?» — но вовремя схватила себя за язык и воскликнула:

— Как можно! Я обладаю замечательной памятью.

— Очень тронута твоим вниманием.

— Пустяки!

— Но у нас опять форсмажор. Катерина вчера чистила рыбу на заливное и уколола костью палец, — стала быстро говорить Зайка, — будучи идиоткой, она просто заклеила ранку пластырем, ни йодом не залила, ни зеленкой не помазала. И сейчас у нее температура, ладонь раздуло, в общем, везу дурынду в больницу. Тебе придется помочь с ужином.

— Экая ерунда, — бодро воскликнула я, — не волнуйся, разогреем блинчики...

— С ума сошла! Гостей двадцать человек!

Я закашлялась. У нас собрание? По какому поводу? Ольга-то думает, что свекровь в курсе дела. И что за радость приключилась в семье? Дня рождения ни у кого нет. Так что за повод к гулянью?

— Перед отъездом, — продолжала тем временем Заюшка, — Катерина проявила чудеса героизма и приготовила еду. Салаты в холодильнике, их только майонезом заправить надо — и на стол. На подоконнике стоит огромный торт, ты его испеки. Сладкое готово, только сунуть в духовку примерно на час надо, справишься?

— Конечно. Но почему бы не поручить дело Ирке?

— Она занята.

— Чем?

— Ты забыла!

— А! Да! Конечно! Очень хорошо помню! — принялась я усиленно врать.

— Раз помнишь, зачем спрашиваешь?

— Машинально!

— О боже! Значит, внимание! Дарья, включи прием.

— Слушаю!

— Твоя задача: а) испечь торт, б) вынуть из второй духовки индюшку. Я уже пихнула птичку на противень, там включен таймер, он прозвонит в два часа дня. Не забудь, духовка сама не отключается. Повтори.

— Испечь торт. В два часа дня позвонит индюшка, вынуть ее из духовки.

— Молодец! Смотри не опоздай, иначе плакало горячее, птичка станет сухой, подгорит.

— Ясно.

— Я приду вовремя.

— Естественно.

— Могу на тебя положиться?

— Конечно.

— Не подведешь?

— Нет.

— Ладно. Потом, когда Катерине обработают руку, мы с гостями приедем в Ложкино, собираемся на бензоколонке в половине третьего. Даша, ау!

— Слышу тебя.

— Как бы мне это узнать! Реагируй иногда на слова, — рассердилась Зайка, — торт и индюшка! Умоляю, не забудь.

— Уже качу домой, — бодро воскликнула я.

— Отлично! — похвалила Зайка и отсоединилась.

Поставив мобильный в держатель, я стала поворачивать налево, ладно, на месте разберусь, что у нас за радость. Сейчас прирулю в Ложкино, похлопочу по хозяйству, затем соединюсь с Олегом Ремизовым и, воспользовавшись тем, что домашние увлекутся приемом гостей, поеду к инвалиду, похоже, он точно знает, по какой причине Никита Волк начал снимать Людмилу и кто дал денег на сериал.

Включив поворотник, я вырулила налево и оказалась в маленькой тупиковой улочке. Вот черт, мне следовало поехать направо! Обозлившись на себя, я стала осматриваться по сторонам, придется давать задний ход, переулочек крохотный, по его бокам тянутся тротуары, обрамленные высоким бордюром, а у «Пежо» низкая посадка, значит, развернуться не получится.

Стараясь не обозлиться еще больше, я поставила ручку скорости в нужное положение, глянула в зеркало и тяжело вздохнула. Ну вот, какой-то идиот на микроавтобусе закрыл проезд. Более того, из минивэна начали вытаскивать коробки, баллоны, клетки, похоже, люди перебираются с дачи в город. Вот безобразие! Небось шофер видел, что у «Пежо» загорелись огни заднего хода, и тем не менее не захотел пропустить меня. Теперь придется ждать, пока плохо воспитанный дядька перетащит хабар.

Я открыла дверь и закричала:

— Сколько времени разгружать станете?

— Секундочку, — донеслось в ответ, — извините.

Если человек вежливо разговаривает с тобой, то можно пойти ему навстречу, в конце концов, пара минут в моей ситуации ничего не решают!

Я вытащила сигареты и от скуки принялась разглядывать фургончик. Через десять секунд стало понятно: это не переезд с фазенды в город. На крыше автомобиля красовалась яркая картонная пирамида, украшенная надписью: «Клоуны у вас. Веселый день рождения, дрессированные звери, воздушные шарики, музыка».

Кто-то решил организовать праздник и пригласил к себе затейников. Сейчас в столице несколько агентств, которые охотно проведут свадьбу, помогут отметить юбилей, ну и так далее.

Наверное, предстоит детский праздник, вон человек, одетый в красную курточку, провел в подъезд обезьянку, следом пронесли кроликов, затем появились павлин и снежно-белая коза. Да, стоит позавидовать современным малышам, лично мне в детские годы и в голову не приходило, что в квартиру может приехать цирк. Самой большой удачей считалось раздобыть к столу лимонад «Буратино» и торт из мороженого, белый пломбир, украшенный чудовищными красными, желтыми и зелеными розами.

Сунув окурок в пепельницу, я вытащила косметичку и решила заняться текущим ремонтом лица, попудрилась, покрасила губы, подправила тушь на ресницах, снова оглянулась и обрадовалась: автобусик исчез.

Напевая веселую мелодию, я осторожно дала задний ход. Главное, не задеть никакие ограждения, постараться аккуратно миновать «капканы», чего греха таить, я не слишком уверенно вожу машину.

Но на этот раз, кажется, маневр удался. Затаив дыхание я поравнялась с подъездом, куда только что втянулась толпа животных. Отлично, первая часть пути пройдена, теперь осталось вырулить на соседнюю улицу, повернуть и...

Но я не успела продолжить путь. Из открытых дверей парадного вылетела всклокоченная обезьянка, вид у примата был совершенно безумный. Ловко перебирая бесконечными руками и ногами, млекопитающее подлетело к моей машине и забарабанило кулаками по капоту. От неожиданности я заорала, но сообразила заблокировать двери.

Потом мартышка залезла на «Пежо», прижала мордочку к ветровому стеклу и принялась самозабвенно корчить рожи. Я зажмурилась, плохо понимая, как следует себя вести в подобной ситуации. Внезапно обезьяна издала такой крик, что у меня перехватило дыхание, веки сами собой распахнулись. В следующую секунду я увидела, как из дома пулей вылетает желто-коричневый тигр. Огромная кошка, оказавшись на улице, присела, потрясла круглой мордой, потом, легко оттолкнувшись, стрелой взвилась в воздух и прыгнула на крышу «Пежо».

Вот тут я заорала громче обезьяны.

— Мама, спасите, люди, на помощь!

Но, очевидно, салон автомобиля глушил крики, потому что никто из жильцов не высунул нос на улицу. В доме были установлены стеклопакеты, москвичи спокойно занимались своими делами, никого не волновала судьба несчастной обезьяны, которую рвал на крыше моей машины хищник.

Повизжав некоторое время, я устала и замолчала. «Пежо» раскачивался и трясся, над головой раздавался стук, скрежет когтей о металл, придушенные взвизги. Изредка длинный полосатый хвост спускался на переднее стекло и яростно колотил по нему, я умирала от страха.

Наконец в голове слегка просветлело, я вцепилась в мобильный и набрала 01.

— Десятая, слушаю.

— Помогите! На меня напали.

— Огня нет? Задымления тоже?

— При чем тут пожар, — взвыла я, — на крыше машины дерутся...

— Звоните в милицию, 02, — равнодушно ответила девушка и отсоединилась.

Трясущимися пальцами я потыкала в кнопки.

— На помощь!

— Что случилось?

— Сижу в центре драки.

— Сидите?

— Ну да. Нахожусь в машине, а на ней тигр дерется с обезьяной.

— Это ваши знакомые?

— Кто?

— Тигр и обезьяна. Можете назвать паспортные данные?

Я застучала ногами по коврику. Вот она, наша доблестная милиция, вместо того чтобы мчаться на помощь к пострадавшей, сначала хотят узнать, как зовут бандитов. Логика понятна, пока патрульная машина проберется по пробкам, еще придавят девушку и удерут, а так фамилии останутся. Главное ведь — отрапортовать об удачном завершении расследования.

— Это не люди! — заорала я.

— А кто?

— Тигр и обезьяна! Животные! Дикие.

— Откуда же они взялись?

— Вышли из подъезда!

— Что?

— Ну да, — попыталась я объяснить ситуацию, — сначала они приехали на автобусе.

— Тигр и обезьяна?

— Примата я видела точно, а хищника, похоже, раньше привезли.

— 03.

— Извините?

— Наберите 03 и объясните, в чем дело.

— Девушка, погодите...

Но диспетчер уже отсоединилась. Я вцепилась руками в руль. Ужасно! Никто не хочет помочь!

Вдруг шум на крыше стих, по моему лицу потекли горячие слезы. Тигр мягко прыгнул на тротуар. Господи, он съел несчастную, маленькую, только что весело кривлявшуюся мартышку!

Но не успела я оплакать погибшее мучительной смертью животное, как по капоту скатилась темная тень. Мой рот сам по себе открылся, ну и ну, макака-то в добром здравии.

Дальнейшие события напоминали кинофильм из жизни Тарзана или Робинзона Крузо, от удивления я позабыла, кто из этих героев дружил с четвероногими. Дверь подъезда открылась, из нее высунулся человек в красной куртке и громовым голосом проорал:

— Эй, свиньи!

Тигр и обезьяна замерли.

— Рикки, Мартина! Ремня захотели? А ну живо сюда! — рявкнул дрессировщик.

Обезьянка схватила тигра за ухо и села верхом на желто-коричневую спину. Хищник легко, словно танцуя, пошел к хозяину, через миг все трое исчезли из виду. Тут только до меня дошло, что тигр не собирался сжирать мартышку. Дрессированные животные часто дружат друг с другом, причем кошку не смущает нахождение в одной клетке с мышами, а лев преспокойно разрешит козе греться около себя. Да работники зоопарков и цирков могут рассказать множество подобных историй. Значит, сейчас на крыше моей машины просто шла веселая игра.

В полувменяемом состоянии я вывалилась на тротуар и принялась изучать «Пежо». Малолитражка выглядела плачевно, серебряная краска была покрыта глубокими царапинами, крышу «украшали» вмятины, на капоте красовались то ли пятна, то ли проплешины. Симпатичный автомобиль смотрелся словно жертва, вырвавшаяся из рук маньяка. Чем дольше я обозревала несчастного «коняшку», тем сильней в моей душе бушевало негодование. Чтобы справиться с гневом, я попыталась заняться аутотренингом.

Спокойно, Дашутка, не кипятись, нервные клетки погибают безвозвратно. Ну что особенного случилось? Эка беда, помяли железо. Во-первых, имеется страховка. Правда, я совсем не уверена, что в ней вписан пункт о нападении диких животных, но у меня есть Аркадий, думаю, наш адвокат сумеет справиться с нештатной ситуацией. Во-вторых, на моем счету полно денег, и вполне можно купить новый автомобиль. К тому же в гараже стоит старый «Пежо», я спокойно могу воспользоваться им. Не стоит переживать. В-третьих... в-третьих... в-третьих, сейчас побегу в подъезд, найду квартиру, где отмечают праздник, и убью дрессировщика, наподдаю тигру, отшлепаю мартышку...

Попытка успокоить себя потерпела неудачу, в ушах зашумело, горло перехватило от злости. Полная решимости отомстить за поруганный «Пежо», я кинулась к подъезду, рванула на себя тяжелую дверь, влетела в широкий, длинный, холодный вестибюль и в удивлении остановилась. Минуточку, куда я попала?

На полу нет ни плитки, ни паркета, ни линолеума, под ногами чернеет асфальт. Внутри подъезда отсутствуют признаки лифта и лестницы...

Я заморгала, потом увидела впереди еще одну дверь, подошла к ней, толкнула и оказалась в большом дворе, окаймленном тремя высоченными новостройками. Сразу стало понятно, отчего парадное имеет столь странный вид. Это не подъезд, а арка. Сейчас многие жители проходных дворов, чтобы прекратить поток людей, пробегающих мимо зданий, наглухо перекрывают подходы к своим домам. Значит, циркачи шли к кому-то в этих многоэтажках. Да мне придется потратить месяц, чтобы выяснить номер квартиры, куда направилась веселая компания. И что теперь делать?

Обозлившись еще больше, я вернулась к «Пежо» и призадумалась. Ни одна страховая компания не примет заявления без справки от гаишника, но любой человек, хоть раз имевший дело с ДПС, великолепно знает: владельцев полосатых жезлов надо ждать часами. А у меня времени нет, требуется вынуть индюшку и испечь торт. Не выполню приказ Зайки, окажусь в центре тайфуна по имени «Ольга». Но если я укачу с места происшествия без нужной бумажонки, получу выговор от Аркадия. Куда ни посмотри, везде плохо! И как поступить?

Не успев ответить на этот вопрос, я увидела вдруг, как в переулочек медленно вкатывается белый «Форд» с голубой полосой и «люстрой» на крыше. Не веря собственному счастью, я опрометью ринулась к гаишникам, появившимся тут словно по велению волшебной палочки. Уж поверьте, ни разу в жизни я так не ликовала, встретив патрульный автомобиль.

— Мальчики, — закричала я, распахивая дверь, — здо́рово, что вы тут!

Один из парней уронил на колени шаурму.

— Во, блин, — сказал второй, — пожрать не дадут. Чего стряслось?

— Дайте справочку об аварии, умоляю.

— У нас перерыв на обед.

— Милые, любимые, дорогие, котики, помогите! — взмолилась я. — Ужасно опаздываю, мне надо быть дома ровно в два.

— Ребенка, что ль, одного оставила? — с сочувствием спросил водитель. — Эх, бабы! Зла на вас нет! Не фиг по магазинам шляться, коли малыша имеешь.

Настроение стало просто замечательным. Мало того, что гаишники сами явились в нужное место, так меня, девушку давно не первой свежести, приняли за молодую мать.

— Нет, — кокетливо ответила я, — мои дети уже выросли. Индюшка звонить будет ровно в два.

— Эка печаль, — пожал плечами шофер, — еще раз номер наберет, позднее, мы есть хотим!

— Индюшка не сумеет перезвонить!

Гаишник, уронивший шаурму, прищурился.

— Кто? Индейка? Из Индии, что ли, трезвонить станет? Слышь, Серега, пойдем глянем.

Сергей меланхолично откусил от хот-дога.

— Мне, Колян, однофигственно, откуда ее доставать будут, хоть с Антарктиды, я жрать хочу.

— Это не индианка, — решила я уточнить ситуацию, — а индюшка, индейка, птичка такая, вкусная, ее с брусничным вареньем едят. Звонить станет ровно в два, надо дома быть к этому моменту.

Сергей икнул, Коля вытаращил глаза.

— Птичка? Вы хотите с ней поговорить?

— Послушайте, — заныла я, — там дела на минуту — вон, видите, «Пежо» стоит?

— Угу, — кивнул Сергей, — двести шестой! Дрянь машина, амортизаторы ни к черту.

— И что случилось? — зевнул Коля.

— Сначала на капот прыгнула обезьяна!

Николай снова уронил шаурму, на этот раз на пол.

— Кто?

— Макака, такая вертлявая. Затем появился тигр, и они залезли на крышу, начали там кувыркаться, всю краску когтями попортили...

— Тигр и обезьяна? — уточнил Сергей.

— Ага, — кивнула я, — он полосатый, она коричневая. Я чуть со страху не умерла, думала, хищник примата сожрет, но они оказались друзьями.

— Ясно, — протянул Коля, — и где сейчас сладкая парочка?

— Обезьяна села верхом на тигра и ускакала, вон туда в арку!

Сергей захихикал, Коля пнул его и с каменно-серьезным выражением на лице заявил:

— Понятно, чего удивительного! Как же они на вас налетели, а?

— Да очень просто, — закивала я, — обезьяна приехала на автобусе, тигр, наверное, тоже. Ой, да какая разница, вы мне дайте справочку для страховой компании, и все. А то индюшка позвонит ровно в два, не сносить мне головы, если опоздаю, Зайка прибьет!

— Зайка? — воскликнул Сергей. — Лапами?

— Голосом, — уточнила я, — начнет орать: «Ничего тебе поручить нельзя, индюшку и ту упустила». Зайка, когда рассердится, плохо собой управляет, ее даже Жюли боится.

— Это кто? — простонал Коля.

— Жюли? Йоркширская терьериха, слышали про такую породу? — спросила я.

— Маленькая, волосатая, — пробубнил Сергей, — дрожит все время.

— Точно. Только наша Жюли храбрая, вот Банди — тот трус.

— Банди?

— Да, питбуль, он в основном у камина спит и блинчики ест, а Жюли дом охраняет. Собственно говоря, у нас в семье две злые личности, Жюли и Гера.

— Гера, — повторил Коля, — Гера.

— Это жаба, — улыбнулась я, — она кусается, а Снап, ротвейлер, нет. Впрочем, Черри, пуделиха, тоже мирная, но самый спокойный Хуч.

— Х... Х... Х... — прозапинался Сергей, — это кто?

— Мопс, Хучик. Его вообще-то Дегтяреву подарили, он, между прочим, полковник милиции, ваш коллега, и нам не родственник, но живем вместе.

— Мопс? — взвизгнул Сергей. — Полковник милиции?

— Нет, полковник милиции — Дегтярев Александр Михайлович, а Хуч его брат-близнец, — повторила я любимую шутку домашних.

Коля и Сергей переглянулись.

— А индюшка? — хором спросили они.

— Позвонит ровно в два, — я не теряла надежды до конца прояснить ситуацию. — У Зайки сегодня гости. Кстати, еще торт испечь надо, потому что Катерина в больницу поехала, она рыбой укололась.

Сергей разинул рот, Коля начал судорожно кашлять.

— Гражданочка, — наконец произнес он, — вы только не волнуйтесь. Чего от нас-то хотите?

— Справочку для страховой компании. Укажите в ней, что крышу когтями попортили тигр с обезьяной.

— Которые сначала приехали на автобусе, а потом ускакали в арку? — уточнил Коля.

— Верно, — обрадовалась я.

— Ага, — ожил Сергей, — все так! А вы торопитесь к Зайке, мопсу Хучу, брату полковника милиции, и прочей живности, дабы успеть услышать индюшку, которая станет звонить в два часа?

— Точно.

Коля зачем-то схватился за табельное оружие, а Сергей вдруг улыбнулся, ласково, нежно, так, будто увидел любимую девушку.

— Э... как вас зовут?

— Даша Васильева.

— Дашенька, понимаете, мы не работаем на этом участке.

— Просто покушать завернули, — подхватил Коля, — никаких правов не имеем справочки давать.

— Она недействительной будет.

— Вы отойдите от нашей машинки.

— Сейчас пришлем сюда патруль.

— В один миг примчит!

Я отступила в сторону, в ту же секунду бело-синий «Форд» задним ходом рванул с места и исчез со скоростью звука.

Ругая себя за интеллигентность, я вернулась к «Пежо». Ну с какой стати я стала рассказывать парням о нашей семье? Столько времени зря потеряла! Надо же, какие противные! «Не наш участок». Придется теперь ехать домой без справки, а то опоздаю вынуть индейку из духовки!

Глава 15

Я успела вовремя, только вошла на кухню и услышала пронзительный писк. Нахваливая себя за хорошую память и оперативность, я вытащила противень и установила его на специальной подставке. Так! Что еще требовалось сделать? Взор упал на салатники. Ага, надо добавить в оливье майонез.

Со двора послышались голоса и веселый смех, похоже, что гости прибыли раньше времени. Желая заслужить одобрение Зайки, я кинулась в кладовку. Ну куда же подевался майонез? Очень хорошо помню, что не так давно притащила целую бадейку. Доставка продуктов из магазина является моей обязанностью, а мне лень часто мотаться за харчами, поэтому рулю туда, где торгуют оптом, и хватаю минеральную воду ящиками, соки коробками и прочую снедь в товарном количестве. Очень удобно, если, конечно, имеете место для хранения продуктов. Ага, вон оно, ведро с самым любимым россиянами соусом для салата.

Подгоняемая звуком чужих голосов, я быстро приволокла на кухню пластиковую емкость, налила в нарезанную смесь из овощей и мяса белый соус, перемешала ложкой и улыбнулась вошедшей Зайке.

— Все готово! Индюшка на столе, салаты заправлены. Видишь, на меня можно положиться.

— Супер! — воскликнула Ольга. — Эй, ребята, тащите миски на стол! Лена, режь индейку, Нина, вываливай картошку.

Гости засуетились, я с восхищением посмотрела на Зайку, ей бы следовало стать начальником, только люди, занимающие высокие посты, умеют управлять миром, раздавая указания, при этом ничего не делая самостоятельно. Вот сейчас девушки расставляют посуду, молодые люди откупоривают бутылки и открывают банки, а Зайка рулит процессом.

— Может, сразу за удачный старт выпьем? — предложил один из парней. — Пусть «Спроси у Ольги» живет сто лет!

И тут меня осенило. Ну конечно же! Зайка долгое время работала на спортивном канале, но теперь она начала делать другой проект! Значит, сегодня состоялась премьера, и к нам сейчас ворвалась команда, снимающая новую программу!

— Ура, — закричали телевизионщики, — ура!

— За стол, — суетилась Зая, — живо сели! Дарья, ты куда?

— Э... сейчас приду, — промямлила я, отступая в коридор.

Слава богу, Ольге сейчас будет не до свекрови. И точно! Зая махнула рукой и занялась гостями, а я пошла на второй этаж, звонить переводчику надо из укромного места.

Ремизов ответил сразу:

— Слушаю.

— Простите, бога ради, меня зовут Даша.

— Разве вы обидели меня?

— Нет, — удивилась я.

— Тогда почему просите прощения?

— Ну... просто так, к слову.

— Хорошо, продолжайте.

— Меня зовут Дарья Васильева, — повторила я, — мне очень надо с вами встретиться. Прямо до жути, если можно, я сейчас приеду.

— В чем дело?

— Э... речь идет о переводе книги. Вы французским владеете?

— Да, — хмыкнул Олег, — немного. Перетолковал за свою жизнь кое-кого, Бальзака, например, еще в советские времена.

— Отлично. Видите ли, моя сестра, баронесса Макмайер, живет в Париже и...

— Постойте, — перебил меня Ремизов, — вы сами владеете языком Дюма?

— Когда-то преподавала французский, но сейчас подзабыла грамматику, — призналась я.

— Вы блондинка с голубыми глазами?

— Верно.

— Приезжайте.

Я постаралась скрыть удивление. Однако странный человек этот Олег! Он пускает к себе только светловолосых? Неужели обладательница черных кудрей и карих очей не имеет шансов попасть в дом к Ремизову?

— Вам долго ехать? — проявил нетерпение Олег.

— Адрес скажите, пожалуйста.

— Подмосковье. Новорижская дорога, поселок Петровский. Это...

— Знаю! — радостно закричала я. — Живу в Ложкине!

— Вы до меня пешком за десять минут дойдете, — усмехнулся Ремизов.

Естественно, я воспользовалась «Пежо». Но не помятым, а старым, стоявшим без дела в гараже.

Учитывая, что хозяин инвалид, я приготовилась увидеть в прихожей прислугу, но Олег сам открыл дверь. Ничего болезненного в его лице не наблюдалось. В холле стояло кресло, а в нем сидел мужчина по виду лет шестидесяти, с приятным круглым лицом, на котором сиял румяней, колени Ремизова прикрывал светло-коричневый плед.

— Прошу, — весело сказал он, — я пойду вперед, это, конечно, невежливо, но извинительно, потому что вы не знаете дороги.

Он именно так и произнес: «пойду», а не «поеду».

Дом Олега явно строился в расчете на человека, неспособного передвигаться самостоятельно. Здание было одноэтажным, длинным, излишне вытянутым. Основная масса владельцев загородной недвижимости возводит многоэтажные особняки, но Ремизов решил избавиться от обременительных для него лестниц, а коридоры он сделал очень широкими и извилистыми. На третьем повороте я вздохнула, на пятом поняла, что без помощи хозяина никогда не найду выхода.

Наконец мы оказались в большой комнате с эркером.

— Вы меня не узнаете? — вдруг спросил Олег.

— Нет, — растерянно ответила я, — разве мы встречались?

Ремизов улыбнулся.

— Да, причем несколько раз, но давно.

— Простите, не помню.

Олег засмеялся.

— Я занимался переводами классики, потом Золя, Гюго и Бальзак перестали интересовать читателей, и мне стало туго. Один раз случайно в беседе с Максом Полянским я обронил фразу, что ищу книги для перевода с...

— Вспомнила! Я привозила вам из Парижа чемодан с современными французскими криминальными романами! А Наташка, баронесса Макмайер и, кстати, очень неплохая писательница, свела вас со своим литературным агентом!

Олег развел руками.

— В результате и получился сей дом. Я резко пошел в гору благодаря вовремя оказанной поддержке, очень хочу теперь отблагодарить вас. Чем могу помочь? Вы говорили о какой-то рукописи...

— Извините, я вас обманула, просто искала повод для встречи.

Олег подъехал к столику.

— Коньяк?

— Спасибо, я за рулем.

— Тогда кофе?

— С удовольствием.

Ремизов нажал пальцем на черную коробочку, установленную на подлокотнике кресла.

— Ася, в кабинет все, что положено.

Потом он перевел взгляд на меня и спокойно сказал:

— Говорите, чем я могу помочь. Сразу предупреждаю, танго с вами станцевать не сумею, но в остальном приложу массу усилий. Итак?

— Вы знакомы с Никитой Волком?

Ремизов побарабанил пальцами по пледу, прикрывающему его неподвижные ноги.

— Да. Мы друзья детства.

— Слышали фамилию Звонарева?

Олег призадумался.

— Что-то знакомое.

— Людмила Звонарева, звезда телеэкрана, последнее время без ее участия не обходился ни один сериал.

Ремизов кашлянул.

— У меня нет телевизора, не смотрю его никогда.

— Мила была моей подругой, — завела я рассказ.

Олег сначала спокойно выслушал меня, потом потянулся к подставке с трубками.

— Вы позволите? Дым не раздражает?

— Сама курю, а трубочный табак очень приятно пахнет.

— Увы, ничем в сложившейся ситуации я вам не помогу! — вдруг резко сказал хозяин.

— Но вы знаете, почему Волк поступился принципами и стал снимать у себя малоизвестную актрису?

— Да.

— Умоляю, расскажите.

— Это не моя тайна!

— Поймите, Милу убили!

— Простите, но я связан словом. А вот и кофе, — старательно перевел разговор на другую тему хозяин. — Кстати, хотите дам вам почитать интересную повесть? Изумительная вещь, только вчера из Парижа получил, новинка!

— Я пришла не о литературе говорить!

— Увы, — сухо ответил Ремизов, — Никита доверил мне секрет, я не имею права его разболтать. Да и не имеет та давняя история никакого отношения к смерти вашей подруги. Ладно, кое-что все же объясню! Никита замечательный режиссер, с принципами. Он никогда не станет снимать туфту ради денег, наверное, поэтому его сериалы пользуются большой популярностью. Публику трудно обмануть, люди чувствуют настроение, с которым делалась лента. Так вот, несколько лет тому назад Никите предложили денег на съемки нового сериала «Стужа», Волк посмотрел сценарий и согласился, его вполне устроил базовый материал, трагикомедия, хорошие характеры. И тогда спонсор поставил условие: в главной роли снимается Людмила Звонарева.

Никита моментально ответил:

— Нет. Я сам подбираю актеров, работаю лишь с известными именами.

Богач попытался уломать режиссера, подъезжал к тому с разных сторон, но Волк не сдавал позиций.

— Никогда, — твердил он, — пусть «Стужу» другой человек снимает.

И тогда спонсор выложил на стол некие документы. Он, грубо говоря, шантажировал Волка. Когда-то, достаточно давно, Никита совершил некий неблаговидный поступок. Сейчас денежный мешок пообещал передать информацию в газеты, Никита испугался и взялся за работу. Собственно говоря, это все!

— Имя, имя...

— Чье?

— Спонсора!

— Смотрите, — воскликнул Никита, — снег пошел! Надо же, как рано! Сейчас ударит сильный мороз, а под Новый год потеплеет...

Целый час я провела в кабинете, пытаясь добиться от Олега правды, но переводчик упорно говорил о погоде, кофе, французской литературе, книгоиздательском бизнесе... В общем, о чем угодно, кроме интересующих меня обстоятельств.

В конце концов, устав, словно Сизиф[1], я воскликнула:

— Ведь вы обещали мне помочь!

Олег нахмурился.

— Дашенька, поверьте, я не раз мысленно говорил вам спасибо. Но выдавать чужую тайну подло.

— Вы не скажете имя спонсора?

— Нет.

— Но почему?

— Ну... не сумею этого сделать.

— Значит, я не узнаю фамилию любовника Милы!!!

— Если он и спонсор одно лицо, думаю, нет. Впрочем, после смерти Никиты я могу приоткрыть завесу, — пообещал Ремизов, — но Волк меня переживет. Лучше забудьте об этом деле! И вообще, преступников обязана искать милиция, а красивым женщинам негоже вмешиваться в этот процесс.

По моей щеке неожиданно поползла слеза, а плачу я, как правило, лишь от бешенства.

Очень расстроенная и обиженная, я вернулась в Ложкино. В голове не имелось ни одной конструктивной мысли. Но ведь безвыходных положений не бывает. Значит, сейчас я поднимусь к себе и попробую сообразить, как действовать дальше.

Не успела я перешагнуть порог, как в прихо-

---

[1] Сизиф — герой древнегреческого мифа. Он вкатывал на гору камень, но глыба срывалась и вновь неслась вниз. Сизифу приходилось начинать работу снова. Сизифов труд — это бессмысленное, утомительное, тупое, нетворческое занятие.

жую высунулся Женя, на стилисте на этот раз красовался пуловер цвета сочной молодой травы и ядовито-красные джинсы.

— Ой, — испуганно воскликнул он, — быстрее беги в баню.

— Почему? — насторожилась я. — Выгляжу грязной?

— Нет, чтобы спрятаться!

— От кого?

Женя боязливо обернулся, открыл рот, но тут в холл вынеслась Зайка и прошипела:

— Явилась!

— Привет, Заюшка, — стала я подлизываться к Ольге, — поздравляю с началом новой программы. Очень рада, что вы с коллегами отмечаете праздник у нас. Знаешь, есть такая примета, если хорошо повеселиться, потом работа без сучка и задоринки пойдет!

Неожиданно Женя захихикал и кинулся в баню, Зайка уперла руки в бока.

— Ну, судя по этой примете, наш новый проект погиб, — заорала она.

— Индюшка сгорела! — ахнула я.

— Нет, — процедила Ольга, — птица, которую я лично поставила в духовку, удалась отменно. Даже ты не сумела ее испортить!

— Я только вынимала противень, больше ничего с едой не делала.

— Это и спасло индюшку.

— Вино плохое? — пыталась я установить причину, похоже, не слишком удавшейся вечеринки.

— Выпивка чудесная, — отбрила Зайка.

— Муся, — закричала Маня из коридора, — лучше поскорей спрячься, ой!

Девочка выскочила в прихожую.

— А... а... Заинька... ты уже тут! Не убивай мусика! Кешка ведь сгонял в супермаркет и привез еды, классно вышло!

— Салатов не хватило? — изумилась я. — Их, похоже, бочку нарезали!

— Оливье! — взвилась Зайка. — Да я с тобой разговаривать не хочу!

Резко повернувшись на каблуках, Ольга унеслась в глубь дома. Из гостиной доносился громкий смех, похоже, присутствующие веселились от души.

— Чем недовольна Зайка? — повернулась я к Машке. — Я сделала все правильно, индюшку вынула!

— Птичка классно получилась, — кивнула Маня, — от нее даже костей не осталось.

— Салаты заправила перед подачей на стол, они не заветрились! Да и сладкого полно имелось, торт такой огромный на подоконнике стоял, — продолжала недоумевать я.

Маруся захохотала.

— Мусик! Что ты налила в оливье?

— Майонез.

— И где его взяла?

— Так в кладовке ведро стоит.

— Муся, ты перепутала соус со сгущенкой. Она тоже в пластиковой белой таре в чулане находится.

— Сгущенное молоко?

— Ага, — кивнула Машка, — гости, правда,

почти все съели, только удивлялись, отчего салаты сладкие. А потом Зая пошла на кухню и увидела на столике ведерко со своим любимым продуктом. Крик стоял! Кешу в супермаркет за готовой хавкой отправили. Хорошо тебя дома не было, считай, повезло, вовремя смылась.

— Сгущенка, — растерянно забормотала я, — как же так! Ей-богу, это случайно вышло, совершенно не нарочно! Я схватила ведро и бегом, очень торопилась, хотела успеть к приходу гостей.

— Не опоздала, однако, — вздохнула Машка, — в особенности суперски с тортом получилось!

— Я с ним ничего не делала!

— Угу!

— Сгущенку не лила.

— Ага.

— Я его вообще не трогала!

— Ясно.

— Только полюбовалась на красоту и уехала. Честное слово! А что случилось с бисквитом?

Маня прыснула.

— Я тебе верю, ты на самом деле его и пальцем не тронула.

— Точно.

— Вот это и обозлило Зайку сильнее всего!

— Почему?

— Муся, торт следовало испечь, — еле-еле выдавила из себя девочка, пытаясь справиться с припадком смеха, — Ольга велела его в духовку сунуть. С виду-то торт съедобным казался, но его не приготовили. Зая, еле-еле пережив позор с салатами, выставила тортик, порезала его на куски, народ пошел ложками угощенье ковырять, а коржи-то сырые! Правда, к тому времени люди уже здорово наклюкались, по-моему, никто, кроме нас с Ольгой, и не заметил конфуза.

— Гости слопали сырой торт? — простонала я.

— Ага, — закивала Маня, — подчистую. Я, например, всегда считала: главное — алкоголь. После третьего бокала коньяка народ способен табуретку сгрызть.

— Ужасно! В салате сгущенка, а сладкое не готово!

— Муся, не парься.

— Надо пойти извиниться.

— Забей.

— Меня Зайка убьет!

— Не, — отмахнулась Маня, — к утру забудет, ты пока потихонечку в спальню топай, я прикрою тебя. При посторонних Заюшка разборку устраивать не станет, а там еще какая-нибудь фигня случится, и Ольга на другую неприятность переключится.

Глава 16

Утром и впрямь, как обещала Маня, случилась фигня. Меня схватила мигрень. Свернувшись клубочком, я лежала неподвижно, натянув на раскалывавшуюся от боли голову пуховое одеяло. Только тот, кто, как я, регулярно попадает в цепкие объятия болячки, поймет меня. Мигрень не имеет ничего общего с головной болью. Это ужасная вещь, которая сопровождается тошнотой, ознобом и полной невозможностью пошевелиться, потому что любое изменение позы вызывает у вас желание умереть. Появляется мигрень внезапно, в самый неподходящий момент. Вечером ложишься спать здоровой и веселой, а утром открываешь глаза и с ужасом констатируешь — вот оно, накатило. Впрочем, у мигрени есть и положительное качество: уходит она от вас так же быстро, как и приходит, исчезает словно по мановению волшебной палочки.

Стараясь не дышать, я притихла под одеялом. Господи, как мне плохо! Бух! В голове фонтаном взвились разноцветные искры, в воздухе отвратительно завоняло французскими духами.

— Незачем постоянно прятаться, словно черепаха, — долбанул по темечку резкий голос Зайки.

В лицо ударил свет, Ольга стащила с моей головы перинку.

— Тебе так плохо! — воскликнула она.

— Ужасно!

— Давай Оксану позовем.

— Нет, скоро пройдет, — простонала я.

— Лежи, лежи, — засуетилась Зайка и поцеловала меня в макушку, — я думала, ты просто спишь.

Я чуть не скончалась от запаха парфюма.

— Ольгунчик, уйди, пожалуйста.

— Уже убежала, — прошептала Зайка и унеслась, не забыв прикрыть меня снова с головой одеялом.

Потянулся бесконечный день, я несколько раз засыпала, просыпалась и опять проваливалась в сон, мигрень раскаленным прутом торчала в виске. Никакие лекарства от напасти не помогают, остается лишь терпеливо ждать, когда липкие объятия боли распадутся и отпустят мою несчастную голову. Я опять начала дремать, но тут чья-то рука потрясла меня за плечо.

— Отстаньте, — прошептала я, — умираю.

— Дарь Иванна, — забубнила Ирка, — отзовитесь.

— Деньги в сейфе, открой и возьми сколько надо.

— Не, на хозяйство полно.

— Тогда дай умереть спокойно, — взмолилась я.

— К вам пришли, — заталдычила домработница, — гость.

— Скажи, что я заболела.

— Так я говорила, он не уходит!

Я со стоном сдернула с головы одеяло.

— Который час?

— Семь.

— Чего?

— Вечера.

— Дома есть кто?

— Собаки.

— А из людей?

— Только мы с вами.

— Выгони мужчину вон, пусть представится, оставит телефон, позвоню, когда встану.

— Он говорит, что будет ждать хоть до завтра, инвалид чертов.

Волна боли из головы стала скатываться вниз.

— Инвалид?

— Ну да! В кресле сидит и командует: «Немедленно приведите Дашу, речь идет о необычайно важном деле».

Забыв про мигрень, я вскочила с кровати, накинула халат и помчалась к лестнице, Ирка стала что-то кричать вслед, но ее слова были неразборчивы.

Ремизов находился в гостиной.

— Вижу, вы и впрямь заболели, — констатировал он, — сначала, грешным делом, я подумал, что не желаете со мной общаться, вот и сочинили отговорку. Извините, я уеду, встретимся завтра.

— Уже выздоровела, — ответила я, — что случилось?

— Я готов рассказать правду про Никиту, — тихо сообщил Олег.

Я изумилась до крайности.

— По какой причине? Еще вчера вы говорили, что вас может повергнуть на сей поступок лишь кончина Волка!

— Позавчера, — поправил Ремизов.

— Вчера. Я была у вас вчера.

— Нет. Во вторник, а сегодня четверг.

— Среда.

Олег вытащил из кармана мобильный.

— Смотрите! Число, месяц, год.

— Год я помню.

— Уже радует, — безо всякой улыбки сообщил переводчик.

— Ира! — заорала я.

Домработница всунулась в гостиную.

— Несу чай.

— Какой сегодня день недели?

— Четверг.

— А среда где?

— Вчера была.

— Оля приводила гостей когда?

— Во вторник.

— Господи, что же я делала в среду? Отчего ничего не помню?

— Так спали, с мигренью, — пояснила Ирина, — глаз не открывали.

Я растерянно посмотрела на Олега.

— Извините, мигрень словно наркоз на меня подействовала. Так что заставило вас изменить решение?

— Никита скончался.

Мои ноги подкосились в коленях.

— Как?

— Официальная версия — инфаркт.

Я хлопала глазами, пытаясь сосредоточиться.

— Но на самом деле его убили, — продолжил Олег.

— Почему?

— Не знаю, — покачал головой Олег, — но очень хочу докопаться до правды.

— Кто вам сказал про убийство?

— Я сам понял.

Я упала на диван.

— Немедленно рассказывайте.

Ремизов вздохнул.

— Мне позвонил Илья, как всегда пьяный, и сообщил, что отец умер во сне. Никаких подозрений у медиков его кончина не вызвала, сердечный приступ.

— Так с чего вам в голову пришла мысль об убийстве? Волк немолодой человек!

— Никита тщательно следил за собой, не пил, не курил, по бабам не шлялся. Он занимался спортом и не имел особых стрессов. За исключением сына-алкоголика, у Волка не имелось других поводов для переживаний, его любили даже журналисты. Имеется, правда, один гнидистый мальчонка, Артур Пищиков, он постоянно Никиту щипал, но друг лишь посмеивался и говорил: «Раз ругает, значит, завидует». Нет, его убили. И еще! Утром в среду Никита позвонил мне и сказал: «Послушай, Олег, жить мне осталось всего ничего, я чувствую приближение смерти».

— Ты заболел? — испугался Ремизов. — Поезжай отдохнуть, нельзя так гробить себя.

— Да нет, — ответил приятель, — просто хочу, чтобы ты знал: если сообщат, что я покончил жизнь самоубийством, это неправда. Никогда не пойду на такой шаг.

— Сейчас приеду, — воскликнул Олег.

— А смысл? Жив буду — сам прикачу в субботу, — сказал Волк, — эх, кабы знать, что потом всю жизнь локти кусать придется... Да чего там ныть. Давай, до выходного, поболтаем подробно.

Ремизов замолчал, я медленно переваривала информацию.

— Вот что, Дашенька, — вдруг тихо сказал Олег, — насколько я понял, у вас большая семья.

— Да, — кивнула я, — верно.

— Поедем ко мне и спокойно поговорим, — предложил Олег.

Через полчаса мы оказались в доме Ремизова, и Олег спросил:

— Чаю?

— Лучше без соблюдения светских формальностей, — воскликнула я.

Переводчик подъехал к столу.

— Хорошо, слушайте. Сначала я введу вас в курс дела, а потом объясню, чего хочу. Значит, так, мы с Никитой познакомились в детстве...

Случается иногда, что дети, упоенно строившие в песочнице замки, потом становятся лучшими друзьями и не расстаются всю жизнь. Олег и Никита жили в одном дворе и вместе провели детство. Мальчики мало отличались от других детей, шалили и хулиганили, как все. Время им досталось суровое, голодное, только что закончилась война. И Олег, и Никита появились на свет в 39-м году, а самым первым, ярким их впечатлением стал праздник Победы. В школу детей отвели в сорок шестом, и в первом классе они писали палочки на оборотной стороне рулонов обоев, невесть где раздобытых мамой Ремизова. Но потом появились тетради, учебники и даже нехитрые игрушки, типа тряпочного мяча и деревянного грузовика с не желавшими крутиться колесами. Несмотря на присущую мальчишкам непоседливость и шаловливость, они сумели окончить десятилетку и поступить в институты. Тут пути друзей разошлись, Олег отправился изучать иностранные языки, а Никита погрузился в мир кинематографии.

Разные профессии никак не помешали дружбе. Потом Волк женился на милой девушке по имени Вера. Жизнь казалась великолепной, культ личности Сталина был осужден, творческие люди получили некоторые возможности для самовыражения, цензуру в Советском Союзе не устранили, но она стала чуть ослабевать, повеяло оттепелью. О чем только теперь не говорили на кухнях в московских квартирах не таясь! В «железном занавесе» приоткрылась крохотная щелочка, и сквозь нее стали просачиваться тлетворные западные веяния. Потом пришли 60-е годы, молодежь могла приобрести у спекулянтов пластинки с рок-н-роллом, девушки увлеченно взбивали на голове «бабетту», и хоть газета «Правда» постоянно писала об угрозе новой мировой войны, люди начали потихоньку успокаиваться.

Затем случился Карибский кризис[1], и население земного шара неожиданно поняло: для решения проблемы не всегда следует начинать боевые действия. Джон Кеннеди и Никита Хрущев проявили разумность и не раздули пожар новой войны. Значит, и дальше будем жить мирно, хорошо и весело.

У Волка родился Илюша, Олег пока женат не был, вообще говоря, он подумывал об оформлении отношений с прелестной девушкой Наташей, но тут автокатастрофа обрубила все планы Ремизова. Он превратился в полупарализованного инвалида. Наташа прорыдала неделю около постели жениха, а потом тихо испарилась. Осуждать невесту Олег не стал, он обдумывал план са-

---

[1] Карибский кризис — 1962 год. США пытались удавить Кубинскую революцию (1959 г.), а СССР был на стороне Фиделя Кастро. И США, и СССР обладали к тому времени ядерным оружием, мир был на грани страшной войны.

моубийства и даже начал прятать в тумбочку снотворное, но принять его не успел, гору таблеток обнаружил Волк, сначала он надавал другу детства пощечин, а затем кинулся устраивать его судьбу.

Олег не знал, каким образом Никита ухитрился сделать почти невозможное, приятель получил для него заказ на перевод произведений классиков французской литературы.

Каста переводчиков в советские времена была абсолютно закрытым сообществом, вход в который ограничивался даже для своих детей. Требования, предъявляемые к переводу, были настолько велики, что у Ремизова возник стойкий комплекс неполноценности. Но постепенно он втянулся в процесс и даже стал получать похвалы от мэтров.

Может, вам это покажется странным, но Олег был в то время счастлив. Он начал хорошо зарабатывать, нанял домработницу и даже купил телевизор, очень дорогую по тем годам «игрушечку». Еще у него имелось личное средство передвижения, так называемая «инвалидка». Для тех, кто никогда не видел сей удивительный агрегат, попытаюсь его описать. Представьте себе машину «Ока», только чуть уже и ниже, защитного цвета, с брезентовым верхом. Больше всего авто напоминало консервную банку, но оно довольно бойко ездило и, вот что странно, никогда не ломалось. Из «инвалидки» Олега постоянно высыпались гайки, винтики и болты, но тачка уверенно слушалась руля.

Жизнь снова стала прекрасной, своей семьи у

Ремизова не имелось, но он считал Никиту братом, Веру — невесткой, а Илью племянником. В то время Волк часто приезжал к Олегу, который перебрался жить в Подмосковье. Приятели любили сидеть у камина и болтать обо всем на свете, им казалось, что на дворе всегда будет солнечное лето.

Несчастье, как всегда, пришло внезапно. Сначала Вера заболела сильной простудой, потом она вроде поправилась, но продолжала кашлять и температурила. Никита отвез жену к врачу, тот прописал таблетки, лучше от которых ей не стало. Потом вдруг у молодой, здоровой Веры стали подгибаться ноги, слабеть руки. Обеспокоенный муж и занервничавший Олег начали искать специалистов. И тут пришло невероятное известие: фильм, снятый Волком, получил главный приз на одном из международных фестивалей, актриса, исполнительница основной роли, а ею была Вера, приглашалась вместе с Никитой для получения премии.

Я думаю, не нужно объяснять, чем был для советского человека выезд «за бугор». Напомню лишь, что все те, кому полагались хоть какие-то суммы в валюте, обязаны были сдать 60 процентов их в советское посольство. Волк не стал исключением, они с Верой получили лишь статуэтку и мелочь, чек отправился в бухгалтерию.

На приеме по случаю вручения премии Вера внезапно упала в обморок, ее отвезли в местную больницу, и там врачи поставили диагноз: рак крови, причем уже запущенный.

Забыв про кинофестиваль, Никита привез

жену домой. Естественно, Вера оказалась в клинике, ее начали интенсивно лечить, но, увы, безрезультатно. Волк впал в панику, и тут ему позвонил режиссер-американец, очень известная личность в мире кино, и заявил:

— О! Никита! Я знаком с вашей ситуацией и могу помочь, если вы рискнете. В городе Кливленде есть лаборатория, сотрудники которой успешно борются с такой болезнью, как у вашей жены. Лекарство, правда, пока испытывается на добровольцах, но результаты обнадеживают. Если хотите, я могу включить Веру Волк в состав очередной группы для эксперимента. Вылетайте через неделю, с визой с американской стороны проблем не будет, оформление бумаг я возьму на себя.

— Спасибо, — сдавленным голосом ответил Никита.

— Рискните, — настаивал режиссер, — терять вам нечего, это шанс, вполне реальный. Ладно, я позвоню в понедельник, подумайте. Только я бы не колебался, схватился за любую возможность спасти супругу.

Никита повесил трубку, потом заплакал и поехал к Олегу.

Режиссер-американец умнейший и добрейший человек, но только ему никогда не понять, что советскому человеку просто так в США не вылететь, оформление займет кучу времени: следует пройти комиссии в парткоме, райкоме, горкоме, встать в очередь в ОВИРе, лишь после прохождения всех препон можно будет идти в кассу за билетом, но! Но самолеты тогда в империю зла из СССР летали редко, и проездных документов приходилось дожидаться месяцами.

Чем мог Олег помочь другу? Только сочувствием.

Выплакавшись, Никита засобирался домой.

— Вере ничего не скажу, — мрачно сказал он, надевая пальто, — представляешь, каково ей будет знать, что имеется крохотный шанс на спасение, но он лишь для тех, чьи мужья умеют организовать перелет в Америку. Смотри тоже не проговорись.

Олег молча кивнул, ему было жаль и Веру, и Никиту. Впрочем, друга больше. Вера, похоже, скоро умрет, а Волку потом предстоит жить с сознанием того, что не сумел помочь жене, нести на душе камень.

Через три дня, почти ночью, Никита снова возник на пороге дома Олега. Ремизов схватился за сердце.

— Вера!

— Она жива, — быстро сказал друг, — более того, есть возможность уже в воскресенье отправиться в США.

— Ну и ну! — закричал Олег. — Это как?

— Тише, — шикнул Никита, — мне нужен твой совет. Срочно, выслушай меня внимательно, не перебивай.

Олег кивнул, Волк заговорил. Ремизову стоило огромных усилий не измениться в лице, слушая лучшего друга. Вкратце события развивались так.

В тот день, когда Волк приехал от Олега домой, где-то около часа ночи раздался телефонный звонок и красивый мужской баритон сообщил:

— Мы знаем о беде, которая приключилась с вашей женой, и готовы помочь. Давайте встретимся завтра в девять утра. Записывайте адрес, да не забудьте фото Веры.

Ровно в назначенный срок Никита вошел в один ничем не примечательный московский дом и был впущен в самую обычную квартиру, обставленную незатейливой мебелью. Несмотря на то что окна украшали штапельные занавески, а со стола свисала скатерть, «однушка» выглядела нежилой, казенной. Да и хозяин смотрелся странно, он был одет в костюм и рубашку с галстуком, а на ногах имел уличные туфли. Впрочем, и Никите тапочек предлагать не стали.

Глава 17

— Иван Иванович, — представился дядька.

Никита вздрогнул и сразу понял, куда попал: он находится на так называемой оперативной квартире, видит перед собой сотрудника КГБ[1].

Иван Иванович улыбнулся.

— Вы талантливый режиссер, каких мало.

— Спасибо, — буркнул Никита.

— Поэтому решено помочь вам. Вера сможет улететь в США спустя пару дней после нашей бе-

---

[1] КГБ — Комитет государственной безопасности, структура, призванная охранять СССР как от внешних врагов — шпионов, так и от внутренних, в частности, от диссидентов.

седы. Вот билет, документы оформят мгновенно, фотографию принесли? — деловито осведомился Иван Иванович.

— Нет, — пробормотал ошарашенно Никита, глядя на тонкую прямоугольную книжечку, дающую возможность его жене стать здоровой.

— Ну что же вы! — укорил кагэбэшник. — Ведь вчера я вас специально предупредил! Фото!!! Ладно, подвезете поздней.

— Да, — вскочил Никита, — прямо сейчас помчусь, только сначала в сберкассу.

— Зачем? — осведомился Иван Иванович.

— Деньги на билет сниму.

— Не надо, мы дарим его вам, — улыбнулся представитель всемогущей структуры.

Никита вздрогнул.

— С какой стати? Почему вдруг вы решили делать такие презенты?

— Стране нужны талантливые люди.

— Понятно, — еле выдавил из себя пораженный Волк.

— Но творческие личности иногда совершают ошибки, тяжелые, непоправимые. Наша задача уберечь интеллигенцию от неверных шагов. Писатель, поэт, актер принадлежат народу, — завел Иван Иванович.

Никита молча слушал кагэбэшника и, холодея, понимал, что сейчас от него потребуют...

Ремизов замолчал и глянул на меня.

— Вы сообразили, в чем дело?

Я кивнула.

— Конечно, я хоть и моложе вас, но тоже жила в советские времена, Никите предложили стать осведомителем, ничего удивительного, насколько я знаю, все, подчеркиваю, все, кто в те далекие годы выезжал за рубеж, давали согласие стучать на сограждан. Мне очень смешно сейчас читать заявления некоторых людей, говорящих: «Я очень активно ездил по миру в конце семидесятых годов. О! Я так ненавидел советский строй, был диссидентом».

Это ложь. Если ты катался за рубеж — значит, давал согласие на «стук», другой вопрос, «капал» ли на самом деле, но нужную бумагу подписывал. Помните, как многие представители элиты были против открытия архивов КГБ? А почему? Хорошо знали, в «Детском мире»[1] ничего не пропадает, сейчас из небытия появятся бумажки, из коих станет ясно: режиссер N имел кличку «Серый» и сотрудничал с органами, а актер К сигнализировал о соседях. Кстати, диссидентов за рубеж не выпускали ни под каким видом, их просто выдворяли вон из государства, навсегда, а не отправляли в командировки и на гастроли.

— Нам придется коснуться очень больной темы, — кивнул Олег, — увы, многие из тех, кто называет сейчас себя правозащитниками, стали ими лишь после перестройки. Почти всех, кто при советском строе пытался конфликтовать с властями, убили. На Красной площади группа протестующих против ввода советских войск в Чехословакию состояла всего из нескольких чело-

---

[1] «Детский мир». — Здание КГБ, ныне ФСБ стоит на Лубянской площади. Напротив каменного монстра находится магазин для малышей. В советские времена москвичи называли КГБ «Детский мир».

век, не помню, сколько их было, но меньше двадцати точно. Сейчас же каждый второй из так называемых правозащитников сообщает о своем участии в той акции. Это вранье. Подлинные диссиденты, такие, как Марченко, прошли все: психиатрическое лечение, тюрьму, лагерь — и умерли. А те редкие люди, которым удалось выжить после всех издевательств, предпочитают не светиться на экранах телевизоров и не давать интервью газетам.

В шестидесятые годы в среде столичной интеллигенции было модно говорить о своем инакомыслии, но только на кухнях. На собраниях в творческих союзах W и R клялись в любви к партии и правительству, дома же, за графином с водкой, жаловались на жизнь, говоря:

— Я могу создать настоящий шедевр, да власти не дают! Вынуждают снимать картины про Ленина. Кабы не Советская власть, быть мне Антониони и Феллини, вместе взятыми.

И это было лукавством. Во-первых, кое-кто и в советские времена писал замечательные книги и картины, снимал фильмы, создавал оригинальную музыку. Вопрос, сколько зарабатывали эти люди, с каким трудом осуществляли задуманное. Великолепный писатель Рыбаков хранил в столе рукопись под названием «Дети Арбата». Он очень хорошо понимал — эту книгу в СССР не издать. Но Рыбаков написал то, что хотел, и спрятал, а на жизнь он зарабатывал, создавая произведения для детей, талантливые, яркие, например, «Кортик», «Бронзовая птица». Из-под пера Рыбакова не выходило ерунды. Рыбаков был далеко не одинок. Можно вспомнить еще прозаика Дудинцева, поэта Семена Липкина, впрочем, не стоит сейчас перечислять фамилии, хотя их не будет много.

В КГБ знали и о тех, кто бунтовал на кухнях, и о тех, кто тихо работал в стол. И первых, и вторых опасными не считали, а вот с третьей категорией граждан шла непримиримая борьба. Последние были слишком активны, они ухитрялись наладить связи с журналистами западных изданий, с дипломатами. Шифровались почище разведчиков, передавали свои произведения на Запад, их там охотно публиковали, демонстративно присуждали значимые премии, и начинался скандал.

Советская печать обвиняла диссидентов в клевете, затевались судебные процессы. Иностранные средства массовой информации поднимали крик, требуя свободы писателю Р или режиссеру О. Очень часто провинившаяся личность выдворялась из мира социализма, кое-кто оказывался за решеткой. В любом случае шум стоял немыслимый. В моей памяти всплывает дело фотографа Энского[1]. Тот сумел переправить в Париж, на выставку, снимки, сделанные в советских лагерях, страшные свидетельства преступлений властей против своего народа. Но еще хуже была так называемая бытовая серия под общим заглавием «Очередь». Фотографии запечатлели москвичей, стоящих за продуктами, оде-

---

[1] Фамилия вымышлена, ситуация правдива.

ждой, книгами, билетами в кино, сидящими перед кабинетами врачей. Замыкал экспозицию огромный снимок ритуальных автобусов перед крематорием. На западных людей, незнакомых практически с таким явлением, как очередь, работы Энского оказали огромное впечатление.

Власти моментально отреагировали. Фотографа посадили по уголовной статье, якобы он убил соседку по коммунальной квартире. Одна из советских газет напечатала статью «Клеветник — убийца», после прочтения материала многие советские люди, простые рабочие и крестьяне, были возмущены. Вот какие гады встречаются на свете! Задушил ни в чем не виноватую бабу, чтобы забрать себе ее комнату, потом отправил за бугор отвратительные снимки, позорящие Родину. А враждебно настроенные по отношению к Советскому Союзу СМИ теперь вопят на все голоса:

— Свободу Энскому!

Да таких убивать надо. У нас, конечно, имеются очереди, но они скоро исчезнут!

Энский не отсидел положенного срока до конца, был выдворен из страны под давлением иностранной общественности, он обосновался в США, где вскоре умер, отравившись консервами. И снова поднялся крик.

Правду никто не знает до сих пор. Сам ли Энский убил соседку или на него повесили ее смерть. Может, он и впрямь задушил скандальную тетку, а может... Что подсыпали в консервы? Кто? Вдруг в банке с ветчиной был ботулизм? Ясно лишь одно — Энский умер. И такие коллизии в СССР случались не раз.

Соответствующие структуры хорошо понимали: главное — не допустить скандала. Успеть перехватить ту или иную личность, собравшуюся передать за рубеж свое произведение. К сожалению, творческие люди, натуры увлекающиеся, часто не умели держать язык за зубами, многие крепко дружили с бутылкой. Опрокинув рюмашку-другую, писатель или поэт, сидя в буфете Центрального Дома литераторов, трагически громким шепотом, каким говорило старое поколение артистов Малого театра, это когда тихий голос Ильинского долетал до ушей зрителя в последнем ряду партера, начинал рассказывать приятелю о своих планах.

— Знаешь, дружок! Я написал убийственную штучку, правду жизни. «Матренин двор»[1] просто сказка по сравнению с моим романом. Теперь хочу передать его в западное издательство.

Спустя несколько недель с этим прозаиком начинали происходить дивные вещи. Он заболел и оказался в больнице, от него ушла жена, в квартире начался пожар, а на дачу делали набег грабители. Вместе с вещами безвозвратно исчезла и рукопись. Впрочем, бывало и иначе. Кое-кто погибал от несчастного стечения обстоятельств. На

---

[1] «Матренин двор» — произведение А.И.Солженицына, одного из редких литераторов, который имел смелость при Советской власти писать о ней правду. Был выгнан из СССР, снискал славу в Америке. Лауреат Нобелевской премии.

одного литератора, главного редактора крупного журнала, упала сосулька[1]. Убить не убила, но сделала его инвалидом, неспособным писать книги, а на историка, некстати спросившего у членов ученого совета: «Товарищи, вот думаю, по какой причине Германия, находившаяся в состоянии войны с царской Россией, пропустила беспрепятственно по своей территории запломбированный вагон с Лениным и откуда у большевиков взялись огромные средства на подготовку революции?»— напали пьяные отморозки и ломом перебили ему руки. Писать научные работы историк более не смог.

Комитет государственной безопасности не жаловался на отсутствие штатных работников. Он был огромным пауком, который сплел сеть над всей страной. Руководители Советского государства учли ошибки Сталина, в лагеря теперь не сажали по каждому доносу, но приемная КГБ работала круглосуточно, все письма и звонки, анонимные в том числе, обязательно проверялись. Но даже такая отлично оснащенная, финансово богатая и разветвленная структура не сумела бы получить всю необходимую информацию без помощников. Очень многие советские люди «стучали» на сослуживцев, родственников, друзей. Мотивы были разными. Кто-то был искренне возмущен антисоветскими разговорами, другой хотел подсидеть начальника, третий мечтал выслужиться, чтобы получить без очереди квартиру, машину или выехать на работу за границу. Но очень

---

[1] Подлинный факт.

много было и тех, кого попросту вынуждали стать внештатными сотрудниками КГБ.

Никита оказался из их числа, Иван Иванович сказал Волку прямо:

— Помогаешь нам — жена летит в Америку на лечение. Отказываешься — Вера умирает дома, даже не стоит пытаться решить в этом случае проблему, больная никогда не покинет пределы СССР.

— Что мне делать? — заламывал руки Никита, глядя на друга.

— Соглашаться, — тихо посоветовал Олег.

— Вдумайся в свои слова! — завопил Волк. — Я — стукач! Подслушивающий, подсматривающий мерзавец!

— Ты спасаешь жизнь любимой женщины, — напомнил Ремизов, — в этом случае все средства хороши. И потом, может, еще ничего особого и не потребуют.

— Уже попросили, — рявкнул Никита, — определили, так сказать, круг обязанностей.

— И что?

— Взял сутки на обдумывание, — сказал Никита и вдруг заплакал.

— Я бы не колебался, — вымолвил Олег, — коли есть хоть один шанс на спасение Веры, его следует использовать. Ты только никогда не пей, нигде и ни с кем, алкоголь развязывает язык. Если сам о сотрудничестве с Иваном Ивановичем не разболтаешь, так никто и не узнает. Комитетчики умеют хранить тайны, если правда вылезает наружу, то она вытекает не от профессионалов, а от самих внештатных сотрудников.

Никита молча смотрел в окно.

— Послушай, — вдруг спросил Ремизов, — если бы у тебя спросили: «Волк, отдай жене половину своей жизни, проживешь, допустим, не сто лет, а пятьдесят, но и она столько же протянет», что б ты ответил?

— Господи, — воскликнул режиссер, — да, конечно, забирайте!

— Так вот, — подвел итог Олег, — сейчас от тебя не потребовали столь радикальной жертвы, ерунду за спасение Веры просят.

Никита встал и молча пошел к двери. Через неделю Вера улетела в Кливленд, через три месяца вернулась, лысая, худая, страшная, но живая.

Более Никита и Олег на тему сотрудничества с КГБ не разговаривали. Вера два года прожила не болея, внешне она казалась совершенно здоровой, но потом вдруг жена Волка внезапно скончалась.

Прошло много лет, Никита так и не женился. Около него, талантливого, известного режиссера, постоянно крутилось много женщин, молодых, красивых и даже умных.

Кое с кем Волк затевал романы, с Лилей Горской, например, прожил целых три года, но официально в брак не вступал, считался непробиваемым холостяком.

О той истории Никита вспомнил лишь один раз, когда Илья, сорвавшись после очередного курса антиалкогольной терапии, вновь ушел в запой.

— Это мое наказание, — сказал он Олегу, — расплата. Роптать нельзя, следует терпеть. Выгоню Илью вон, порву с ним всякие отношения, господь новый крест навесит, потяжелей сброшенного. Нет уж, надо пьяницу по жизни вести.

Ремизов вздрогнул, но начатой темы не поддержал, просто они с Никитой перестали обсуждать поведение Ильи.

А потом Олег и думать забыл о том, что когда-то благословил друга на сотрудничество с КГБ. СССР распался, его прах был развеян над рекой времени.

Но не зря говорят, что все тайное обязательно станет явным. Пару лет назад Волк позвонил Олегу и странно заплетающимся голосом произнес:

— Ммнеее плоохоо! Сююдааа, скооорей!

Ремизов перепугался не на шутку. Мысль о том, что друг пьян, даже не пришла ему в голову, Волк несколько десятилетий и не нюхал спиртное. Олег решил, что приятеля разбил инсульт, режиссер находится дома один, на дворе ночь.

Только рано утром Олег, еле живой от волнения, вкатился в апартаменты Волка и понял — тот в момент звонка просто был пьян.

Радость от осознания того, что Никита жив и здоров, была настолько велика, что Олег даже не стал ругать друга.

— Господи, — воскликнул Ремизов, — с какой стати ты нажрался!

И тут Никита выложил невероятную правду. Ему предложили снять сериал, но с условием, что главную роль в нем будет играть Людмила Звонарева. Режиссер наотрез отказался, и тогда человек, сделавший предложение, выложил перед Волком ксерокопии части его доносов.

Ремизов замолчал.

— И Волк был вынужден согласиться, — закончила я за него.

Олег кивнул.

— Да. Никита страшно переживал, с одной стороны, он дико боялся позора. Мерзавец-шантажист пообещал опубликовать документы в газете, так и сказал: «Отдам журналистам, они мигом схватятся за сенсацию». С другой — Волк не хотел терять профессиональное лицо, до сих пор все снятые им сериалы прочно занимали первые строчки рейтингов. Бесталанная актриса, игравшая главную героиню, могла убить проект. Но страх разоблачения оказался сильнее профессиональных амбиций. Волк приступил к работе над «Стужей». Никите повезло, Людмила неожиданно оказалась послушна, работоспособна и с явной божьей искрой. Многосерийная эпопея приковала к экранам зрителей России и ближнего зарубежья. Волк получил очередную премию, а Звонарева превратилась в звезду.

— Фамилию назовите! — в возбуждении закричала я.

— Чью?

— Спонсора «Стужи».

— Я ее не знаю.

— Ладно. Скажите, кто приходил к Никите выламывать руки? Назовите имя шантажиста!

Ремизов нахмурился.

— Понятия не имею. Но он убил Никиту. Точно, это его рук дело. Я абсолютно уверен!

Глава 18

Огромное разочарование охватило меня, но в ту же секунду я сконцентрировалась и резко сказала:

— Вы врете!

Ремизов откатился к стене.

— Какое место моего рассказа показалось вам неправдивым?

— Вы знаете имя шантажиста, но боитесь его произнести, — понеслась я в атаку, — вообще, я не понимаю, с какой стати вы решили ввести меня в курс событий прошлых лет!

Олег вынул из кармана портсигар, повертел его в руках, сунул назад и ответил:

— Никиту убили. Насколько я понял, вы приходили к нему с расспросами о Звонаревой?

— Да.

— Думаю, Волк принял вас за шантажистку или журналистку, которая невесть каким образом дорылась до истины.

Я вспомнила, как резко Никита выставил меня за дверь, и осторожно ответила:

— Ну, предположим. Только при чем тут убийство Волка?

Олег медленно поехал в центр комнаты.

— Включите логику, Даша. О сотрудничестве Никиты и органов не знал никто, кроме меня.

— И самого Никиты!

— Он молчал, не говорил ни слова.

— Но еще имелся Иван Иванович, сотрудник, с которым имел дело Волк.

— Думаю, что профессионал умеет держать

язык за зубами, — протянул Олег, — но «протекло» явно из архива КГБ или из того места, где они хранят документы. Некто потребовал снять Звонареву в сериале. Почему? Он любовник актриски и решил помочь ей либо возжелал избавиться от надоевшей пассии, главная роль в серии — плата за ее молчание и тихое поведение. Скорей всего, спонсор женат и не хочет шума. Мужик приходит к Волку и сначала соблазняет его средствами на сериал, а потом шантажирует. Никита соглашается на выдвинутые условия, но просит шантажиста не распространять широко информацию. Спонсор и сам не заинтересован в скандале, он отдает Волку подлинники документов. Это я знаю точно. Думаю, после вашего визита Никита бросился звонить спонсору, начал обвинять того во лжи и болтливости, мужчины крепко повздорили, и спонсор решил убить Волка, небось режиссер чем-то испугал его. Может, сказал: «Мне все равно скоро умирать, сам расскажу газетам правду, покаюсь. Но заодно сообщу и кто просил снять Звонареву в главной роли». Я предполагаю, что спонсор убрал и Людмилу. Причина мне неизвестна. Вы ведь ищете убийцу Звонаревой? Так имейте в виду, правда зарыта в той далекой истории!

Олег неожиданно развернулся.

— Сейчас я хочу...

— Постойте, — резко сказала я, — кто такие Бурмистров, Коган и Богоявленский?

Спина Ремизова окаменела.

— Вам плохо? — спросила я.

— Нет, — коротко уронил Олег и повернул кресло, — вы кто?

— Интересный вопрос! Даша Васильева, мы уже выяснили факт нашего общения в прошлом.

— А на самом деле?

— Даша Васильева. Дарья Ивановна, преподавательница французского языка, теперь, как принято говорить, домохозяйка. Хотя хозяйка я фигова, скорей домобездельница. У вас возникли сомнения в моей личности?

Ремизов неожиданно подъехал ко мне вплотную и схватил за руку.

— Говорите прямо, вы оттуда, да?

— Откуда? — попятилась я.

Несколько секунд Олег мрачно смотрел мне в глаза, потом прошептал:

— Не похоже... ваши глаза... не похоже... Стоп! А ну отвечайте немедленно: вы знали ее?

— Кого?

— Вы где учились?

В полной растерянности я назвала институт.

— Не подходит, — констатировал Олег, — назовите места своей службы.

— Да в чем дело?

— Это она вам рассказала?

Я во все глаза смотрела на переводчика, а у того по непонятной причине началась истерика. Лицо Олега по цвету сравнялось с пледом, прикрывавшим его ноги, губы, наоборот, побледнели, нос вытянулся, глаза ввалились, а изо рта начали вырываться обрывки фраз.

— Отомстить... убить... ни при чем... нет...

Я испугалась, подбежала к небольшому столику на колесах, заставленному бутылками, схватила графин с темно-коричневой жидкостью, плеснула в пузатый стакан, протянула Ремизову и приказала:

— Выпейте, одним глотком.

Олег машинально повиновался, потом отдал мне пустой бокал.

— Простите. Смерть Никиты выбила меня из колеи, он был мне больше чем друг, я считал его родней брата, кроме Волка, никого больше из близких не имею.

— Фамилии Бурмистрова, Когана и Богоявленского мне назвал Илья.

Олег ойкнул.

— Откуда он...

— Илья услышал их от вас.

— От меня?

— Ну да. В тот день, когда Волк напился, вы приехали к нему, заперлись в кабинете и долго говорили, а Илья подслушивал под дверью и запомнил имена. Мне же он информацию продал самым вульгарным образом за бутылку. Так кто такие эти люди и отчего вы вспомнили в тот день о них?

Олег посмотрел на столик с напитками и скривился.

— Ладно. Мне уже очень много лет, сердце шалит. Никита умер, думаю, и я протяну недолго, но мне очень хочется найти того, кто убил Волка, самому не совершить задуманного, одна надежда на вас. А в голову постоянно лезут всякие мысли. До последней минуты я был уверен, что спонсор каким-то образом связан с КГБ, ну он сотрудник архива или бывший комитетчик, раздобывший материал для шантажа. Но лишь сейчас мне в голову пришла одна мысль: а вдруг все дело задумал Богоявленский? Он решил опозорить Никиту! Для этого вынудил того снимать Звонареву, надеялся, что бесталанная актрисулька завалит роль, на Никиту налетят газеты, а тут появится Богоявленский с рассказом о том, как Волк за деньги готов на все, берет никому не нужных актерок. Да, точно, он замыслил сначала убить Никиту профессионально. А когда это не вышло, убрал его физически. Отомстил за все, а теперь и жена встрепенулась, мало ей показалось убить Веру.

У меня закружилась голова.

— Вера — это кто?

— Вера Соколова, — по-бабьи взвизгнул Ремизов, — жена Никиты Волка.

— Так она умерла! В шестидесятых!

— Верно.

— От заболевания крови.

— Нет. Она была убита, вернее, сама свела счеты с жизнью, но я думаю, ее убили.

Я потрясла головой.

— Ничего не понимаю!

Ремизов молча смотрел в окно, потом вдруг решительно тряхнул головой.

— Ладно! Теперь я расскажу все, только вы должны дать обещание, что непременно отыщете убийцу Никиты.

— Говорите скорей! — в нетерпении воскликнула я.

— Так да или нет? — не успокаивался Ремизов.

— Да! — заорала я. — Да, бога ради, не тяните кота за хвост!

Олег помрачнел.

— Действительно, таскать бедное животное за продолжение позвоночника антигуманное занятие, слушайте внимательно. Я уже говорил о том, что мы с Никитой никогда не обсуждали его работу осведомителя. Я не знал, чем он занимается как внештатный сотрудник КГБ, вообще не имел никакого понятия о его службе.

Да и понятно, по какой причине Олег не проявлял любопытства. Про такие ситуации придумана поговорка: «Меньше знаешь — лучше спишь», а Ремизов хотел спокойно почивать в своей кровати. Он как раз к тому времени сумел заработать хорошую сумму денег, купил себе домик за городом и наслаждался тихой жизнью человека, которому нет нужды каждый день мотаться на службу.

Настал дождливый ноябрь, Олег затопил печи и почувствовал полнейшее удовлетворение. Жизнь его была безмерно счастливой. Издательства давали книги для перевода, гонорары возрастали, новый дом радовал... Что еще нужно человеку? Жениться Ремизов не собирался, семейные радости его никак не привлекали.

Но плавное, размеренное существование было неожиданно прервано появлением жены Никиты. Олег очень удивился, увидав ее на пороге.

— Верочка! — воскликнул он. — Какими судьбами?

— Поговорить хочу, — ответила Вера.

— Проходи, проходи, — засуетился Олег, — раздевайся пока, а я во двор выеду и скажу Никите, чтобы машину в гараж загнал.

— Я одна, — сухо перебила Ремизова Вера, — Никита не знает о моем визите и, надеюсь, никогда не узнает.

Олег удивился безмерно.

— Как же ты добралась до меня?

— На электричке, — пожала плечами Вера, — эка проблема!

— Но почему без мужа?

Вера спокойно сняла ботинки, повернулась к Олегу и хмыкнула.

— Что ж непонятного? Мне надо поговорить с тобой конфиденциально, без свидетелей.

— Ясно, — кивнул Олег, — пошли побеседуем.

Оказавшись в гостиной, Вера неожиданно спросила:

— Ты знал Игоря Бурмистрова?

— Конечно, — кивнул Олег, — не близко, правда, но мы общались.

— Игорь умер.

— Ужасная история, — кивнул Олег, — вроде осложнение после гриппа получил.

— Так говорят, — тихо подтвердила Вера, — в понедельник затемпературил, ночью отек легких начался, к утру Игоря не стало.

— К сожалению, подобное случается, — вздохнул Ремизов, — даже человек нашего возраста не застрахован от беды, все под богом ходим.

— Да, конечно, — кивнула Вера, — верно. А про Осю Когана знаешь?

— Он же полгода назад умер!

— Точно. Значит, знаешь?

Олег начал потихоньку сердиться.

— Про кончину Оси известно всем. Что за идиотские вопросы ты задаешь?

— Помнишь, от чего он скончался?

— Осю избили хулиганы, — протянул Олег, — пэтэушники-подростки. Коган был очень доверчив, пошел вечером купить хлеба, начал у кассы расплачиваться, а за ним стояли подвыпившие парни. Они запустили глаза в чужой кошелек, увидели там крупную сумму денег и решили поживиться. Да об этой истории все издательства гудели. Что-то я тебя не понимаю, Вера, прикатила ко мне с кретинскими разговорами. Если случилась какая неприятность, говори сразу, без экивоков.

— А я и говорю прямо, — усмехнулась Вера, — ты просто меня слышать не желаешь. Ладно, значит, про Игоря и Осю ты в курсе, а про Владлена Богоявленского?

— С ним что? — изумился Олег. — Жив, здоров и невредим. Вчера по радио его слышал, вещал про Гомера. Кстати, мог бы и поинтересней передачу сделать, а не пересказывать фразы из учебника по литературе для вузов.

— Владлен в реанимации, — нервно воскликнула Вера.

— Господи, да что случилось-то? — изумился Олег.

Честно говоря, он не испытал ни горя, ни

волнения, услыхав последние слова Веры. Ремизов великолепно знал Богоявленского, молодого литератора, эпатировавшего всех своими длинными, ниже ушей, волосами и модными рубашками, приобретенными у спекулянтов. Богоявленский писал совершенно непонятные для Олега стихи, был восторженно встречен приученной к жанру социалистического реализма читающей аудиторией и так же бурно обруган критикой. Однако, несмотря на резко отрицательные отзывы людей, получавших зарплату за разбор чужих стихов, сборники Богоявленского выходили в свет. Многих это удивляло, но Ремизова нет. Он очень хорошо понимал, что руководство компартии на данном этапе хочет выглядеть цивилизованно, подправить имидж страны, поэтому и завело около себя некоторое количество легальных диссидентов. Ну какой урон от Богоявленского? Конечно, пишет он чушь. «В небе рылом прочертила звезда, да, да, нет, нет, вот ответ, он канул в бездну лет, и оттуда вновь, ярка и безответна, кинулась на шею не мне не твоя любовь». При чем тут рыло? Какая звезда? Но молодежь в восторге, и пусть себе. Зато, когда западные средства массовой информации поднимали очередную кампанию на тему: «В СССР все писатели, художники, композиторы, артисты и музыканты слаженно играют одну мелодию в общем оркестре, коим руководит отдел культуры Центрального Комитета КПСС»[1], то моментально следовал адекват-

---

[1] КПСС — Коммунистическая партия Советского Союза. ЦК КПСС — руководящий орган партии.

ный ответ либо от газеты «Правда», либо от «Известий»: «Наглая ложь, вот, допустим, Владлен Богоявленский. Он не член партии, не состоит в Союзе писателей и пишет произведения, не имеющие абсолютно никакого отношения к соцреализму. Но поэту никто не запрещает работать, его книги регулярно выходят в свет и даже переводятся на иностранные языки».

Так что роль, отведенная Владлену, была Олегу ясна, единственное, чего Олег не понимал, как сам Богоявленский оценивает свой статус. Искренне уверен в собственной гениальности? Лично у Ремизова при взгляде на разодетого в рубашки невероятной раскраски Владлена мигом всплывали в голове тексты одного из великих русских сатириков, в которых тот писал про «ученого клоуна при губернаторе». Олег не дружил с Богоявленским, он считал его намного хуже поэта Каткова, самозабвенно воспевающего Ленина, партию и социализм. Катков хоть не корчил из себя великого литератора, не надеялся на получение Нобелевской премии, не говорил повсюду о своей исключительности. Катков с его простыми, человеческими желаниями жить в достатке, получать гонорары, продуктовый паек, ездить на отдых в Коктебель и Пицунду, обрести квартиру в районе метро «Аэропорт» и дачу в Переделкине был Олегу намного симпатичней Богоявленского. Кстати, Владлен тоже пользовался благами, которые правители раздавали «ручным» деятелям науки и культуры. Но если с удовольствием кушаешь из миски, которую всунули в твою клетку, то не изображай из себя гордое, дикое, свободолюбивое животное. Ты, милый, кролик, а не тигр.

— Так чего с Владленом? — спросил Олег.

— В люк упал, — ответила Вера.

— Куда?

— Шел домой вечером, поздно, — стала она рассказывать, — а около подъезда был открыт канализационный колодец, ни ограждения, ни предупреждающих знаков. Богоявленский угодил прямо в кипяток, говорят, не выживет.

— Какое несчастье! — с абсолютно искренним сожалением сказал Ремизов. — Вот не повезло бедняге! Впрочем, такое случается.

— Тебе ничего не кажется странным?

— В открытом люке? Увы, нет. Среди пролетариев полно пьяниц и безответственных людей, — пожал плечами Ремизов.

— Бурмистров умер от гриппа.

— И что? Случается такое.

— Когана избили до смерти.

— Увы, не первый раз о подобном слышу. Пьяные подростки способны на преступные действия.

— Богоявленский упал в кипяток. Одна случайность, вторая, третья, — протянула Вера, — ну а теперь следующая часть информации. Владлен написал роман, называется он «Поле несчастья в стране дураков». Огромное прозаическое произведение, едкая сатира на советский строй. Там все узнаваемы: и руководители государства, и наши с тобой общие знакомые, так, чуть фамилии изменены были.

Владлен отлично понимал, что легально рукопись не издадут, поэтому он попросил Игоря Бурмистрова, очень талантливого пианиста, частенько выезжающего за рубеж, передать труд в издательство на Западе. Игорь согласился, ему предстояло уехать в Америку. Но на всякий случай Богоявленский решил подстраховаться, он сделал несколько экземпляров романа. Аня, его жена, напечатала их на пишущей машинке. Одну папку получил Игорь, другую отдали на хранение Осе Когану, третья лежала у Богоявленского на даче, в Переделкине.

— Больше не было вариантов? — неожиданно заинтересовался Олег.

— Не перебивай, — рявкнула Вера, — я по порядку рассказываю! Далее события разворачиваются так. Умирает Игорь, он был не женат, вещи какой-то дальней родственнице достались, тупой бабе, которую лишь деньги волновали. В общем, рукопись Владлена пропала. То ли Игорь ее так здорово спрятал, то ли наследница на помойку снесла. Затем погибает Ося, он тоже семьи не имел, жил с женщиной в гражданском браке, дама провинциалка, в Москву приехала в надежде стать актрисой и сошлась с Осей. В общем, вполне обычная история. Так вот, не успело тело Когана остыть, как его пассия смоталась в свой Урюпинск, прихватив с собой мало-мальские ценные штучки. Небось рассудила просто: по закону ни на что права не имею, возьму так. В частности, мадам уволокла коллекцию старинных чашек, которую собирал Коган. Рукопись Владлена тоже испарилась без следа, наверное, сожительница завернула в ее листы фарфоровые изделия. Следом сам Богоявленский свалился в люк, несчастье случилось в понедельник. Жена Владлена, Аня, естественно, сидит сейчас около постели умирающего мужа. Но не зря говорят, что несчастье в одиночку не ходит, во вторник, когда Аня находилась в больнице, огнем полыхнула дача в Переделкине. Старый деревянный дом сгорел мгновенно, погибло все имущество семьи, в том числе и злополучная книга, как авторский, рукописный экземпляр, так и набранный на машинке, пламя уничтожило все!

Глава 19

Вера уставилась на Олега.

— И как тебе история?

Ремизов закашлялся и ничего не ответил.

— Что же касается четвертого варианта, — прошептала женщина, — то он вроде был у Никиты! Вчера меня вызвала на свидание Аня и наговорила кучу гадостей. Она утверждает, что неизданная книга, вернее, один из экземпляров, была вручена Никите для передачи некоему дипломату, якобы Волк сам предложил Владлену помощь.

— Бред!

— Я спросила у Никиты.

— А он?

— Засмеялся и ответил: «Откуда у меня знакомство с иностранцами? Да и не дружим мы с Богоявленскими, они у нас в доме не бывают, мы к ним не ходим. А даже в случае тесных отношений я не стал бы браться за столь опасное дело, еще посадят! Анна просто от переживаний тронулась умом, или Владлен ей невесть по какой причине наврал!»

— Я абсолютно солидарен с Никитой, — кивнул Олег, — сама знаешь, сколько лет нас связывают близкие отношения, и я ни разу не слышал, чтобы Волк говорил о Богоявленском, мы нигде вместе не пересекались. Уж поверь, я знаю про Никиту все.

— Все? — одними губами усмехнулась Вера.

— Именно так.

— Значит, и про Петра Гая слышал?

— Кого? — оторопел Олег.

— Петр Гай.

— Это кто?

— Как же! Ваш друг детства, общий.

— Петр Гай?! — изумился Ремизов.

— Да, — кивнула Вера, — Петр Гай, жил в соседней квартире с Никитой, учился с ним в одном классе, потом сделал карьеру и сейчас является очень ответственным работником, всесильным, всемогущим.

— Что за бред? — закричал Олег. — Ты сегодня вообще, похоже, травки накурилась! Петр Гай! Не было у нас в классе такого!

— Точно?

— Стопроцентно.

— Абсолютно?

— Господи, конечно, — возмущался Олег, — да и соседей Никитиных я отлично помню. Квартира Волка находилась справа от лифта, прямо жила тетечка, уже пожилая, Анастасия Львовна, профессор МГУ, а слева обитали Лаковы, Степан и Елена Васильевна. Никаких Петров Гаев и в помине не имелось. Если тебе о нем Аня сказала, то Богоявленская просто с катушек съехала!

Вера заморгала.

— Анна мне другое сообщила!

— Что, — окончательно потерял самообладание Ремизов, — какую дурь еще понарассказывала обезумевшая баба?

— Аня сказала, что Никита убийца, — прошептала Вера, — что он сотрудничает с КГБ и его заставляют убирать инакомыслящих.

У Ремизова мгновенно вспотела спина.

— Во дура, — еле выдавил он из себя, — убить человека дело непростое. Даже если и предположить на секунду, что спецслужбы уничтожают неугодных, то Никите никто оружия не даст, думаю, для таких целей есть специально обученные профессионалы.

— Ну он их не душит собственными руками, — с каменным лицом парировала Вера, — просто служит стукачом, выявляет диссидентов.

— Бред!!!

— А еще Аня спросила: «По какой причине ты так быстро оказалась в Америке на лечении?» — протянула Вера.

Теперь у Олега вспотели и ладони.

— Знаешь ведь, — быстро сказал он, — американский режиссер, коллега Волка...

— Угу, — перебила Вера, — я сама с кинодеятелем общалась там, в Штатах. Вопрос по-иному ставится: с какой такой стати мне и визу за день сделали, и билет продали, а?

Ремизову вновь стало жарко.

— Ну, — замямлил он, — Никита тогда нажал на все педали, у него связи.

— Ага, — кивнула Вера, — муж сказал: «Петр Гай помог, бывший одноклассник. В детстве дружили, потом жизнь развела. Петька далеко пошел, в Кремле сидит, побежал к нему, упал на колени, он и посодействовал по старой памяти». Только ты сейчас говоришь, что у вас подобного мальчика в классе не было, а Аня утверждает: Никита стукач и мерзавец. Да, меня вылечили в Америке, только жизнь я получила в обмен на гибель других людей, в частности, Бурмистрова и Когана!

Олег потерял дар речи, потом попытался исправить положение.

— Петька! — хлопнул он себя по лбу. — Ну конечно! Точно! Петр Гольдфингер!

— Гай, — напомнила Вера.

— Верно, — старательно врал Олег, — он до девятого класса фамилию отца носил, а потом стал Петя Гай, по национальности не еврей, а украинец. В институт-то с пятым пунктом[1] трудно попасть. Вот парень и решил взять фамилию мамы. Я сразу-то и не сообразил, о ком речь. Конечно, Петька помог, он теперь всемогущий.

— Хорошо, — кивнула Вера, — это я и приехала узнать.

---

[1] Советские люди постоянно заполняли анкеты, как правило, вопрос под номером пять в них звучал так: национальность. Странное любопытство для государства, проповедовавшего интернационализм. Следует отметить, что антисемитизм был в СССР распространенным явлением.

Когда за женщиной захлопнулась дверь, Олег схватился за телефон. Но мобильных тогда еще не придумали, а по домашнему Волк не отвечал. До поздней ночи Ремизов висел на трубке, но никто в квартире Волка не спешил к аппарату. В тревоге Олег лег спать, утром он был разбужен звонком и страшно обрадовался, услыхав знакомый голос лучшего друга.

— Алло, — сказал тот, — извини за ранний звонок.

— Ничего, — воскликнул Олег, — я весь извелся! Где ты вчера был?

— На съемках, — мрачно ответил Никита, — в Коломне, в четыре утра вернулись, а тут!..

— Что? — снова испугался Ремизов.

— Вера умерла.

Олегу показалось, будто он ослышался.

— Что?!

— Вера скончалась.

— Но она же... как... от чего? — залепетал Ремизов.

Волк внезапно заплакал и отсоединился, а Олег бросился в гараж к своей «инвалидке».

Через пару часов он выяснил все. Никита вернулся со съемок под утро, осторожно, чтобы не разбудить жену и сына, вошел в дом, прошел в спальню и удивился. Большая кровать застелена, сверху лежит конверт. Волк схватил его, вытащил листок и начал читать письмо:

«Никита! Я последнее время стала плохо себя чувствовать, вновь появились симптомы того страшного заболевания. Решив не нервировать тебя, я сходила к врачу и сдала анализы. Сегодня пришли результаты. Увы, процесс стартовал снова, остановить его нельзя. Впереди меня ждут муки, да и жить осталось три месяца. Поэтому я принимаю решение уйти на тот свет. Это мой личный выбор, сделанный в твердом уме и ясной памяти. Я хочу, чтобы ты запомнил меня веселой, красивой, улыбающейся, а не телом, угасающим в больнице. Я благодарна тебе за годы жизни, которые получила после лечения в Америке. Я знаю, как тяжело тебе было отправить меня в Кливленд, если бы не организовал эту поездку, быть бы мне уже давно в крематории. Дорогой ценой ты заплатил за мою жизнь, впрочем, я ничего не просила. Есть на свете кое-что, с чем я не способна смириться, я никогда не считала, что цель оправдывает средства. Все равно спасибо. Я ухожу, любя тебя, очень. Именно поэтому и оплачиваю счет. Мужу не придется возиться с умирающей женой. Считай, что мы квиты, ты сумел отправить меня в Америку, а я сейчас расплатилась по долгам.

Илья у моей подруги Леры. Я сказала ей, что отправилась делать аборт, а мальчика оставить не с кем. Мое тело в комнате для гостей. Лучше не ходи туда, сразу вызови милицию. Твоя Вера».

Когда Олег въехал в кабинет Никиты, предсмертное послание лежало на столе. Волк протянул его Ремизову. Олег прочитал листок пять или шесть раз, он выучил его наизусть и до сих пор не может забыть, настолько сильным оказалось впечатление от записки.

— Как же так, — плакал Никита, — она не жаловалась, веселая была, мы строили планы, хотели дачу новую покупать. Врач ошибся! Подонок! Мерзавец! Я найду его! И где эти анализы? Куда они подевались?..

Олег молча смотрел на друга, он сразу понял, что Вера была здорова. Супруга кинорежиссера ушла из жизни потому, что, как это ни парадоксально звучит, любила своего мужа. Она не хотела презирать его, не желала выяснения отношений. Вера, поговорив с Олегом, сразу поняла: Петра Гая на свете не существует.

Никто в СССР не сумеет выехать в США через неделю после приглашения. Исключение сделают лишь для очень узкого круга людей. Ну чем Никита заслужил подобную милость? Не так давно в Союзе кинематографистов шепотком обсуждали животрепещущую новость. Один из операторов, известный, увенчанный наградами и премиями Анатолий Вернов, получил инсульт. Коллеги из Японии мигом предложили помощь, более того, они же брались оплатить перелет и лечение. От родственников Анатолия требовалось лишь оформить документы. Жена Вернова побежала по инстанциям, дело затянулось, через три месяца Анатолий умер, так и не дождавшись ответа из ОВИРа. А тут, в случае с Верой, мгновенное решение вопроса. Следовательно, Анна Богоявленская права, Никита стукач, и Вере теперь нужно либо жить с тем, кто, по ее мнению, является убийцей, либо уходить прочь. Но как уйти? Объясниться с Никитой? Только он спасал жену, ради нее пошел на страшный поступок. И Вера приняла решение покончить с собой. Она, наверное, думала, что после ее смерти у мужа более не будет необходимости сотрудничать с органами. А еще она надеялась, что Никита поймет, догадается о правде. Ведь из записки ясно: Вера знает все.

Но Никита ничего не заподозрил, он плакал, повторяя:

— Убью доктора, пойду и задушу.

А у Олега язык не повернулся сказать другу истину.

— Странное дело, — вздыхал сейчас Ремизов, — мы, наверное, были слишком деликатны, интеллигентны, боялись обидеть друг друга. Никита, отправляя Веру в Америку, не сказал ей, какой ценой оплачена поездка. Вера, установив истину, не решилась сообщить мужу правду, а я так и не проговорился о ее приезде ко мне...

— Ужасная история, — прошептала я, — но какое отношение она имеет к убийству Милы Звонаревой?

Олег потер рукой затылок.

— Я в тот день, когда письмо прочитал, разнервничался до предела, почти рассудок потерял и в больницу загремел. Три месяца валялся, еле-еле в себя пришел. И, честно говоря, попытался забыть о последней встрече с Верой. И еще думал, что Богоявленский умер за то время, что я лечился. Мне газет не давали, телевизор смотреть не разрешали, радио слушать тоже, Диккенса из библиотеки принесли.

Вернувшись к обычной жизни, Олег вычеркнул из памяти фамилии Бурмистров, Коган и Богоявленский. Два первых точно были покойниками, а о третьем ни слуху ни духу. Владлен исчез, новых книг он не издавал, со стихами не выступал, и Ремизов, памятуя о колодце с кипятком, записал поэта в мертвые.

Года три тому назад издательство, с которым Ремизов связан контрактом, уговорило его принять участие в Московской книжной выставке-ярмарке. В качестве главной звезды туда был приглашен писатель из Франции, чьи книги на русский язык переводил Ремизов. Издательским работникам понравилась идея посадить на одном стенде прозаика и переводчика.

Олег не возражал. Поговорив с читателями, он решил воспользоваться предоставившейся возможностью и покатил по павильону, рассматривая новинки, которые привезли сюда издатели со всех концов России и многих стран мира.

Внезапно его внимание привлекла группа людей не первой молодости. В центре, на небольшом подиуме, сидел пожилой человек, одетый, несмотря на возраст, в яркую рубашку и невообразимую жилетку. Покачиваясь из стороны в сторону, он читал стихи. Строфы показались Ремизову знакомыми, он присмотрелся повнимательней и ахнул. Владлен Богоявленский!

Пока Ремизов приходил в себя, поэт начал отвечать на вопросы слушателей.

— Я помню вас по шестидесятым годам, — выкрикнула из толпы одна из женщин, — потом вы куда-то пропали. Где были?

Богоявленский кивнул.

— Верно. Видите ли, всю жизнь я активно боролся с коммунизмом. Участвовал в демонстрациях и акциях, в частности, сидел на Красной площади, протестуя против ввода советских войск в Чехословакию.

Ремизов постарался не рассмеяться. Однако Владлен врун, или он полагает, что все свидетели тех далеких лет умерли? Богоявленского тогда и близко около Кремля не было.

— Ну а потом, — спокойно вещал Владлен, — я принял решение: не хочу участвовать в торжестве коммунизма, но и Родину, как некоторые, бросить не смог. Вот и ушел на дно, мой протест с тех пор стал молчаливым, книги издавать не хотел, голодал, но принципами не поступился, писал в стол. Сейчас, когда в нашей стране произошли изменения, я счел возможным представить на ваш суд свои работы, стихи человека, который никогда не продавался, не кривил душой и не ел из рук правителей.

Толпа взорвалась аплодисментами. Раскрасневшийся Владлен начал снова завывать ямбом.

Олегу стало противно, он отлично знал по прежним годам Богоявленского и понимал, что тот сейчас ломает комедию. Не продавался! Ой, мама родная! А как же поэма о детстве Ленина?

«Белокурый мальчик не знает, что страну его ожидает, мальчик пока не вырос, а народ столько вынес...» Ну и так далее. Поэмка была создана Владленом в рекордные сроки, ко дню рождения вождя. Но, что более важно, в журнале ее напечатали накануне распределения квартир в новом писательском кооперативе. Богоявленскому светило всего две комнаты, но проникновенные строки о Владимире Ильиче сделали свое дело, Владлен получил ключи от «трешки», их забрали у тихого сказочника Мирова, который всю жизнь писал о мышках-норушках и лягушках-квакушках. Миров не поторопился, не сваял душещипательную повесть о семье Ульяновых или детстве кого-либо из других революционеров и лишился просторной жилплощади.

Да и книгу ту «Поле несчастья в стране дураков» Владлен, скорей всего, накропал из конъюнктурных соображений, просчитал, что сейчас, в момент особого напряга между капитализмом и коммунизмом, выгодно выбросить на рынок сие произведение, за него из политических соображений дадут премию, может, самую престижную, Нобелевскую, и Владлен переберется на Запад, имея ореол диссидента, мученика и гения. Но обломалось, Богоявленский вышел из больницы и затаился от страха, а сейчас он вновь пытается взобраться на коня.

Олегу стало противно, и он уехал домой, к Богоявленскому переводчик подходить не стал.

— Думаю, шантаж Никиты — дело рук Владлена, — тихо сказал он сейчас.

— Почему? — спросила я.

— А кто еще? — пожал плечами Олег. — Или Владлен, или Аня, жена его, я не знаком с ней, но думаю, она достойная пара муженьку. Ждали, ждали столько лет и решили отомстить, надумали ему сериал изгадить. Ан нет, Звонарева шикарно сыграла. Опять облом случился.

— Сколько лет Владлену?

— Ну, точно не отвечу, наверное, мы одногодки.

Я уставилась на Олега. Многие мужчины сохранят до смерти замечательную потенцию. Вполне вероятно, что Мила была любовницей Богоявленского, а тот, памятуя о стукачестве Никиты, решил пристроить красавицу.

— Но откуда у Владлена документы?

— Понятия не имею.

— Его жена жива?

— Фиг знает, — по-детски ответил Ремизов, — впрочем, она еще не совсем древняя старуха.

— Дайте адрес.

— Чей?

— Богоявленского.

— У меня его нет.

Я разочарованно присвистнула.

— Но его легко узнать, — улыбнулся Ремизов.

— Где?

— Книги Владлена сейчас выпускает некое издательство «ОДД», — ответил Олег.

Глава 20

Домой я вернулась с гудящей головой, покинувшая было меня мигрень вернулась вновь. Больше всего хотелось сейчас увидеть пустой особняк. Разговаривать я не имела никакого желания. Отвечать на дурацкие вопросы типа «Ну, как делишки?» казалось отвратительным.

Руки повернули ключ, и я с облегчением вздохнула. Уличной обуви нет, по холлу разбросаны тапочки: розовые Зайкины, резиновые шлепки Кеши, Машкины плюшевые, в виде собачек, уютные, фетровые боты Дегтярева, вот только мои, из натуральной овчины, задевались невесть куда.

Не успела я поразмыслить, в каком направлении ушли пантофли, как до носа долетел резкий, сладкий запах духов, и в холл выскочил Женя.

Ужасное разочарование охватило меня.

— Как делишки? — фальшиво бодро воскликнула я.

— Отвратно! — с истерическими нотками в голосе ответил парень.

— Что стряслось?

— Не видишь?

Я окинула взглядом тощую, вертлявую фигурку, одетую сегодня в нежно-голубые, сильно рваные джинсы и курточку с вышивкой.

— Смотришься великолепно!

— Кошмар, — заломил руки Женя, — жизнь окончена. Пойду утоплюсь.

— Только не в джакузи, — предостерегла я, — из нее очень трудно воду выкачивать. Лучше ступай на пруд.

Женя рухнул на диванчик.

— Издеваешься, да?

— Вовсе нет, — серьезно ответила я, — тебе-то все равно будет, а нам докука: труп вытаскивать, в огороде зарывать.

Женя истерически рассмеялся.

— Меня не примут на работу.

— Да почему? Ведь ты уже оформился!

— Верно! Но никто не захочет стилиста, обсыпанного прыщами.

— Не ерунди, — отмахнулась я.

— Вот, гляди!

— Ничего нет.

— Просто на мне грим, тональный крем, пудра, румяна, — взвыл парень, — но завтра и они не помогут, а ну пошли!

Сопротивление оказалось бесполезным, жилистой ручкой Женя впихнул меня в ванную, наклонился над рукомойником, смывая косметику, сообщил:

— Сейчас налюбуешься! О! О! О! Не знаю, как жить дальше.

Я прислонилась к стене. Как жить дальше! Глобальный вопрос! Ответ на него мне тоже неизвестен, зато я знаю, где мои тапочки, они на ногах у Жени. Ну какого черта парень влез в них? Терпеть не могу чужих лап в своих уютных «овчинках».

— Ну и как тебе? — занудил Женя.

Я обозрела его личико, покрытое мелкой сыпью.

— Похоже на крапивницу. Аллергическая реакция на пищу. Что ты ел?

— Ничего! — завопил стилист.

— Вообще?

— Да, — затопал ногами Женя.

— Извини, плохо верится в такое, — засомневалась я. — Ты что-нибудь да проглотил!

— Я ем, как птичка, — завизжал Женя, — у меня фигура! Пойми наконец, я стилист, помогаю людям корректировать имидж, следовательно, обязан сам выглядеть безупречно. Скажи, ты станешь посещать стоматолога, если у того во рту обломки зубов?

— Наверное, нет, — осторожно ответила я.

— Ну вот! Ну вот! Ну вот! — завопил Женя. — Ага! А стилист с прыщами? Это каково? Ты бы ко мне пошла?

Я вздохнула. Никогда в жизни не отправилась бы к существу, пол которого невозможно определить с первого взгляда, и прыщи тут ни при чем.

— Повешусь, — рыдал Женя.

Я набрала полную грудь воздуха да так и замерла, забыв сделать выдох. В дверь опять затрезвонили. Поняв, что все надежды провести тихий вечер в халате разбились в прах, я потрусила к двери, бросив Женю колотиться в истерике у рукомойника. Впрочем, может, сейчас с той стороны двери окажутся всего лишь представители охраны поселка? Вдруг просто по Ложкину носится вооруженный преступник? Никакие это не новые гости, а обыкновенный бандит, и я, выгнав грабителя, спокойно сяду в кресло, натянув на плечи любимый халатик, а на ножки тапки из овчинки. Впрочем, они точно отпадают, их уже нацепил Женя.

Как всегда, не посмотрев на экран домофона, я распахнула створку.

В холл влетела стройная фигурка.

— Повешусь! — заорала она. — Прямо тут! О господи!

Я без сил опустилась на диванчик. Это не охрана и не вооруженный преступник, все намного хуже: в дом заявилась моя давнишняя подруга Светка.

Я уже рассказывала о Светлане и повторяться

не хочу[1]. Скажу лишь, что она удачный пример того, как хобби можно сделать профессией. Долгие годы Светка прозябала в скучной конторе, сидела там с девяти до восемнадцати часов, с перерывом на обед, пила безостановочно чай с печеньем, перекладывала с места на место бумажки и поджидала пятницу. Никаких радостей служба Свете не приносила, о творчестве там и речи не шло, обычная рутина, сплошная скука, да и зарплата особо не восхищала. Зато в свободное время Светланка страстно отдавалась хобби. Оно у нее необычное, Светусик у нас доморощенный косметолог.

Несчастные советские женщины не были избалованы косметикой и всякими средствами по уходу за лицом. Собственно говоря, у них имелся очень маленький выбор. На прилавках в свободной продаже лежали плоские коробочки с «кирпичиком» туши черного цвета, к нему прилагалась щеточка, вроде той, которой сметают крошки со стола, но меньшего размера. Чтобы сделать ресницы густыми и черными, следовало сперва поплевать на тушь. В результате ресницы украшались комочками, а на щеках спустя час возникали черные катышки, тушь осыпалась. Но вот парадокс, когда основная часть краски благополучно сваливалась на лицо, остатки ее просто намертво «приваривались» к векам, и вечером смыть их было практически невозможно.

Еще женщины могли воспользоваться ядови-

---

[1] См. книгу Дарьи Донцовой «Экстрим на сером волке», издательство «Эксмо».

то-фиолетовой помадой, сильно пахнущей вазелином, и рассыпной пудрой цвета загара, называлась она «Кармен». Не лучше обстояло дело со всякими кремами и лосьонами. Последних имелось всего два: «Розовая вода» и «Огуречный». Появлялись они в продаже крайне редко, и, как правило, несчастным бабам предстояло выдержать битву с алкоголиками, которые тоже жаждали получить заветные пузатые флакончики. Как понимаете, они им были нужны не для приведения лица в порядок. Вот кремы лежали почти свободно — «Люкс», «Женьшеневый», «Ромашковый». Мы хватали любой, особо не кривляясь, а вот о молочке для снятия макияжа и не слыхивали.

Большинство женщин в советские времена сами делали для себя нужные средства. Журналы «Работница», «Здоровье» и «Крестьянка» на последней странице, как правило, печатали рецепты всяких масок. Ну, к примеру, для сухой кожи: один желток, чайную ложку меда, две капли лимона тщательно растереть и нанести на лоб и щеки. Почти у каждой из нас имелись излюбленные ноу-хау. Кто-то самозабвенно мазался майонезом, кто-то взбивал сметану с клубникой, а кто-то укладывал на личико картофельное пюре. Кстати, многие из этих масок и впрямь помогали держать кожу в тонусе.

Так вот, Светка была доморощенным косметологом. Она самозабвенно собирала любые советы, а потом истово претворяла их в жизнь, причем добуквенно соблюдая пропорции. Нормальная тетка преспокойно укладывала на мордочку нарезанные огурцы, а Света поступала иначе. Сначала она их превращала в кашицу, затем выуживала из смеси семечки, тщательно перемешивала массу, подогревала...

Света великолепно знала, что кожа бывает разных типов, и кое-какие из новинок пробовала на нас. А мы не отказывались. Светка варила нам особое мыло для умывания, притаскивала баночки с масками и шампуни. От нее я узнала, что самый обычный крем «Люкс» в синем тюбике, пылящийся в любой аптеке, можно превратить в совершенно восхитительное средство, нужно просто купить в той же аптеке витамин А в масле и смешать с питательной массой. Именно Светка избавила Аркашку в седьмом классе от прыщей, а мне посоветовала пить ежедневно рыбий жир, чтобы удалить первые морщины.

Даже тогда, когда к нам на рынок потоком хлынули всемирно известные фирмы, я предпочитала ездить к Светке и вытаскивать у той из холодильника очередную витаминную маску из лично собранных подругой цветов одуванчика.

Некоторое время назад Светка увидела в одном из журналов объявление. Фирма «Сто рецептов красоты» объявила конкурс на самый оригинальный рецепт домашней косметики. Светунчик решила не мелочиться, откcерила одну из своих многочисленных тетрадей и отправила по указанному адресу.

Представьте себе наше изумление, когда Светку пригласили в офис фирмы «Сто рецептов красоты». Ей и впрямь вручили приз, а потом предложили перейти на службу в свой научно-исследовательский центр. Светланка долго не раздумывала, да и кто бы стал колебаться в таком случае? Зарплата большая и возможность заниматься любимым делом.

Света быстро сделала карьеру, и сейчас она начальник лаборатории. Но компания не изменяет своим принципам, они по-прежнему просят женщин присылать домашние рецепты. Светка оценивает их и решает, стоит ли запускать наработку в производство. Впрочем, все не так просто. Перед тем, как попасть на прилавок, очередная новинка долго тестируется, проверяется, изучается... Но не стану сейчас описывать производственный процесс. Надеюсь, вы понимаете, что вся наша семья пользуется теперь изделиями «Сто рецептов красоты»? Света постоянно дарит нам их, а еще она способна пробежаться по нашим комнатам и устроить скандал при виде баночек других производителей. Кстати, мне эта косметика нравится, и я совершенно искренне говорю подруге спасибо за очередной презент. Но что случилось со Светкой сегодня?

— Жуть! Кошмар! Все погибло! — заливалась слезами Светуся.

— Объясни по-человечески.

— Сегодня утром угнали мою машину, — затопала ногами подруга.

Я облегченно вздохнула:

— Господи, какая ерунда!

Внезапно Светка перестала истерически взвизгивать.

— Ах, для тебя мое несчастье ерунда? — угрожающе протянула она.

— Естественно, — не дрогнула я, — подумаешь, железка на колесах пропала! Самое главное, что со здоровьем все в порядке. Выглядишь ты на все сто. Кстати, в гараже стоит старая машина Зайки, забирай ее и пользуйся.

— Катастрофа!

— Слушай, перестань!

— Нет, это ты послушай, — вопила Светка, — на заднем сиденье лежал ноутбук, а в нем были рецептуры для производства новой линии «Ста рецептов красоты». Мне наплевать на тачку, новую куплю, но как восстановить рецептуры!

— Ты что, ничего не помнишь?

— Офигела! — по-детски обиженно засопела Светка. — Нам со всей страны и из-за границы письма идут. Я перелопатила кучу посланий, отобрала лучшие, пойми! Самое интересное из самого интересного! Мой отдел три месяца трудился, не покладая рук, разрабатывая на основе этих писем рецептуры для нашего производства! Это же работа многих людей, это научные разработки! Вот, например, одна медсестра из таежного городка про крем из меда со сливками написала. Мы уже и рецептуру разработали! Сволочи! Украли! Что мне делать?

— Сходи в милицию, — робко предложила я, — оставь заявление.

— Уже была! Козлы! Сказали, что тачку небось на запчасти разобрали, ноутбук продали. А когда я стала им про уникальные рецепты рассказывать, заржали и ответили: «Это барахло наверняка стерли, кому оно надо!»

Выпалив последнюю фразу, Света снова залилась слезами. Я стала гладить ее по голове. Подруга схватила меня за руку.

— Слушай, помоги!

— Каким образом?

— Найди вора! Детективные расследования — твой конек!

— Извини, но думаю, что я потерплю неудачу. В милиции правы, — стала изо всех сил отбиваться я, — обнаружить угнанную тачку очень трудно.

— Тогда отыщи ноутбук.

— Боюсь, не сумею!

— А-а-а, вот ты какая! Повешусь! Прямо сейчас!

Я в растерянности затопталась около подруги.

— Не переживай, всякое случается...

Дверь распахнулась, и в прихожую влетел Женя.

— Повешусь! — заорал он.

— Повешусь! — взвизгнула Светка.

Я захихикала, гости замолчали.

— Это кто? — буркнула Светка.

— Знакомьтесь, — быстро сказала я, — Женя. Света.

— Какая разница, как меня зовут, — заломил руки стилист. — С этими погаными прыщами осталось только утопиться.

— Ты уж определись, — не выдержала я, — то ли хватаешься за веревку, то ли бежишь к пруду.

— А что с прыщами? — вдруг заинтересовалась Светлана.

Женя принялся петь песню о некстати появившихся «украшениях». Поток информации он перемежал истерическими рыданиями и выкриками:

— Удавлюсь! Утоплюсь! Отравлюсь! Застрелюсь! Прыгну из окна! Брошусь под поезд!

— Да замолчи ты, Анна Каренина, — заорала Светка, — сделал из ерунды драму!

С этими словами подруга раскрыла сумку и стала доставать оттуда баночки, пузыречки, пакетики. Женя примолк и с интересом уставился на этот ворох.

— Что это? — спросил он.

— Понимаешь, кошечка... — улыбнулась Светка, мигом позабыв про собственное горе.

— Котик, — быстро поправила я.

Светка заморгала.

— Женя — мужчина, следовательно, никак не способен быть кошечкой, только котиком, — начала бодро объяснять я.

— Мне без разницы, кто он, — отчеканила Светка, — хоть козел на роликах. А прыщи пройдут после применения маски и очищающих процедур. А вот эта пенка для умывания «Сок алоэ»...

— Ты что, носишь с собой образцы своей продукции? — удивилась я.

— Конечно, — воскликнула Светка, — мало ли как жизнь повернется. Пошли! Живо! Двигай в ванную.

На всякий случай я вцепилась в шкаф: если Света впала в раж, не пропустит никого. Обмажет масками всех, включая собак и жаб.

— До завтра прыщи исчезнут? — прошептал Женя с надеждой.

— Стопудово, — кивнула Света.

Стилист взвизгнул, потом бросился мне на шею.

— Вау!

Я с огромным трудом оторвала от себя удушающе пахнущего парфюмом юношу.

— Лучше Свету благодари.

Женя кинулся к Светику.

— Вау!

— Хорош визжать, — рявкнула та, — быстро в ванную, ща объясню, как действовать. Вот в этом тюбике — очищающая маска «Клубника и белая глина»...

Бодро болтая, мои приятели скрылись в гостевом санузле, я же опрометью кинулась в свою спальню и упала на кровать. Слава богу, дом большой. На второй этаж не долетает снизу ни звука. Пусть гости делают что хотят, лишь бы не трогали хозяйку!

Утром, едва стрелки часов показали десять, я набрала номер издательства «ОДД» и услышала вежливый голос:

— Слушаю.

— Добрый день, мне очень надо связаться с Владленом Богоявленским.

— Можете уточнить отдел, в котором он работает?

— Владлен поэт, вы печатаете его книги.

— Минуту, пожалуйста.

Из трубки заиграла музыка, потом раздался другой голос, на этот раз мужской:

— Вершинин.

— Здравствуйте.

— Слушаю вас.

— Мне очень нужен Владлен Богоявленский, подскажите его координаты.

— Представьтесь, пожалуйста.

— Э-э... Ариадна Морозова, корреспондент.

— Минуточку.

Снова заиграла музыка, я терпеливо слушала заунывную мелодию, наконец в трубке возникло приятное сопрано.

— Алло, говорите.

— Мне нужен Владлен Богоявленский. Я Ариадна Морозова, корреспондент, хочу взять у поэта интервью.

— Какое издание представляете?

— «Мир читателя».

— Да? Впервые слышу.

— Мы только открылись.

— Минуточку.

Я стала злиться, но тут опять проявился некий мужчина.

— Что хотите?

— Телефон Богоявленского.

— Координаты авторов не даем.

— Я журналистка.

— Тем более.

— Хочу сделать интервью.

— Пожалуйста.

— Тогда подскажите телефон.

— Приезжайте к нам, поговорим на месте.

— Но мне всего лишь нужен номер.

— Только при личной встрече.

— С ума сойти!

— Может, и так, но порядок заведен не мной. Так как, едете?

Я замялась.

— Э...

— До свиданья, — рявкнул нахал и отсоединился.

Глава 21

Есть люди, которые, потерпев неудачу, мигом складывают лапки и, лопоча: «Чего уж теперь поделать», закрывают глаза и тихо идут ко дну.

Но я принадлежу к иному психотипу. Помните сказочку про двух лягушек, попавших в кувшин с молоком? Так вот, я, оказавшись в безвыходном положении, обозлюсь, собью лапами кусок масла, выскочу наружу, потом вытащу из емкости самостоятельно произведенный брусочек, принесу домой, намажу на хлеб и выпью чай с бутербродами. Главное, рассердиться, и дело пойдет отлично.

Нахмурившись, я снова набрала номер «ОДД».

— Слушаю, — сказал вежливый голос.

— Ой, — запищала я, — здрассти.

— Добрый день.

— Я ваш курьер, Маша.

— И что?

— Так меня послали пакет отнести, а адрес не тот!

— Звони в службу доставки.

— Ой, телефон забыла.

— Наберут детей, потом мучаются, — в сердцах воскликнула сотрудница, — ладно, соединяю с Виктором Ивановичем.

Я замерла у трубки.

— Ну и чего надо! — рявкнул некий мужчина.

— Я Маша.

— И?

— Ваш новый курьер. Знаете меня?

— Как же, — заорал мужик, — любимая Машенька! Ты с дуба свалилась, голуба. Стану я всех «шестерок» различать.

— Виктор Иванович, миленький...

— Я Юрий Сергеевич.

— Ой, дядечка, у-у-у.

— Хорош выть, что случилось?

— А где Виктор Иванович?

— После обеда будет.

— О-о-о!

— Ты можешь говорить по-человечески!!!

— Виктор Ваныч велел пакет доставить автору, поэту Владлену Богоявленскому, а я... у-у-у.

— Потеряла бандероль?!

— Ой, нет! Что вы!

— В чем тогда дело???

— Адрес, похоже, не тот, у-у-у.

Из трубки донесся тяжелый вздох.

— Ща, погоди. Богоявленский Владлен. Ага. Ты где стоишь?

— Около метро «Белорусская».

— Какого хрена тебя туда понесло?

— Так на конверте стоит «Тишинская улица», — лихо врала я.

— Сколько раз просил: не берите на работу дебилов, — взвыл Юрий Сергеевич, — нет, наймут студентов, а потом кирдык делам. Богоявленский живет совсем в ином месте! Записывай, дурища, зла на вас нет!

— А телефончик?

— Зачем?

— Ну, того, позвонить. Вдруг его дома нет.

— В почтовый ящик сунешь!

— Но...

Юрий Сергеевич бросил трубку, я пошла к шкафу, распахнула створки и стала обозревать содержимое гардероба. Что лучше нацепить на себя, чтобы понравиться мужчине не первой молодости? Мини-юбку? Но у меня их нет.

— Мать, можно? — Дверь приоткрылась, и появился Кеша.

Я кивнула.

— Что случилось с «Пежо»? — поинтересовался Кеша.

— С каким?

— Твоим.

Я выдернула вешалку с джинсами.

— Поцарапался, пришлось отдать в сервис, вот и катаюсь пока на старом.

— Мне звонили из мастерской, ужасно удивлялись, — протянул Аркадий, — крыша помята и вроде ободрана, а бока целые. Что произошло?

— Ну...

— Говори правду.

— Понимаешь...

— Мать, не ври!

Я села на кровать.

— Хорошо, только ты мне не поверишь!

— Если нафантазируешь, то нет.

— Истина порой бывает фантастична.

— Начинай.

— Ладно. Я стояла у тротуара, вдруг из подъезда вылетела обезьяна, а за ней тигр. Не успела и глазом моргнуть, как они на «Пежо» вскочили и драться принялись, я чуть не умерла от страха.

Слегка раскосые глаза Аркадия стали круглыми.

— И кто кого победил? — выдавил он из себя.

— Ничья, — ответила я, — они, оказывается, просто веселились.

— Хищник с макакой?

— Да.

— На «Пежо»? В Москве?

— Верно. Потом мартышка села верхом на тигра и ускакала в подъезд.

— Да?

— Найти их я не смогла, понимаешь, парадное оказалось аркой и...

Кеша молча повернулся и вышел за дверь, я кинулась за ним.

— Милый, ты мне не поверил?

Аркадий обернулся.

— Отчего же? Очень правдоподобная история, такие в столице России осенью на каждом шагу случаются, эка невидаль.

— Кеша!

Адвокат замер, потом дернул плечами и побежал по лестнице вниз, я перегнулась через перила.

— Ей-богу, я не вру!

Аркашка, никак не отреагировав на мой выкрик, исчез в прихожей. Я с досадой стукнула кулаком по стене. Ну почему, когда я говорю чистейшую правду, меня подозревают во лжи?

В дверь Владлена я позвонила около полудня.

— Вы к кому? — долетело из-за створки.

— К поэту Богоявленскому, — старательно вымолвила я.

Дверь незамедлительно распахнулась, и передо мной возник старик, изо всех сил старавшийся казаться тинейджером. Тощий жилистый дядечка был одет в потертые джинсы и пронзительно розовую рубашку, под воротником вместо галстука, совершенно недопустимого в данном варианте, свисал замшевый шнурок. Средний палец правой руки был украшен перстнем с витиеватым рисунком, а на ремне из кожи питона в специальном креплении держался мобильный телефон.

Дедушка явно красил волосы, потому что его пряди оказались ровно каштановыми, без всяких признаков седины. Старикашка улыбнулся, показались замечательные зубы, слишком белые и ровные, чтобы быть настоящими.

— Вы поклонница? — плотоядно воскликнул он.

— И да, и нет, — кокетливо ответила я, — разрешите войти?

— Же вузанпри, — провозгласил Владлен.

Я на секунду растерялась, а потом изо всех сил сцепила зубы, чтобы не расхохотаться. «Же вузанпри!» Господи, Богоявленский пытается выказать себя знатоком французского языка! На данном этапе он с ужасным акцентом произнес: «Прошу пройти».

— Давайте вашу курточку, — галантно принялся ухаживать за мной поэт, — идите сюда, в кабинет, вот, усаживайтесь в кресло. Коньяк? Или водочки?

— Спасибо, я за рулем.

— Я сам небольшой охотник до спиртного, — весело ответил Богоявленский и закричал: — Алена, подай чаю!

— Сейчас, — донеслось из коридора.

— Так что за печаль привела столь прелестную девочку в мою неуютную берлогу? — принялся кокетничать Владлен. — Давненько сию печальную обитель не посещали нимфы.

— Разрешите представиться, Ариадна, журналистка, автор издания «Ваш мир», — быстро сказала я, — мы выпускаем журнал, газету и очень любим открывать новые имена.

Богоявленский хмыкнул.

— Ну меня-то к новичкам никак не отнести.

— Вы ответите на пару вопросов?

Владлен тряхнул гривой крашеных волос.

— К чему? Чем я интересен нынешнему читателю? Кстати, кто вам дал мой адрес?

— Издательство «ОДД».

Богоявленский вздернул брови.

— Ну да? Очень странно.

— Почему же? Ведь вы их автор.

— Был.

— Вы ушли из «ОДД»?

Богоявленский начал бегать по кабинету.

— Душенька, — зачастил он, — это они меня ушли. Выпустили сборник, а когда я намекнул на переиздание, заявили: стихи сейчас не пользуются спросом. Я справедливо ответил, что Пушкин и Лермонтов, вкупе с Блоком, Есениным и Пастернаком, активно выпускаются «ОДД», но у них в отделе поэзии сидят хамы, неспособные реально оценить творческий потенциал человека. Да я... да в шестидесятые годы... Политехнический музей...

Изо рта старичка с пулеметной скоростью вылетали фразы, сообщающие о собственной гениальности. Меня стало укачивать. Целый час Богоявленский говорил без умолку. Мои робкие попытки вставить хоть словечко, дабы попытаться направить тайфун болтовни в нужную сторону, потерпели сокрушительную неудачу. Владлен вывалил кучу совершенно ненужной информации; если отбросить горы шелухи, то скелет рассказа выглядел так. Богоявленский гений, он любим публикой и обожаем дамами всех возрастов и профессий. Среди его почитательниц английская королева, великие актеры и политический бомонд. А любовницы Владлена... О, тсс! Он не может назвать их имен, настолько они известны. И такого человека, увенчанного лаврами, одаренного сверх всякой меры, «ОДД» посмело послать? Да за любым сборником Богоявленского выстроится шеренга. Владлен скромен, он не требует запредельных гонораров и тиражей, согласен, чтобы его книжка появилась числом в десять тысяч экземпляров, пусть она станет библиографической редкостью. За свою рукопись Богоявленский хочет получить всего лишь миллион долларов, право, смешная сумма, скорей подачка, чем хороший гонорар, но Владлен не корыстен. Только отвратительные деятели из «ОДД» просто расхохотались и не стали подписывать договор с поэтом.

— Они еще пожалеют, — тряс крашеными кудрями Владлен, — я им покажу, где раки зимуют! Так оскорбить литератора, выставить из здания и запретить охране меня пускать внутрь.

— Пусть вас издадут в другом месте, — воспользовавшись паузой в разговоре, сказала я, — вот тогда, увидав неслыханный успех сборника, начальство «ОДД» примется локти кусать, но поздно. Вы сходите в «Марко»!

— Фу, — скривился Владлен, — они печатают одни детективы.

Следующие полчаса поэт самозабвенно жонглировал фамилиями известных писателей, работающих в криминальном жанре. Впрочем, о женщинах он ничего плохого не сказал, бросил лишь фразу:

— Это бабье в руки не беру, но знаю, что пишут отвратительно.

Зато несчастным Акунину, Бушкову, Дышеву, Пучкову и остальным досталось по полной программе. Очевидно, Владлен почитывал «гадкие детективчики» и «вредную фантастику», потому что романы Ника Перумова и Василия Головачева он цитировал почти дословно, упоенно восклицая:

— Люди обожают барахло. Да, зря классик ждал, что народ не милорда глупого, а Пушкина с базара понесет. Такие, как я, гении теперь обречены прозябать!

— Вовсе нет, — выкрикнула я, — я могу вам помочь.

Богоявленский замер, потом склонил по-птичьи голову набок и спросил:

— Каким образом?

— Да просто грамотным пиаром!

— Нимфа моя, — сладко улыбался старичок, — сделайте одолжение, говорите на русском языке, я владею в совершенстве лишь французским, англицкому не обучен. Компрене ву па муа не па?[1]

Заткнув не вовремя ожившего во мне преподавателя, я кивнула.

— Очень хорошо компрене, только аналога слова «пиар» в нашем родном языке не сыскать. Ближе всего тут понятие «реклама», но оно полностью не передает суть понятия. Пиар — это...

— Душенька, — бесцеремонно прервал меня Владлен, — в «ОДД» имеется соответствующий отдел, и кое-кого из бездарных писак они, как

---

[1] Сильно испорченная как грамматически, так и фонетически фраза. Владлен спросил: «Вы понимаете?» Нормальный француз не способен понять поэта, но Даша, бывший преподаватель, привыкла общаться со студентами, коверкающими язык.

принято сейчас говорить, «раскрутили». Но со мной работать не стали. Не следует считать Богоявленского идиотом, не понимающим смысла неких слов, просто я считаю, что надо говорить на своем языке. Я кажусь вам безумным стариком, выжившим из ума?

— Что вы!

Владлен кивнул.

— Мне только-только исполнилось пятьдесят, еще рано впадать в маразм.

Я постаралась скрыть улыбку. Если Богоявленский недавно отметил полувековой юбилей, то каким образом он мог выступать со своими стихами на сцене Политехнического музея в шестидесятых годах? Неувязочка получается!

— Я очень хорошо знаю, как действовать, — шипел Владлен, — статьи в газетах, выступления по телевидению, на радио, и готово — народ хватает книги. Но пиар стоит денег, журналисты нынче продажны. К вам, душенька, это совсем не относится.

— Отчего же, — ухмыльнулась я, — денежки все любят. Кстати, мой муж сейчас создал издательство и ищет перспективных авторов.

— Да? — оживился Владлен. — Интересненько! Я мог бы с ним встретиться.

— Понимаете, — быстро сообщила я, — супруг лишь вложил деньги, он серьезный бизнесмен, нефтью торгует, издательство моя епархия. Поэтому и пришла к вам, прощупать, так сказать, почву, надумала журналисткой прикинуться. Вы же понимаете, издательство делают авторы, все удачливые литераторы пристроены, ваше имя связано с «ОДД», я хочу...

— ...переманить кое-кого к себе, — радостно потер руки Владлен, — думаю, мы договоримся. Если станете меня «пиарить», получите удивительный результат. Мой сборник, поверьте, великая книга. Впрочем, я совершенно адекватен. Молодежи истинная поэзия не нужна, но сколько вокруг моих одногодков, не все еще вымерли.

— Вы долго не писали, — осторожно приступила я к основной части разговора, — почему?

— Ну... так, — промямлил Богоявленский, — обстоятельства...

— Мы же хотим начать рекламную кампанию.

— Да, конечно! — с горящими глазами воскликнул Владлен.

— Тогда хорошо бы иметь интервью от людей, которые сейчас на вершине славы, ну, допустим, Никиты Волка.

Владлена перекосило.

— При чем тут сей мыловаритель?

— Абсолютно согласна с вами, — лицемерно закивала я, — творчество Волка не имеет ничего общего с настоящим искусством, но народ наш тупой, безголовый. Российский зритель обожает сериалы, и Никита сейчас ого-го как высоко! Будет очень кстати, если он в парочке интервью скажет: «Стихи Богоявленского прекрасны, я наслаждаюсь ими». Люди мигом рванут за книжками. А еще можно договориться с Волком, чтобы вы написали песню к его очередному омерзительному сериальчику. Ну что-то типа: «Наша служба и опасна, и трудна, и на первый взгляд как будто не видна». Все вокруг ее запоют и опять же побегут в лавки за вашими сборниками.

— Никогда! — рубанул ладонью воздух Владлен.

Я фальшиво заулыбалась.

— Понимаю, противно. Поэт вашего дарования не должен распыляться по пустякам, но пиар живет по своим законам. Собственно говоря, у нас два пути для достижения сейчас известности: скандал или протежирование со стороны того, кто добился в жизни большего, чем вы, например, Никиты Волка. Вы же с ним, похоже, одногодки, но имеете разный социальный статус. Никита узнаваем, богат, увенчан лаврами, вы пока не столь популярны. Пусть он поможет, или вы не знакомы с Волком?

Мне очень хотелось разозлить Богоявленского, и, надо сказать, я отлично справилась с поставленной задачей. Владлен вскочил.

— Я не знаком с Волком? Господь с вами! Знаю про эту сволочь такое! Такое! Да мигом скандал начнется!

— Здорово, рассказывайте!

Внезапно Владлен скис и сел.

— Ну... нет... кому это нужно... и вообще, я с Волком не на дружеской ноге.

— Только что вы утверждали обратное, — напомнила я.

— В шестидесятых мы дружили, потом разбежались, и сейчас я вполне вправе сказать: «С Волком не общаюсь», — начал выкручиваться Богоявленский.

— Сплетники утверждают обратное, — упорно тыкала я иголкой в больное место, — по Москве идут упорные разговоры, что вы помогаете Никите, принимаете участие в его сериалах.

— Я? — совершенно искренне изумился Владлен. — Чушь невероятная! Кто говорит подобное?

— Артур Пищиков... Слышали про такого журналиста?

— Нет.

— Неважно. Так вот, Артур утверждает, будто Никита лет пять назад начал испытывать жесточайший творческий кризис, быстро съезжать с горы. И тут вы решили помочь другу, — лихо соврала я.

— Каким же образом? — прищурился Владлен. — Знаете, мне даже интересно стало, потому что никоим образом я не касался никогда кинематографического процесса.

— Вы были любовником очень талантливой, яркой актрисы Милы Звонаревой. Долгое время господин Богоявленский запрещал ей участвовать в мыльных проектах, но, поняв, что Никита падает в пропасть, отдал ему бриллиант, предложил снять Милу в главной роли. Сейчас очень трудно найти незатасканное лицо, включаешь телик и видишь актрису В, и не поймешь, что смотришь: то ли драму из современной жизни, то ли исторический фильм, только по костюмам и разберешь.

Владлен звонко рассмеялся.

— А еще поговаривают, — не успокаивалась

я, — что вы дали Никите денег, проспонсировали его сериал «Стужа».

Богоявленский продолжал хохотать до слез.

— Душенька, оглядитесь! Я не имею средств на ремонт обтрепанной норы, экономлю на питании.

Поняв, что поэт вместо того, чтобы обозлиться, развеселился, я решилась на крайнюю меру.

— Уж не знаю, что сказать по поводу вашей нищеты, но дыма без огня, как правило, не бывает. Знаете, какая еще байка гуляет о вас? Кстати, ее запустил Волк. Дал одно интервью очень популярной газете и заявил: «Владлен Богоявленский дутая фигура. Стихи за него писала жена, Анна сидела у письменного стола, а супруг бегал по концертам и звездил. И еще, он пропал из виду на долгие годы лишь по одной причине. Сам Богоявленский ни за что не скажет правды, но я был в прошлом его хорошим другом и знаю подробности. Владлен служил осведомителем КГБ, именно поэтому его антилитературные книжонки и печатались столь активно в советские времена. Именно он, к примеру, выдал Бурмистрова и Когана, когда те решили убежать на Запад. Кстати, я, узнав о принадлежности Владлена к спецслужбам, мгновенно прервал с ним всякие отношения. Потом Богоявленский чем-то провинился, и его выгнали из КГБ. Так вот, не успела дверь захлопнуться, как «стукача» перестали публиковать, он ушел на дно и до сих пор там лежит, боясь высунуть нос, и правильно делает!»

Выпалив невероятное вранье, я уставилась на Владлена. Ну, дружочек, теперь небось ты потеряешь самообладание. Нехорошо, конечно, так поступать с пожилым человеком, но мне следует найти истинного убийцу Милы.

Глава 22

Богоявленский разинул рот, потом закрыл его, затем снова уронил нижнюю челюсть, поэт явно лишился дара речи. Я испугалась, может, не следовало делать столь резкие заявления, все-таки Богоявленский далеко не молод. Я схватила бутылку коньяка, стоявшую на столике. Машинально отметив, что сообщавший о своем безденежье поэт держит в кабинете очень дорогой напиток, я плеснула темно-коричневую жидкость в пузатый бокал и поднесла ко рту молодящегося дедушки.

— Выпейте скорей.

Владлен машинально глотнул и выдавил из себя:

— Спасибо.

Я слегка успокоилась, вербальная активность вновь вернулась к поэту.

Богоявленский вскочил на ноги.

— Сволочь! Мразь!

Я попятилась.

— Кто?

— Волк! Это он был стукач, да! А ну, садись и слушай! Немедленно!

Я плюхнулась в кресло, а Владлен забегал по кабинету, вываливая на меня ворох сведений. Кое-что я уже знала от Ремизова, поэтому попросту опущу ту часть рассказа Богоявленского, которая была посвящена написанию книги «Поле несчастья в стране дураков» и попыткам передать рукопись на Запад. Начну сразу с того момента, как поэт упал в люк.

Была осень, теплый, непривычно сухой для Москвы октябрь. Владлен возвращался с собрания в Союзе писателей, настроение у него было ужасным. С утра поэт поругался с женой, Аня никак не хотела понять, что творческой личности для обретения вдохновения требуется находиться в состоянии влюбленности. Лишь по этой причине Владлен увлекся сейчас хорошенькой поклонницей Машенькой. Но Аня, приземленная баба, которая может не ценить своего счастья, устроила дикий скандал с битьем посуды.

— Убирайся прочь к свой б...и, — орала она, — пусть теперь она тебе трусы стирает и суп варит.

Владлен счел за благо испариться из дома. Потом он отсидел на собрании, где три часа боролся со сном, слушая доклад кретина из городского комитета партии, а затем, решив вознаградить себя, отправился в ресторан. Однако и тут его поджидала неудача. Дубовый зал ЦДЛ[1] был закрыт для посетителей, там справляли свадьбу, а в нижнем буфете остались лишь одни бутерброды с жирной ветчиной. Чертыхаясь, Владлен отправился в Книжную лавку писателей и снова получил пинок. Стройная Кира Викторовна, заведующая отделом, где отоваривали литераторов, не

[1] ЦДЛ — Центральный Дом литераторов.

продала ему сборник романов зарубежных прозаиков.

— Эта книга только для секретарей Союза писателей, — отрезала она, — по списку. Вашей фамилии в нем нет.

То ли от моральных переживаний, то ли от жирного окорока у Владлена схватило желудок, и он в самом гадком настроении поехал домой. Выйдя из метро, поэт нашел телефон-автомат, выудил из кошелька двухкопеечную монетку и набрал номер домашнего телефона.

— Да, — буркнула Аня.

— Котик, я уже почти у подъезда, иду от метро во двор, — сообщил Владлен.

— И чего? — не выказала радости жена.

— Супчик подогрей.

— Пусть тебя Машка кормит!

— Ну, ягодка моя, — запел Богоявленский, — не хмурься, ты мой котеночек, самый лучший, а я твой противный зайчик, прости дурака! Эта Маша пустое место, а ты муза, нимфа...

— Ступай домой, урод, — уже не таким злым голосом сказала Аня, — у меня мигрень, довел жену почти до смерти, мерзавец! Сам себе еду подогреешь, Пушкин недоделанный!

— Конечно, моя серна, — обрадовался Владлен, — отдыхай, душенька.

Насвистывая, он повернул в арку. Значит, сейчас он спокойно сядет в кабинете один. Анька начнет изображать умирающую, Богоявленский зайдет в спальню, поцелует жену и отползет прочь. Нет, жизнь налаживается, с Машкой давно было пора рвать отношения. Кстати, в ЦДЛ появилась новая администраторша, прехорошенькая Симочка...

Владлен вошел во двор и увидел около своего подъезда пожилого человека, в шляпе, очках и с палкой. Незнакомец пытался разглядеть что-то на тротуаре. Когда Богоявленский поравнялся с ним, дедушка голосом профессора попросил:

— Милейший, сделайте одолжение, я обронил ключи и никак не могу их найти. Гляньте молодыми глазами, авось заметите связку, иначе мне придется на улице ночевать. Эка незадача!

Владлен, будучи человеком интеллигентным, хорошо воспитанным, нагнулся и начал рассматривать асфальт, прямо перед его ногами были желто-красные листья, сметенные дворником в кучу.

— Вы вперед шагните, — попросил старик, — вроде там звякнуло.

Богоявленский послушался, ступил на «стог» и вдруг понял, что под ногами нет опоры, правая нога стала по непонятной причине проваливаться сквозь асфальт. Поэт взмахнул руками, попытался отшатнуться в сторону, и тут старичок резко, с молодой силой, толкнул Владлена.

Дальнейшее литератор помнил плохо. Он провалился под землю, затем оказался в неимоверно горячей воде и потерял сознание.

Очнулся он в больнице, обмотанный противно пахнущими бинтами, рядом с кроватью на табуретке скрючилась зареванная Аня. Лечиться пришлось долго, ожоги и переломы зарастают медленно.

Потом, когда из палаты реанимации Владлена перевели в обычное отделение, Аня наконец рассказала, что стряслось.

Днем перед подъездом работали какие-то парни в комбинезонах, чинили трубы. Потом они ушли и, очевидно, забыли закрыть люк, вот Владлен и угодил в дыру. Поэту была судьба умереть, спас его звонок от метро домой. Не пожелай он разведать обстановку и не начни мести хвостом перед женой, Аня бы преспокойно улеглась спать, полагая, что муженек просиживает брюки в ресторане ЦДЛ. Но, поговорив с Владленом, Анна быстренько напудрилась и стала поджидать изменщика, дабы закатить ему скандал.

Ходу от подземки до их дома пара секунд. Спустя две минуты Аня разозлилась донельзя. Эта сволочь муж встретил во дворе соседей и зацепился за них языком, через пять минут она окончательно вскипела и решила сама пойти во двор, чтобы поискать пропавшего мерзавца-супруга. Первое, что Аня увидела, выскочив из подъезда, был портфель Владлена, валявшийся около открытого люка.

— Меня столкнул вниз старик, — воскликнул поэт, выслушав жену, — ямы я не видел, ее прикрыли, наверное, бумагой, сверху насыпали листья.

Аня только вздохнула.

— Там был мужчина, пожилой, — настаивал Владлен, — он ключи потерял.

Супруга кивнула и привела к мужу психиатра.

После выписки Богоявленский стал частенько сидеть на лавочке у подъезда, врачи велели ему дышать свежим воздухом. Как-то раз к нему подошла Таисия Ивановна, соседка со второго этажа, и сказала:

— Ну и ужас с вами приключился!

Владлен кивнул, разговаривать с бабой не хотелось, но уйти показалось неприличным.

— Сам виноват, — сухо ответил он, — надо под ноги смотреть.

— Как подумаю, что я могла оказаться на вашем месте, так холодею, — продолжала Таисия.

— Да? — хмыкнул Владлен.

— Да, — кивнула соседка, — я в тот день, когда с вами несчастье произошло, тоже домой бежала. Кстати, видела вас около телефона-автомата, еще подумала: «И с какой стати он не из дома разговаривает? Ох, мужики! Небось налево от Ани срулить захотел». В общем, понеслась во двор, гляжу, около подъезда дедуля стоит, увидал меня и ласково так говорит:

— Ты, деточка, эту кучку листьев обойди, там собачка нагадила, я сверху и прикрыл.

Ну я послушалась, конечно. Дедушка меня от смерти спас, получается. Там дальше-то люк открытый находился. Я его, как и вы, не заметила бы, но по указке старичка с другого бока в подъезд зарулила и жива осталась, а когда вы шли, пенсионер уже ушел прочь.

— Не помните его внешность? — тихо спросил поэт.

Таисия пожала плечами.

— В шляпе, очки на носу, в руках тросточка, очень интеллигентный, милый, на профессора похож. Но он не из нашего дома, может, из третьего? Там ученые живут, кооператив от Академии наук, — зачастила соседка.

Богоявленский встал.

— Уж простите, домой пойду, замерз.

— Конечно, — закивала Таисия, — вам теперь беречься надо.

Владлен поднялся наверх, поколебался и позвонил Николаю Шнееру, своему старому другу, бывшему однокласснику.

— Встретиться надо, — сказал он, — срочно.

— Могу сегодня приехать, — ответил Коля.

— Не дома.

— А где?

— Выбери место, чтобы поболтать без свидетелей, — тихо сказал Владлен. Он теперь понимал, что его падение в люк не было случайностью, и решил соблюдать крайнюю осторожность. — У меня на квартире лучше не сталкиваться, — добавил он, — ненароком Анька услышит, понимаешь, я опять влюбился.

Коля хохотнул.

— Ну тебя, кореш, ничего не берет, где нашел Василису Прекрасную? В больнице? В реанимации? Умираю, но не сдаюсь?

— Все при встрече.

— Лады, — хихикал Коля, — есть тут местечко, пельменная в парке, стекляшка. Я там иногда ужинаю, когда с Нинкой пособачусь, хотя, может, прямо ко мне зайдешь?

— Нет! Твоя Нинка подслушает и Аньке доложит.

— Верно, — заржал Николай, — да и момент неподходящий, мы с утра опять разводиться решили. Чистый цирк с клоунами, разоралась, развопилась моя женушка. Значит, в пельменной у моего дома.

В стекляшке клубился народ. Шнеер и Богоявленский взяли гнутые пластмассовые подносы, положили на них мятые алюминиевые ложки, поставили белые тарелки со скользкими комьями из теста с жилами и граненые стаканы, наполненные светло-бежевой жидкостью, которая гордо называлась кофе, нашли свободный столик, протерли его одной-единственной торчащей из вазочки салфеткой и приступили к трапезе.

— Ну-ка, постой, — велел Коля.

С этими словами он раскрыл портфель и вытащил из него небольшую стеклянную бутылочку.

— Во, кетчуп, болгары делают! Вкусная штука, в заказе дали, как раз к пельменям, — возвестил Шнеер.

Друзья полили скользкие катышки темно-красным соусом, и Владлен тихо сказал:

— Слушай, тут такое дело!

Пока Богоявленский излагал цепь событий, Шнеер молча засовывал в рот пельмени.

— Ну, что скажешь? — пихнул его под столом ногой Владлен. — Кто меня убить решил? «Детский мир» за рукопись, похоже! Значит, и Ося, и Игорь погибли не случайно!

Коля мрачно смотрел в стол.

— Отреагируй хоть как-нибудь! — обозлился Владлен. — Мне не с кем посоветоваться, кроме тебя.

— Знаешь, где я работаю? — неожиданно спросил Коля.

— В НИИ, — удивился Владлен.

— Каком?

Богоявленский пожал плечами.

— Ну, закрытом. Ты же никогда не рассказывал.

— Верно, — кивнул Шнеер, — но тебе не казалось странным, отчего я после филфака отправился в некое учреждение, почтовый ящик?

— Не в школу же идти, — справедливо ответил Владлен, — и потом, насколько помню, твои дед и отец там же служили.

— Мой отец погиб в концлагере, — кивнул Коля, — я родился в 39-м, как и ты. Летом сорок первого, когда началась война, мы отдыхали под Брестом, у родителей мамы. Я, естественно, ничего не помню вообще, ни как мама меня на себе несла, ни как она от фашистов удрала, вообще ничего. Матери с огромным трудом удалось добраться до Москвы, до свекра и других родственников. Про отца ничего известно не было. Только в тысяча девятьсот шестидесятом маме удалось узнать правду: папа попал в концлагерь и там погиб. Сам понимаешь, человеку с фамилией Шнеер и семитской внешностью было никак не выжить. Но отец никогда не работал там, где служу я, в КГБ.

Владлен уронил бутылку с кетчупом.

— Ну ты даешь, — обозлился Николай, — поосторожней нельзя? Когда еще такое в заказе дадут!

— В КГБ? — залепетал Богоявленский. — Но... ты же интеллигентный человек.

— Нам такие очень нужны, — кивнул Коля, — понимаешь, структура огромная, чем я занимаюсь, не скажу, но среди моих коллег есть и профессора, и... много других очень талантливых людей. Охранять безопасность государства можно по-разному, грубо говоря, либо кулаками, либо мозгом, так вот, я работаю головой.

— Но ты еврей, — бормотал Владлен.

— Ага, — кивнул Коля, — жид пархатый. И что?

— Еврей в КГБ?

Шнеер положил вилку.

— Дурак, — усмехнулся он, — что ты вообще о Комитете знаешь? Евреи нам, как и все умные люди, тоже нужны.

— Ну... того... в общем... я пошел домой, — брякнул Владлен.

— Сядь, — гаркнул Коля, — мы сколько лет дружим?

— Так со школы еще!

— Я тебя хоть раз подводил?

— Нет.

— Предавал?

— Нет.

— Тогда в чем дело?

— Э... э...

— В моей работе?

— Ты о ней ничего не рассказывал!

— Права не имею. А сейчас вот сообщил в надежде на то, что ты умеешь держать язык за зубами. Значит, так, езжай домой и сиди тихо, — велел Коля, — ни с кем более ситуацию не обсуждай!

— Ясно.

— Даже с Аней.

— Понял.

— По издательствам не бегай.

— Ладно.

— Дома не болтай, могут прослушивать.

— Ага, — испуганно кивал Владлен.

— Упаси тебя бог прийти в ЦДЛ, напиться и понести чушь.

— Да, да, да!

— Вот и молодец, — улыбнулся Николай, — как раздобуду информацию, позвоню. Значит, твоя задача — сидеть тише воды ниже травы и вести жизнь черепахи. Поел и спать лег, не бегай за бабами, прикинься больным.

Богоявленский послушался Шнеера и осел в квартире, дальше двора он не выходил и со всеми знакомыми вел разговоры лишь о погоде.

Летом Николай позвал их с Аней к себе на дачу, на шашлык. Гостей приехало много, мяса и выпивки хозяева запасли без счета, и вскоре все упились до свинячьего визга, даже женщины. Трезвую голову сохранили лишь двое: Владлен и Николай.

— Пошли в лес, — предложил Шнеер, — погуляем, пока эти дрыхнут, вон мне фоторужье подарили, испробуем.

Когда дошли до поваленного бурей дерева, Шнеер мрачно приказал:

— Садись и слушай. Это, пожалуй, единственное место, где откровенно поговорить можем. Значит, так, теперь я знаю все.

Владлен сел на корявый ствол, а Коля начал рассказывать про Волка. Через некоторое время Богоявленского затрясло от ужаса.

— Меня убьют, — прошептал он.

— Нет, если более не станешь предпринимать попыток издать дурацкую рукопись на Западе.

— Да, да, то есть нет, не буду, все, все, — замахал руками Владлен.

— Еще одно условие.

— Какое? — вновь перепугался поэт.

— Исчезаешь из великосветского общества, живешь очень тихо, отказываешься от выступлений, не издаешь стихов. То есть можешь попытаться, но они все равно не выйдут. Сиди молчи в тряпочку. Начнешь возмущаться, тебе каюк.

— Но я умру с голоду!

— Иди работать редактором.

— Куда? — взвыл Владлен.

— В журнал «Творчество народов Востока»[1], — пояснил Коля. — Рукописи великих узбеков, таджиков, киргизов и иже с ними править станешь, я уже договорился, тебя берут.

— Но я поэт! — взвыл Владлен. — Талантливый, поцелованный богом человек! А ты предлагаешь мне переписывать работы полуграмотных людей, которые считаются писателями лишь по-

---

[1] Такого в СССР не было. Имелись «Звезда Востока» и «Дружба народов». Журнал «Творчество народов Востока» придуман автором. Возможные совпадения случайны.

тому, что в нашей стране обязана быть многонациональная литература?

Коля вздохнул.

— Лучше быть живым редактором, чем могилой в цветах. Подумай и ответь. Только не советуйся с Аней, ей об этой ситуации знать не надо.

— Волк мерзавец, — заорал Владлен, — негодяй! Падла! ...! ...!

— Тише, — шикнул Николай, — и у деревьев бывают уши! Ты теперь, когда кричать решишь, всегда вспоминай о чужих органах слуха и зрения. Доболтался уже! Рукопись на Запад отправить решил, всем растрепал!

— Только Ося и Игорь знали.

— А еще Анька!

— Что ты! Она молчала!

— Но Волк откуда-то разнюхал!

Владлен заморгал.

— То-то и оно, — подвел итог Шнеер, — что знают двое, то известно и свинье! Себе порой не доверяешь.

— Хорошо, — зашептал Владлен, — понимаю, меня убьют морально, но физически оставят в живых, а Волк станет радоваться, получать награды, разъезжать по кинофестивалям...

Из глаз Богоявленского покатились слезы. Коля обнял друга, прижал к себе и шепнул на ухо:

— Погоди, разное случается. Есть у меня на руках кое-какие документики против Волка, настанет час — воздастся ему за все.

Глава 23

— И вы ушли на дно? — спросила я.

— Да, — кивнул Владлен, — верно, считайте, испугался!

— Но при этом не послушались до конца Шнеера, поговорили с женой, рассказали ей о Никите, — тихо сказала я.

Богоявленский шарахнулся в сторону.

— Откуда вы знаете?

— Разве я сейчас солгала?

— Нет, — взвился Владлен, — нет! Но поймите, очень тяжело одному жить с тайной. Да еще Аня, земля ей пухом, стала истерики закатывать. Почему ушел в журнал? Где новые стихи? Отчего не издают? Давай потребуй путевку в Болгарию, тебе обязаны дать... Грызла, грызла, пришлось с ней поговорить.

— А та рванула к Вере и решила наказать ее? Интересно, почему она не отправилась к Волку? С какой стати решила ополчиться на Веру?

Владлен уставился в окно.

— Я одно время, еще до женитьбы на Ане, ухаживал за Верой, — тихо пояснил он, — сделал ей предложение, но Верочка предпочла Волка. Бог ей судья, но рассчитала Соколова точно. Я не очень-то хорошо жил, а Никита не нуждался, да и сейчас сырничает, на крутой иномарке разъезжает, а еще говорят, что возмездие неотвратимо! Как бы не так, Волк абсолютно счастлив! Картины, премии, деньги. Между прочим, я полагаю, он по-прежнему «стучит», иначе с какой стати постоянно деньги на сериалы получает. Кто их ему дает?

— КГБ давно нет, — напомнила я.

Богоявленский усмехнулся.

— Наивная вы девочка! ЧК, НКВД, МГБ, КГБ, ФСБ...[1] Как ни назови — все одно и то же. Может, потоньше действовать стали, отвязались от интеллигенции, разрешили людям по заграницам раскатывать, но стукачи есть по-прежнему. А старые кадры — ценная вещь.

— У Волка умерла жена, — напомнила я, — покончила с собой после разговора с вашей Аней.

Богоявленский схватил бутылку с коньяком.

— Моя супруга тоже скончалась, через пять лет после Веры. Она мне ничего о своей инициативе не рассказывала, понимала, что не одобрю, но все равно понеслась к заклятой подружке. Ревность ее съедала, Отелло перед Аней ребенком был. Только уже в больнице, поняв, что умирает, жена призналась: «Наказал меня господь, послал ту же болячку, что и Верке, и есть за что». Вот тогда-то я правду и узнал, да поздно.

— И вы после перестройки не захотели отомстить Волку?

Владлен допил коньяк из бокала.

— Ну... перегорел. Столько лет прошло, вот

---

[1] ЧК — Чрезвычайная комиссия, НКВД — Народный комиссариат внутренних дел, МГБ — Министерство государственной безопасности, КГБ — Комитет государственной безопасности, ФСБ — Федеральная служба безопасности.

Николаша, тот, по-моему, собирался Никите небо в алмазах показать, да не успел, умер.

— Шнеер скончался? — разочарованно воскликнула я.

Очень хорошо помнила фразу Владлена, прозвучавшую несколько минут назад: «Николай сказал мне на ухо: «Есть у меня на руках кое-какие документы против Волка, настанет час — воздастся ему за все».

— Да, — кивнул Владлен, — причем давно, точный год не назову. Восемьдесят шестой — восемьдесят седьмой, у власти уже был Горбачев. Меня смерть друга не поразила, думаю, он в работе оступился, и его... кокнули. У кагэбэшников такое принято, своих убивать. Опутали всю страну паутиной, по рукам и ногам связали, кстати, они до сих пор за мной следят. Точно, вон там, видите, дом? По вечерам на балконе всегда человек стоит, вроде курит, а на самом деле в бинокль смотрит. Меня не обмануть, сигарета у него лишь для отвода глаз, в нее камера вделана. Я под наблюдением. Тут книжная выставка была, меня пригласили, так вместо простого народа кагэбэшников пригнали, а те начали вопросы задавать...

Я с сочувствием слушала Владлена. Увы, мания преследования не столь уж и редкое явление, Дегтярев иногда рассказывает о гражданах, в основном пожилого возраста, которые приходят в отделение милиции жаловаться на то, что сотрудники спецслужб терроризируют их таинственными излучениями и преследованиями. Богоявленский трусливый человек, спрятавшийся в своей скорлупе, он большую часть жизни провел в страхе и в результате слегка чокнулся, бесполезно сейчас переубеждать поэта. Похоже, Владлен не мог шантажировать Волка, слишком уж стихотворец боязлив, он считает, что давно ушедший в небытие КГБ по-прежнему всесилен и зрит за ним в семь глаз. И спонсировать сериал для Милы Звонаревой Владлен никак не мог. Конечно, он сейчас угощается дорогим коньяком, но, вполне вероятно, бутылка получена в подарок. Если внимательно посмотреть по сторонам, становится сразу понятно: особых средств у Богоявленского нет. Потолок облупился, стены просят новой штукатурки, паркет циклевки, да и окна в квартире самые простые. Похоже, последний ремонт здесь делали лет двадцать назад.

Я опять вытащила пустышку! Владлен ненавидел Волка, но, увы, никакого отношения к Миле Звонаревой он не имеет.

— А вот Нинка меня поразила до слез, — неожиданно завершил рассказ Богоявленский. — После похорон Николая позвонила и заявила: «Изволь мне помогать, иначе все расскажу!»

— Что? — насторожилась я.

— Вот и я поинтересовался: «Что?» — кивнул Владлен. — А эта сумасшедшая развопилась: «А, сам знаешь! Все! Лучше привези денег, я голодаю!»

В полной растерянности Богоявленский поехал к Шнееру, но Нина даже не впустила его в квартиру.

— Чего надо? — нелюбезно буркнула она, чуть-чуть приоткрыв дверь.

— Так сама позвала, — ответил Владлен.

— Я? — с фальшивым изумлением воскликнула Нина.

— Ты.

— Когда?

— Только что. Звонила, орала.

— Не было такого, — заявила Нина.

— За сумасшедшего меня считаешь? — закричал поэт.

— Езжай назад, — прошипела из-за створки Нина.

— Нина, — взмолился Владлен, — объясни, в чем дело! Зачем звонила?

— У меня после смерти Николаши припадки случаются, — дрожащим голосом сообщила Нина, — несу дурь, в идиотские ситуации попадаю. Отвяжись от меня.

Владлен не поверил ей.

— Но почему ты так злилась, — наседал он на вдову друга, — отчего звонила мне, орала?

— Не знаю! — окончательно вышла из себя женщина. — Кольке хорошо, а мне еще Люду на ноги поднимать. Кто поможет, а? Ты? Сильно сомневаюсь! Хоть другом звался, только кем на самом деле был? Позвонил ли после Колькиного погребения хоть раз, спросил: «Ниночек, может, надо чего?» Катись прочь, иначе милицию позову и скажу: в квартиру лез, ограбить хотел! Да ты хуже Никиты Волка! Да!

— Ты, похоже, и впрямь умом помутилась, — пробормотал Владлен, испуганный упоминанием фамилии Волк. — Пора в психушку ехать.

— Убирайся, — сообщила Нина.

Дверь хлопнула, Владлен пожал плечами и пошел по лестнице вниз. С Ниной он более не разговаривал, с дочерью Николая, Людмилой, никогда не встречался.

— У вас есть телефон Нины? — быстро спросила я.

— Был, — кивнул Владлен.

— Можете мне его дать?

Поэт подошел к огромному письменному столу и начал рыться в ящиках.

— Вот, — воскликнул он, вытаскивая потрепанный блокнот, — но он старый, уж и не упомню, когда звонил Нине в последний раз, пишите.

Сев в машину, я схватилась за трубку и стала тыкать пальцем в кнопки. Отчего-то набор цифр показался мне знакомым, вроде когда-то я часто набирала его.

— Алло, — прозвенел веселый голосок.

— Можно Нину?

— Тут такая не живет, — быстро ответила девушка.

Горькое разочарование охватило меня, но, решив не падать сразу духом, я быстро спросила:

— Вы, наверное, обитаете в этой квартире не со дня ее постройки?

— Нет, — хихикнула девица, — а что?

— Понимаете, тут раньше была прописана моя знакомая, Нина, я давно не звонила ей и теперь, получается, совсем потеряла подругу.

— Погодите, маму позову, — сказала новая хозяйка апартаментов.

Я откинулась на спинку сиденья и услышала хриплое меццо:

— Вы ищете Нину Алексеевну?

— Да, да, именно так, — быстро ответила я, — отчества Нины не знаю, вполне вероятно, что она Алексеевна.

— Мы купили у нее эту квартиру.

— А где сама Нина? — бесцеремонно перебила я тетку.

— Переехала.

— Куда?

— Понятия не имею, она адреса не оставила.

Я подавила вздох разочарования.

— Но дала телефон, — спокойно добавила бабенка, — просила, если кто из подруг вдруг интересоваться станет, дать номерок!

— Так что же вы телитесь! — забыв про хорошее воспитание, заорала я.

Обретя заветный номер, я стала было вновь терзать трубку, но не успела рука набрать несколько цифр, как бумажка с записями и сотовый вывалились из вдруг разжавшихся ладоней. Я потрясла головой, потом внимательно посмотрела на полученный номер. Минуточку, минуточку... Это же домашний телефон Милы Звонаревой. И тут вдруг в голове моментально сложилась целая картинка. Нина, Нина Алексеевна, жена Николая Шнеера, воспитывавшая дочь Людмилу! Это же мать Милы Звонаревой! Кстати, отца подруги я видела всего пару раз и то мельком, он умер давно. А Звонаревой Милка стала после замужества, она взяла фамилию Кости. В девичестве Мила была Никитина. Но почему не Шнеер? Не знаю, может, из-за пресловутого пятого пункта. Но она Николаевна. Людмила Николаевна Звонарева.

Открытие было столь неожиданным, что я, вместо того чтобы звонить по телефону, молча поставила рычаг коробки передач в нужное положение и поехала домой. В голове крутились невероятные мысли, Нина Алексеевна вздорная, очень жадная, эгоистичная дамочка, у старухи снега зимой не выпросить. Еще Нина Алексеевна искренне считала, что дочь обязана всегда быть около нее, и закатывала вселенские скандалы Миле и Косте, если те собирались поехать отдыхать и оставить бабулю дома. При этом мать Кости, хитрую мнимую больную Елену Марковну, Нина не считает за человека и, оказавшись в одной квартире со сватьей, принялась изводить последнюю. А Елена Марковна, тот еще фрукт, охотно позволяла подначивать себя и специально вела такие речи, что Нина лезла в драку в прямом смысле этого слова. Костя с Милой жили словно на гранате с выдернутой чекой, они постоянно разбирались в старушечьих скандалах, выясняли, кто прав, кто виноват. Пару раз я случайно становилась свидетельницей подобной забавы и слышала конструктивные разговоры, типа:

— Нина обозвала меня дурой.

— Да! Но в ответ на замечание о том, что я безрукая, — отгавкивалась мать Милы.

— И верно! Вы хотели сварить себе кашу, а та убежала.

— Вам что за печаль?

— Так на квартире у моего сына живете.

— Нет! Это вы на площади моей дочери нагличаете.

И так далее, следующий этап — вызов двух машин «Скорой помощи» одновременно и торжественный разнос старух по разным комнатам.

Но, несмотря на отвратительный, скандальный характер, бескрайний эгоизм и абсолютное неумение уживаться с себе подобными, Нина очень любила Милу. Когда Елена Марковна налетала на невестку с воплем: «Коли никакой карьеры в театре не сделала, так уходи, сиди дома, ухаживай за мужем», — то Нина мгновенно бросалась дочери на выручку.

— Молчите, если ничего не понимаете! — орала она. — Мила гениальна, она себя еще покажет. Просто Константин заедает жену, из-за него Мила никак не может реализоваться!

И снова вспыхивал скандал. Но потом Мила внезапно взлетела на коня славы, и Елене Марковне пришлось прикусить раздвоенный язык. Нина Алексеевна торжествовала, вот уж кто был совершенно счастлив, она теперь первой кидалась к телефону, снимала трубку и говорила:

— Мать Людмилы Звонаревой у аппарата. Кто? Первый канал? А какая передача? О, нет! Мила к вам не пойдет, лично мне ваша тема не нравится. Мобильный дочери? Дорогая, вы с ума сошли? Людочка всегда прислушивается к мнению мамы, как же иначе! Ваша задача уговорить меня, тогда получите в свое шоу Милу.

Когда карьера актрисы Звонаревой только начинала вертикальный взлет, Нина Алексеевна устроила настоящий дебош, требуя, чтобы дочь значилась в титрах сериала «Стужа» под своей девичьей фамилией Никитина.

— Звонаревой ты стала случайно, — топала ногами маменька, — не стоит прославлять чужую фамилию.

Но тут Мила, предпочитающая не ссориться с матушкой, ответила решительно: «Нет».

И Нина Алексеевна заткнулась. Но примерно раз в месяц, просматривая очередную публикацию о своей теперь сверхзнаменитой дочери, мать недовольно бурчала:

— Звонарева! Тьфу! Забыть все, что для нее сделано! Ее успех — дело моих рук! Звонарева! Неблагодарная! Никитина — вот ее подлинное имя!

Я, бывая иногда у Милки, не обращала никакого внимания на стоны Нины Алексеевны, но лишь сейчас мне в голову пришла простая мысль. Николай Шнеер перед смертью, очевидно внезапной, не успел как следует спрятать или уничтожить бумаги, содержащие компромат на Волка, а супруга обнаружила папку, прибрала до лучших времен и потом стала шантажировать режиссера. Вопрос: где она взяла денег на сериал? Ответ: Нина великолепно знала дочь, любила рыться в ее вещах и разнюхала, что у Милы имеется любовник. Хитрая Нина Алексеевна решила убить одним махом несколько зайцев. Прославить Милу и развести ее с ненавистным Костей. Думаю, мамуля поехала к возлюбленному Людмилы, скорей всего, женатому человеку, и, пригрозив тому разоблачением, потребовала проспонсировать съемки. Волка запугали документами, а развод с Костей был впереди. Последний год все скандалы Нины Алексеевны имели припев: «Нечего жить с пустым местом, человеком, который не имеет ничего, ни славы, ни денег. Найди себе ровню».

Ну а затем в хорошо отлаженном механизме случился сбой, и любовник решил убить Милу. Почему? Каким образом он ухитрился отравить ее? Что это за яд такой, действующий спустя длительное время после принятия? На эти вопросы я отвечу, надеюсь, позднее. Главное сейчас иное: Нина знает имя воздыхателя дочери.

«Пежо» бодро катил по улицам, мне захотелось закурить, но ни в «бардачке», ни в пластмассовом лоточке между передними сиденьями не нашлось пачки сигарет. Пришлось притормозить и топать к ларьку. Справа в нем виднелись газеты и журналы, слева курево, жвачки, зажигалки, расчески, брелки и прочее барахло.

— Дайте, пожалуйста... — начала было я, наклонившись к окошку, и осеклась.

Прямо перед носом оказалась свежая газета «Треп». «Организатор убийства Милы Звонаревой Дарья Васильева отбыла в Париж», — кричал заголовок. Пальцы вцепились в гадкий листок.

— Сначала заплатите, — сердито велела лоточница.

Я бросила на пластмассовую тарелочку деньги и, забыв про сигареты, кинулась к «Пежо» читать пасквиль.

«Наша газета проводит собственное расследование. У милиции лишь одна версия — смерть на почве ревности. Ясное дело, ментам охота побыстрее отделаться от работы и запереть папку в архив. Но мы хотим знать истинную причину гибели всенародной любимицы и задаем вопросы. Да, яд в рот жены вложил муж, это вроде подтверждено свидетельскими показаниями. Но кто они, эти свидетели? Члены семьи Дарьи Васильевой, нашей богатенькой Мальвины, великосветской лентяйки. Естественно, они станут выгораживать свою мамочку, щедро раздающую корм крошкам. Сыну Аркадию Дарья купила адвокатскую практику, невестке Ольге — программу на телевидении, дочери образование, а своему любовнику генеральское звание: деньги могут все, в особенности в нашей стране, где процветают коррупция и несправедливость. Итак, Константин в тюрьме, великая актриса в могиле, а Дарья Васильева спешно улетела в Париж. Стоит позавидовать предприимчивой дамочке, да уж, можно перефразировать старую поговорку: «Не имей сто друзей, а укради миллион долларов». Впрочем, всем давно известна простая истина: коли сопрешь с голодухи батон хлеба, ты уголовник, а присвоишь пару миллиардов из госбюджета — уважаемый человек».

Подписи внизу не было, но кто еще, кроме поганца Пищикова, нагло нарушившего наш договор, мог состряпать подобное «блюдо»?

Я стала набирать все известные номера Артура, данные мне в свое время самим Пищиковым. Мобильный коротко сообщил: «Аппарат абонента выключен». Домашний телефон откликнулся фразой: «Сейчас не могу ответить на ваш звонок, оставьте сообщение после гудка».

В редакции было тотально занято. Ну ничего, Артурчик, доберусь я до тебя! Рано или поздно заявишься в свою квартиру или возьмешь сотовый, тут-то я и выскажусь от души. Какая наглая ложь! Какой Париж? Я в Москве, изо всех сил пытаюсь разобраться в деле с убийством Милы. Об остальных глупостях, типа генеральства Дегтярева, даже и вспоминать не стоит.

Глава 24

Не успела я войти в дом, как из ванной вылетел Женя и с воплем:

— Боже, я совершенно счастлив! — кинулся мне на шею.

Я отцепила от себя парня, помахала в воздухе руками, чтобы отогнать от лица удушливый аромат парфюма. Отметила, что стилист снова нагло разгуливает в моих тапках, и, решив купить себе новые, поинтересовалась:

— Какова причина ликования?

— Прыщи прошли, — заорал Женя. — Вот! Ну кто бы мог подумать, что российская косметика даст такой эффект, а?

Я кивнула и пошла на кухню, стилист брел следом, извергая из себя фонтаны восторга. Стараясь не вслушиваться в его речь, я приблизилась к плите и уставилась на кастрюльку, в которой находилось нечто непонятное, темно-красное, но замечательно пахнущее то ли ванилином, то ли корицей. Очевидно, это был мусс. Но из чего?

— И с какой стати ты ходишь в голубой кофточке? — зудел Женя.

— Почему бы нет? — отмахнулась я от него, словно от назойливой мухи.

— Ужасно! Никакого понятия о моде и цвете.

— Мне без разницы, что носить, — отозвалась я, отрезая кусок булки.

Сейчас намажу его муссом и съем.

— Отвратительно, — не успокаивался Женя.

Я с тоской посмотрела на него, ведь не отвяжется.

— Бледная кожа, — вещал парень, потряхивая браслетами и цепями, — светлые волосы и... голубая кофточка! Просто мышь! Тебя не видно!

— И хорошо!

— О-о-о! Нет!

— Что же мне надевать, по-твоему?

Женя взвизгнул:

— Сейчас покажу! Только для этого придется по шкафам пошарить. У Зайки имеется подходящая блузка, у Манюни брючки...

— Действуй, — велела я.

— Супер, — взвыл Женя, — да ты у меня просто конфеткой станешь, лакомым кусочком, ягодкой, мужики проходу давать не будут!

Продолжая верещать, он унесся в глубь дома, а я, забыв про хлеб, стала лопать мусс просто так. Слава богу, безумный мальчик отправился крушить гардеробные, надеюсь, он пророется в них до утра. Меньше всего мне хочется, чтобы мужчины падали мне под ноги штабелями. Я совершенно не нуждаюсь во внимании сильного пола, великолепно живу в окружении собак, читая детективы. Избави бог еще раз предпринять попытку замужества, я уже давно поняла, что не умею жить в неволе.

— Дарь Ванна, — взвизгнула за спиной Ирка, — чегой-то вы делаете?

Я повернулась, хотела ответить: «Ем мусс», но взглянула на домработницу и заорала:

— Мама! Что с тобой?!

Наша Ирка не отличается особым кокетством. По поводу фигуры она не дергается, кушает вволю, любит на ночь выпить сладкого чайку с пирожными, а к макаронам всегда добавляет жирный соус. Результат налицо, вернее, на теле, Ирку, впрочем, нельзя назвать толстой, она просто похожа на аккуратненький чурбачок. В отношении одежды Ирина неприхотлива, по дому носится в футболке и джинсах, иногда Зайка сердито велит ей:

— Немедленно постирай майку, стыдно смотреть.

— Так она чистая! — откликается домработница.

— Вся в пятнах!

— Их не вывести, — оправдывается Ирка.

— Выбрось хламиду, надень что-нибудь другое.

— Ага, стану деньги зря тратить, и так хорошо, — отвечает Ирка.

Заставить домработницу сделать то, что ей неохота, не может никто. Ирка всегда найдет сто объяснений тому, почему мои черные брюки имеют изжеванный вид. Материал мнущийся, в шкафу слишком много одежды, неподходящая вешалка, собаки прислонились к штанишкам.

Еще Ирка самозабвенная лентяйка, пыль она протирает, не поднимая предметов, обмахнет тряпкой вокруг статуэтки, и хорошо. Она абсолютно спокойно запихивает в стиральную машину мою белую майку с черным свитером Маши. Потом, развешивая вещи, Ирина станет гудеть:

— О гады! Такие деньги за шмотки берут, и чево? Все полиняло, а пуловер сел!

Маруська сто раз объясняла Ирке про различные программы стирки, но домработнице хоть кол на голове теши. Список недостатков Ирки может занять не одну страницу. С какой стати мы держим ее у себя?

У Иры нет семьи, и за долгие годы службы она стала для нас родной. А разве можно выставить вон родственницу? Впрочем, Ирка очень любит нас всех вкупе с животными, она честный, добрый, неконфликтный человек, никогда никому не рассказывающий о семейных делах. И еще, Ирка искренне считает обитателей нашего дома неразумными детьми, которые погибнут без ее внимания и заботы. А с уборкой мы разобрались, просто теперь раз в месяц в коттедж приезжают две тетки и за очень небольшие деньги отдраивают все углы. И вот парадокс, никогда не замечающая пыли под кроватями Ирина следит за бабами, аки Аргус, тычет их носом в крохотные пятнышки и приговаривает:

— Деньги плочены, так работайте! Ишь бездельницы!

В качестве начальницы Ирка просто великолепна, с других она спрашивает по полной программе...

Повернув голову, я ожидала увидеть Ирку в ее всегдашнем виде: желтая майка, джинсы, драные тапки и голова с волосами цвета красного перца. Но сейчас на кухне стояла абсолютно незнакомая девица.

Черные, мелкокудрявые волосы падали ниже плеч. Кожа лица была ненормально белой, на ней кроваво-красным пятном проступал рот, чернели узкие щелочки глаз и темнели кирпичным оттенком два пятна на щеках. Плечи девицы облегала очень короткая, незастегнутая размахайка. Из-под нее выглядывал черный кружевной лифчик, затем шел голый, довольно толстый живот. Бедра обтягивала цветастая узкая юбчонка, заканчивавшаяся почти сразу там же, где начиналась, потом виднелись ноги в ажурных черно-дырчатых колготках. От прежней домработницы остались лишь потерявшие всякий вид тапки.

Я икнула, уронила на пол пустую кастрюльку и взвизгнула:

— Ира! Это ты!

— Кто ж еще? — сказало чудовище сердитым голосом. — Кого увидеть тут ожидали?

— А... что... на... тебе... надето? — еле-еле выдавила я из себя. — И волосы! Они откуда?

— Парик, — гордо сообщила Ирка, — Женя дал. Кофта Машина, юбка невесть чья, давно в гардеробной на первом этаже пылится. Может, кто из гостей забыл? Только раз ее никто три года не стребовал, значит, она нашей стала.

Я помотала головой.

— С чего ты решила так принарядиться? А макияж!

— Красиво? — горделиво спросила Ирка.

— Слов нет как прекрасно, — выпалила я.

— Понимаете, Дарь Иванна, — свистящим шепотом поведала Ирка, — я ведь одинокая, а замуж охота.

— Ну и что?

— Так Иван-садовник холостой.

— Ты решила его соблазнить?!

— Да, — закивала домработница, — давно ему глазки строю, а он как каменный. Спасибо, Женечка объяснил: имидж у меня был несексуальный. И то верно, какой секс в футболке с джинсами. Женечка мне стиль поменял. Сказал, коли с мужчиной в одном помещении давно обретаетесь, он к тебе привыкает и как табуретку воспринимать начинает, нужно удивить кавалера, показать себя с неожиданной стороны, изумить нестандартностью и оригинальностью. Ну как? Мой образ называется «Девушка — черный лебедь». Классно?

— И как отреагировал Иван?

— Так он еще не видел, — сообщила Ирка и яростно почесала голову, — красиво, конечно, но кусается парик, исскреблась вся, словно блох набрала.

— Лучше переоденься.

— Это почему?

— Думаю, Иван, увидев тебя, в обморок упадет, — честно сказала я. — «Девушка — черный лебедь» подействует на него сногсшибательно, причем в прямом смысле сего выражения.

Домработница обиженно засопела, потом ткнула пальцем в лежащую на боку кастрюльку и сказала:

— Как мне замечание делать, так с дорогой душой, а сами? Взяли и съели! До донышка! Смехота!

— Некрасиво вышло, — устыдилась я, — мусс для всех приготовили, а я все слопала. Извиняет меня лишь одно: очень вкусная штучка. Из чего она?

Ирка прыснула:

— Я не знаю!

— Катерина не сказала, из чего приготовила? — поинтересовалась я.

Домработница поморгала густо намазанными ресницами.

— Так она ж у нас на неделю отдыхать отпросилась! Или забыли?

— Совсем из памяти выпало, — кивнула я.

— Вы попробуйте лекарство от маразма попить, — посоветовала Ирка, — хотите, у Нюси название спрошу?

— Кто такая Нюся? — сердито поинтересовалась я.

— А горничная из девятого дома, — охотно пояснила Ирка, — у Коткиных работает. Говорит, ихняя Мария Алексеевна совсем из ума выжила, ну мамаша хозяйки. И раньше злобная была, схватит у ней печенку, так всех изведет, а сейчас и вовсе в собаку превратилась, да память потеряла. Покормили они ее, не помню чем, — как новая стала. Хотите, порасспрашиваю про лекарство?

— Марии Алексеевне девяносто семь лет, — напомнила я.

— Так и че? — снова почесалась Ирка. — Склероз, он в любом возрасте настичь может! Вы уж не девочка. Ща покатит! Сначала забыли, что Катьку отпустили, потом зубную щетку с сапожной перепутаете, и пошло-поехало! Вон уже маску съели!

— Какую маску?

— Для лица, — уточнила Ирина, — из кастрюльки.

Я подняла стальной горшочек.

— Ты хочешь сказать, что это не мусс?

— Нет.

— А что?

Ира, не переставая чесаться, пустилась в объяснения:

— Светлана, ваша подруга, ну та, что косметику делает, Зайке посоветовала одну маску. У Ольги на коже какое-то раздражение от пудры. Светлана Михайловна сказала, что рецепт этой маски им на фирму одна женщина прислала. Говорит, маска — супер. Там какие-то замечательные составные части, вроде малина...

— Верно! Вот чем пахло, — обрадовалась я, — все понять не могла, то ли корица, то ли ванилин, а теперь сообразила, содержимое кастрюльки издавало тот же аромат, что и пирог с замечательно полезной ягодой. А какого черта эта чудо-маска в кастрюльке на плите стоит?

Ирка пожала плечами.

— А я знаю? Вроде Ольга хотела после ужина намазаться. Ну, сейчас скандал начнется.

— Но было очень вкусно, — растерянно сообщила я, — интересно, какие там еще составляющие, кроме малины?

— Я точно не знаю, — хмыкнула Ирка. — Но Светлана Михайловна всегда только натуральные ингредиенты использует!

— Ты ведь никому не расскажешь о моей ошибке? — заискивающе спросила я.

Ирка захихикала:

— Не-а! Засмеют ведь.

— И что делать, если Зайка начнет спрашивать про маску?

— А вы у Светланы Михайловны еще спросите, — посоветовала Ирина, — у нее с собой полным-полно всего. Тут без вас знаете чем занимались?

— Нет.

— Новые средства тестировали, — с умным видом затараторила Ирка, — мед и лимон, облепиха... Маня одно намазала, Женя другое, кстати, у него прыщи прошли.

— Знаю.

— Александру Михайловичу такую штучку приложили, — болтала Ирка, — типа шапочки.

— Дегтяреву?

— Ага!

— И как он только согласился, — изумилась я.

Ирка приложила палец к губам.

— Тсс. Знаете чего расскажу? Впрочем, нет, это секрет!

— Давай продолжай, — приказала я.

— Александр Михайлович себе шампунь купил, дорогой, импортный, еще летом, — принялась самозабвенно «продавать» полковника Ирка, — для роста волос.

— Так он же лысый!

— Ну! Поэтому и приобрел, решил, кудри проклюнутся, а их все нет и нет! Там на упаковке хрен знает чего понаписали, дескать, мойте лысину и скоро расчески о пряди ломать будете.

Мне стало внезапно жаль наивного полковника.

— Только Светлана Михайловна ему объяснила, — не замечая моего настроения, неслась дальше Ирка, — что все обман. Да еще у Дегтярева от частого мытья головы какая-то ерунда началась, чешется он все время. Вот ему и сделали процедуру, называется — лечебное обертывание.

— Ира, — донесся из гостиной высокий голос Зайки, — Светка должна была мне маску приготовить. Ты не знаешь, куда она ее дела?

— Бегите скорей прочь, — заговорщицки шепнула Ирка и быстро поставила пустую кастрюльку около миски, из которой собаки пьют воду, — скажу, Банди слопал. Ему ничего не сделают, а вас точно убьют.

Я кивнула и понеслась к лестнице. Ольга еще не успела забыть про «сырой» торт и салаты со сгущенкой, а тут новая напасть.

Благополучно оказавшись в спальне, я расслабилась, потом через полуоткрытую дверь стали проникать вопли Зайки.

— Негодник! Бездонный питбуль! Жрет все, что не прикончено.

Следом посыпались сочные шлепки, очевидно, разозленная Заюшка, схватив газету, наказывала ни в чем не повинного пса! Затем послышался бодрый цокот когтей о дубовый паркет, и в мою комнату ворвались растерянные собаки во главе с Хучем. Мопс бодро вскочил на кровать и нырнул под одеяло, Снап шмыгнул в ванную, Банди, сопя от напряжения, пролез под кровать, Черри, тяжело вздыхая, легла посреди ковра, а Жюли мгновенно зарылась ей в живот.

Я быстро задвинула защелку, если Ольга захочет войти, скажу, что у меня мигрень. Но Зайка, очевидно, посчитав расправу законченной, не стала подниматься по лестнице.

— Эй, ребята, — шепнула я.

Снап высунул из ванной морду.

— Гав?

— Печенья хотите?

Хуч вылез из-под перинки, Бандюша выкарабкался наружу, Жюли стала повизгивать, а Черри тихо выть. Печенья желали все.

— Ладно уж, — вздохнула я, беря с подоконника вазочку, — считайте, извиняюсь перед вами.

Не умеющие обижаться на хозяев псы счастливо схомячили запрещенное лакомство, а я предприняла еще одну попытку дозвониться до Пищикова, вновь потерпела неудачу и набрала номер Нины Алексеевны.

— Алло, — ответила мать Милы, — кто там?

— Это Даша.

— Какая?

— Васильева.

Повисла напряженная тишина, потом Нина Алексеевна сердито поинтересовалась:

— Что надо?

— Можно к вам приехать?

— Ночь на дворе.

— Завтра, с утра.

— Зачем?

— Мне очень надо с вами поговорить.

— У нас нет общих тем, — отрезала Нина Алексеевна, — человек, позволивший в своем доме убить мою дочь...

— Я ни в чем не виновата...

— Может, и так, только болтать нам не о чем.

— Извините, но речь идет о вашем муже.

— О ком? — изумилась старуха.

— О Николае Шнеере. Вашего супруга так звали?

— Николай Израилевич давно умер.

— Конечно, но мне сейчас в одном издательстве дали рукопись для перевода на французский язык. Вы в курсе, что я хорошо владею иностранным языком?

— Подробности твоей биографии мне мало интересны, — схамила Нина Алексеевна. — Что тебе нужно? Говори побыстрей и покороче!

— Хорошо, — покорно согласилась я, — ситуация такова. Моя сестра Наталья, баронесса Макмайер, еще занимается и издательским бизнесом.

Вообще-то мы с Наташкой не кровные родственники. Сестрами являемся лишь по документам, но Нине Алексеевне детали моей биографии и впрямь ни к чему.

— Сейчас на Западе очень хорошо расходятся воспоминания бывших советских людей об их ужасной жизни при социализме, — спокойно вещала я. — Так вот, Наталья недавно получила очередную рукопись из Москвы, работа заинтересовала баронессу. Написано живо, интересно, много никому не известных деталей. Наташа велела мне сделать перевод, я прочитала книгу и поняла, что речь в ней идет о хорошо знакомых людях, в частности, об отце Людмилы, Николае Шнеере. На мой взгляд, это клеветническое произведение, оскорбляющее память Николая Израилевича, позорящее его. Автор, некий Владлен Богоявленский, воспользовался тем, что основные участники давних событий скончались и никто не сумеет уличить его во лжи, и вывалил такую грязь!

— Какую? — перебила меня Нина Алексеевна.

— Дикую, якобы Николай был в КГБ стукачом...

— Книга уже вышла? — взвизгнула старуха.

— Нет, у меня рукопись, вполне можно вообще не пустить ее в печать, но вы не хотите со мной встречаться...

— Немедленно приезжай!

— Уже поздно, — напомнила я.

— Ерунда, я бессонницей мучаюсь, до утра не сплю.

— Ну, если это удобно!

— Поторопись! — закричала вдова Николая.

— А Елена Марковна не рассердится?

— Это кто такая?

— Вы же вместе живете! Мать Кости.

— Не смей при мне упоминать эти имена, — прошипела Нина Алексеевна, — их тут давно нет. Он за решеткой, а она ушла.

— Куда?

— И знать не желаю.

— Вы выгнали Елену Марковну! Господи, куда же она отправилась?

— К черту на рога, — взвыла Нина Алексеевна, — немедленно изволь прибыть ко мне! Нам следует поговорить! Только попробуйте издать книгу! Засужу! Разорю! Опозорю!

— Уже несусь, — пообещала я и, отсоединившись, стала натягивать джинсы.

Глава 25

Телефон затрезвонил снова. Ожидая услышать голос Нины Алексеевны, я крикнула:

— Из ворот выруливаю.

— Привет, — сказал мягкий баритон, — как дела?

Прижав аппарат щекой к плечу, я стала застегивать пояс.

— Добрый вечер. Все хорошо.

— Узнала?

— Нет.

— Паша Селиванов, — представился мужчина.

Я, по-прежнему удерживая сотовый щекой, схватила сумочку. Пашка Селиванов давно и безнадежно ухаживает за Светкой, знакомы они столько лет, что и вспомнить нельзя. Паша являет собой редкостный пример мужчины-однолюба, не теряющего надежды рано или поздно «окольцевать» даму сердца. Светка великолепно относится к Селиванову, жалуется тому на очередного мужа, рыдает в жилетку после развода и с удовольствием принимает от Пашки помощь. Селиванов обеспеченный человек, он не только утешает Светлану, но и делает ей подарки. Паша надеется, что когда-нибудь Светка опомнится и обратит внимание на верного приятеля. Один раз, увидав, как у него изменилось лицо, когда он услышал о новом кавалере Светланы, я попыталась объяснить Селиванову, что старый друг — это клеймо. Шансов у Пашки жениться на Светке еще меньше, чем у полковника на мне, но он мгновенно заявил:

— Дегтярев сам не собирается обзаводиться супругой. А Светусик когда-нибудь придет ко мне. Ничего, я подожду.

Верность Селиванова восхищает, а тупость и нежелание реально оценивать ситуацию злят.

— Что у Светки случилось? — спросил Пашка.

Я быстро рассказала про украденный ноутбук и угнанную машину.

— Во народ! — завозмущался Селиванов. — Ну, сволочи! Прут любую вещь.

Пашка обладает еще одним доводящим меня до истерики качеством. Он никогда ни в чем не обвинит обожаемую Светоньку. Да любой нормальный, трезво мыслящий мужчина сразу бы воскликнул: «Ну и дура! Кто же дорогой компьютер в тачке на улице оставляет! Ясное дело, сперли, сама виновата, нечего рыдать!»

Но Селиванову подобная фраза даже не придет в голову, он моментально обвинит всех, кроме Светы.

— И ты ищешь вора? — вдруг спросил Паша.

— Честно говоря, нет, — призналась я, влезая в «Пежо».

— Почему?

— Во-первых, мне некогда, а во-вторых, считаю подобное занятие бессмысленным. Компьютер давно продали, тарантайку разобрали на запчасти. Посоветуй Светке впредь дублировать нужную информацию и не оставлять ноутбук лежать в одиночестве на сиденье незатонированной машины. Впрочем, я могу поговорить кое с кем из приятелей Дегтярева, иногда...

— Не надо, — быстро сказал Пашка, — не ищи тачку.

— Да? — удивилась я.

Честно говоря, сейчас я ожидала услышать от Селиванова гневный вопль в свой адрес, нечто типа: «Бедная Светочка рыдает, а ты пальцем о палец ударить не хочешь».

— Сам найду мерзавца, — сообщил Пашка, — верну Светочке ноутбук, вот тогда она, наверное, поймет, оценит, сообразит! Этот компьютер ей необходим, усекла? Принесу потерю и сделаю предложение руки и сердца.

Мне стало смешно.

— Действуй, может, получится.

— Я уверен в успехе, — воскликнул Пашка, — стопроцентно, главное — ты не лезь!

Я хихикнула и поехала к Нине Алексеевне.

— Рукопись привезла? — воскликнула старуха, увидав меня на пороге.

— Нет.

— Отправляйся назад.

— Я не имею права давать вам на прочтение неопубликованную вещь.

— Зачем тогда явилась?

Я посмотрела на злое лицо Нины Алексеевны и приветливо улыбнулась.

— Ради вас я нарушила одно правило, но через все остальные переступить не смею. Я могу сообщить сестре: произведение плохое, сырое, более того, клеветническое, если выпустишь его, будет огромный скандал. Наташа послушается, и книга никогда не увидит свет. Я долгие годы дружила с Милой, хорошо знаю вас и ее и поэтому пришла просто поговорить, память у меня великолепная, факты изложу почти дословно. Может, впустите меня в комнату, или в коридоре общаться станем?

— Входи, — другим, более любезным голосом сказала Нина Алексеевна.

По хорошо знакомой дороге я дошла до кухни-столовой и села на стул. Мать Милы устроилась напротив и, даже ради приличия не предложив гостье ни чаю, ни кофе, велела:

— Говори.

— Владлена Богоявленского знали? Поэта советских лет?

— Тоже мне Пушкин, — фыркнула старуха.

— Так водили знакомство с Богоявленским? Он пишет, что Николай его бывший одноклассник и что сам Владлен в детстве буквально жил у Шнееров.

— Ну верно, — нехотя подтвердила Нина Алексеевна. — Николай Израилевич был из очень интеллигентной семьи. Отец его, правда, погиб, когда сыну исполнилось то ли три, то ли четыре года, Израиля Шнеера уничтожили в немецком концлагере. Мать Николая, Сара Абрамовна Шнеер, была скрипачкой, ее сестра очень известным переводчиком, брат служил в каком-то НИИ, он имел докторское звание. Жили мы все вместе в огромной квартире на Арбате. Потом старики умерли, мы с Колей и Милочкой остались втроем.

В былые годы в доме у Шнееров собирались творческие люди, играли на фортепьяно и скрипке, поэты читали стихи, в общем, настоящий салон, душой которого была Сара Абрамовна. Она более никогда не вышла замуж, любовников не заводила, перечеркнула свою женскую жизнь жирной чертой и воспитывала Николая, постоянно говоря мальчику:

— Живи так, чтобы бедный папа гордился тобой.

И Коля очень старался, боясь разочаровать маму. С первого класса во всем был первый, получал одни пятерки, ходил в консерваторию на концерты, а в свободное время лазил по полкам библиотеки.

Дед Николая, Исаак Шнеер, собрал колоссальное количество томов, из-за любимых книг он, когда немцы подобрались к Москве, отказался уезжать в эвакуацию.

— Значит, судьба погибнуть тут, — отвечал Исаак своим знакомым, — в любимой квартире, на своем диване.

Но каким-то чудом дом, в котором жило не одно поколение семьи Шнеер, уцелел. В него не попали ни снаряды, ни бомбы, а сам Исаак пережил войну в столице СССР. Вскоре в родное гнездо вернулись и все его дети, кроме отца Николая.

Семья Шнееров была религиозной, о своих привычках они не распространялись, но обычаи соблюдали, правда, без фанатизма. Отмечали не только еврейские, но и советские праздники, Седьмого ноября и Первого мая в их квартире пахло пирожками точь-в-точь как и у соседей.

Сара была умна, она рассказывала сыну не только историю еврейского народа, но и русские сказки. А когда мальчику исполнилось семь лет, мать сказала:

— Знаешь, в школе тебе лучше зваться Николаем, а не своим родным именем.

— Почему, мамочка? — удивился малыш.

— Ну, оно труднопроизносимо, — спокойно пояснила Сара, — и потом, в СССР не все любят евреев. Ладно, ты уже взрослый и вполне можешь узнать о геноциде.

Так в семь лет Николай услышал о таких вещах, о которых многие в СССР даже и не задумывались. Но, повторюсь, Шнееры были очень умными людьми, поэтому Коля хорошо усвоил истину: антисемитизм интернационален, он присущ и русским, и немцам, и французам, и эфиопам. Но среди и русских, и немцев, и французов, и эфиопов больше нормальных людей, которые судят о человеке не по национальности. Сара Абрамовна имела много друзей с фамилиями Иванов, Петров, Сидоров и не стала спорить, когда единственный сын привел в дом невестку — Нину Никитину.

Для Сары была важна не принадлежность к иудейской вере, а искренность любви девушки и Николая. Естественно, Сара не имела ничего против одноклассников Коли, в частности, Владлена Богоявленского, который почти каждый день прибегал на огонек. Владлена влекли книги, собранные Исааком, и то, что Богоявленский стал поэтом, в конечном итоге заслуга старика Шнеера, который дал мальчику в руки не только Пушкина и Лермонтова, но и Блока, Брюсова, Бальмонта, любовную лирику Маяковского и Есенина.

— Значит, утверждение Владлена о близком общении с Николаем правда, — уточнила я.

— Да, — кивнула Нина Алексеевна.

— Тогда слушайте дальше, — воскликнула я и самозабвенно начала лгать.

Чем больше абсолютного вранья выдавала я, тем сильней раскрывались у старухи глаза.

— Какая наглая ложь, — заорала она в конце концов, — Николай никогда не был стукачом!

— А Богоявленский утверждает иное!

— Коля был не способен рассказать в КГБ про рукопись Владлена!

— Поэт пишет обратное.

— Он лжец!

— Вполне вероятно. Но доказательств нет.

— Николай Шнеер работал в НИИ!

— Помните название учреждения?

Нина Алексеевна заколебалась.

— Увы. Институт философии, истории и литературы вроде.

— Такого не было.

— Ну... Коля скончался в восемьдесят шестом, память меня подводит.

— Он умер достаточно молодым?

— Да уж! — вздохнула Нина Алексеевна.

— А что с ним случилось?

— Ненужное любопытство!

— Да, конечно, простите. Только Богоявленский утверждает, что Николай покончил с собой, якобы его совесть замучила!

— Какая мерзость! — воскликнула Нина Алексеевна. — На что только люди не идут, дабы получить деньги! Клевета! И ведь самое ужасное, люди склонны верить напечатанному слову. Мой несчастный муж сейчас небось в гробу переворачивается! Николай Израилевич погиб трагически, он отправился на дачу к своему приятелю, давно покойному уж теперь, Леониду Волочкову, тот созвал друзей на день рождения. Я поехать не могла, подцепила грипп и осталась дома. Может, отправься я тогда с мужем, так и беда мимо прошла бы. Вечером Коля собрался домой, он практически ничего не пил, так, наверное, пригубил рюмку, Шнеер не испытывал никакого удовольствия от спиртного, но воинствующим борцом за трезвость не был.

Дело происходило зимой, стоял мороз. Николай поднял воротник у пальто, опустил уши у шапки, завязал их под подбородком и бодро пошагал к станции. Чтобы попасть на нужную платформу, ему следовало пересечь пути, делать это предлагалось посредством специального перехода. Но Шнеер поленился карабкаться по обледеневшим ступенькам вверх, потом ползти вниз, он просто ступил на шпалы и был сбит скорым поездом. Машинист, наверное, нажимал на гудок, но уши Николая плотно защищал головной убор, погасивший все звуки.

Изуродованное до неузнаваемости тело, по которому проехали со страшной скоростью вагоны, подобрали лишь утром. Милиционеры посоветовали Нине не смотреть на останки мужа и ни в коем случае не показывать их дочери, хоронили Николая в закрытом гробу.

— Владлен великолепно знал о несчастье, — кипела Нина Алексеевна, — был на поминках, клялся в любви и дружбе, обещал не бросать нас с Милочкой. Подлец! Знаете, как он поступил, когда я в тяжелую минуту попросила у него энную сумму? В долг!

— Дал мгновенно?

Нина Алексеевна весело рассмеялась.

— Как бы не так! Заныл: «Сам на копейки живу, почти голодаю». И после нашего разговора совершенно оборвал дружбу, не звонил, не приходил, не поздравлял ни меня, ни девочку с днем рождения, боялся небось, что ему на шею сяду! Хорош гусь. Какие пакости он еще насочинял? Знаете, все услышанное до сих пор настолько неправда, что даже смешно!

Я потупилась.

— Уж извините, дальше про вас в рукописи речь идет!

— Про меня? — изумилась Нина Алексеевна.

— Конечно, ужасная мерзость, но я всего лишь повторяю чужие слова.

— Начинай.

— Владлен утверждает, будто именно вы, как сейчас принято говорить, «раскрутили» Милу.

Нина Алексеевна заморгала.

— Не понимаю.

Я набрала в грудь побольше воздуха и выпалила:

— Хорошо, слушайте. Вы знали, что у Милы связь на стороне с очень богатым, но женатым человеком. Счастье дочери для вас главное в жизни, поэтому вы покрывали Людмилу, а потом решили помочь ей, не слишком реализованной актрисе, обратились к ее любовнику со словами: «Или даешь денег на сериал режиссеру Никите Волку с условием, что он берет на главную роль Милу, либо раскрываю твоей жене глаза».

И что оставалось делать дядечке? Он расстегнул кошелек, и на нашем экране появилась новая, яркая звезда Людмила Звонарева.

Нина Алексеевна покачала головой.

— Ну и ну! Владлен неправильно выбрал стихи в качестве самовыражения, фантастические романы — вот его ипостась. Знаешь, Даша, даже сказать нечего! У Милы не имелось любовников, она, как это ни прискорбно звучит, не изменяла Константину. А убийца... Да уж, отблагодарил девочку! Пока она прозябала без ролей, в массовке, изображая часть толпы, все еще ничего было.

Потом известность, деньги, интервью, поклонники... Не всякий муж выдержит успех жены. Константин сломался, орал на Милу, она терпела, надеялась вернуть его внимание. У Людочки последнее время совсем не случалось свободных минут, но если выпадал часок, дочка сразу неслась к супругу. А тот... Потом она придумала, зная любовь негодяя часами сидеть у компьютера, ситуацию с Интернетом. Наивная! Решила завоевать Константина заново, прикинулась незнакомкой, назвалась иным именем. И он откликнулся, начался флирт. Я была в возмущении и предостерегала дочь, говорила: «Людочка, Костя фактически тебе изменяет, ведь он не знает, что с женой общается. Брось забаву!»

Но куда там! Она прямо ополоумела, ноутбук с собой таскала и любую возможность использовала для общения! Назначила свидание, хотела удивить мужа, открыться, броситься ему на шею, но тот и слушать ее не стал!

— Что же Мила не сообщила правду, — воскликнула я, — отчего скрыла ее от мужа?

— Так она сразу принялась объяснять, — заломила руки Нина Алексеевна, — но он не поверил! Кричал: «Шлюха, нечего врать! Заигрывала с посторонним мужиком! Я-то под ником в Интернете брожу! Откуда псевдоним узнала?»

— И правда, откуда? — повторила я.

Нина Алексеевна заморгала.

— Она мне объяснила, да я плохо понимаю в подобных вещах. Вроде Милочка ночью, когда Константин по Интернету лазил, выждала момент и подсмотрела. Муж в туалет отлучился, а она к монитору и увидела имя, под которым Константин представлялся. Мила плакала, оправдывалась, но Константин ей не верил! Я попыталась вразумить зятя, сказала, что давно в курсе затеи, не одобряла ее...

— А он?

— Еще хуже разорался, ударить меня хотел, — прищурилась Нина Алексеевна, — кричал: «Доченьку, б..., покрываете!» И вот что вышло, убил он ее! Еще Елена Марковна, стерва, свою лепту внесла, подтявкивала, подвизгивала. Ну с этой я разобралась! Едва убийцу посадили, я старую дуру вон вытолкала! Вещи ее во двор швырнула, а его причиндалы сожгла! Да! Именно так.

Я сидела затаив дыхание, похоже, старуха не врет. Неужели у Милы не было любовника? Кто же тогда дал денег на сериал? Внезапная догадка пронзила мозг: господи, никакого спонсора не существовало, я бродила до сих пор в потемках! У Нины Алексеевны имелся компромат на Волка. Его пока по неизвестной причине собрал покойный Николай Шнеер. Старуха обожала дочь, вот и пустила в ход, что могла, дабы всунуть Милу в сериал, напугала Никиту. Но что тогда получается, а? Если нет любовника, то отсутствует и человек, желавший убить Людмилу. Кто же ее отравил? Константин? Но мне все меньше и меньше верится в это, я немного знаю Звонарева. Он вспыльчив, обидчив и в момент агрессии готов на разные поступки. Если бы Милу задушили, то я не сомневалась бы ни минуты, что разъяренный

Костя в аффекте схватил жену и, потеряв от ревности способность управлять собой, убил изменницу. Но в Косте совершенно нет хитрости, расчетливости, он не смог бы тщательно спланировать преступление. И потом, коли угостил жену ядом, зачем поехал к нам? Хотел получить алиби? Считал, что Милка сидит у Кати Симонян и там отрава убьет жену? Но почему мне так некомфортно? Отчего кажется, будто Звонарев здесь вовсе ни при чем?

Глава 26

Нина Алексеевна вытащила из кармана салфетку и стала промокать лицо, приговаривая:

— Владлен сволочь, в свое время он струсил, мне Коля рассказывал про книгу «Поле несчастья в стране дураков». Богоявленский настолько перетрухал, что затаился на долгие годы, дрожал в подполе, а сейчас осмелел и решил стать знаменитостью, написав гадость про лучшего друга. И ведь как клялся помогать! На поминках напился, с поцелуями лез! Знаете, он вор!

— Вор? — удивилась я.

Нина Алексеевна кивнула.

— Похоже на то, хотя уверенности нет. Случилась у нас одна с ним ситуация. Кстати! Придумала! Я сейчас расскажу о той незадаче, а ты вернешь рукопись Владлену и скажешь: «Вот что, неуважаемый поэт, бумагомаратель! Издатели обязаны проверять факты, изложенные в книгах!»

— Боюсь, это не так, — вздохнула я, — все вранье в мемуарах, а как вы догадываетесь, люди склонны приукрашать сведения о себе, на совести автора.

— Неважно! — ажитированно воскликнула старуха. — Просто испугай его как следует, пригрози: если попробуешь свой пасквиль в другое место подсунуть, Нина всем расскажет, как ты ее обворовал, унес из тайника накопленное Николаем. Не знаю, правда, что там было, но, думаю, плохое он хранить не стал бы. Небось деньги или золото. Николай не был дураком, собирал на черный день. Даже мне не говорил!

— Владлен обокрал вдову друга? — продолжала удивляться я. — Вот уж никогда бы не подумала, он похож на интеллигентного человека.

— Только с виду, — рявкнула старуха, — я давно подозревала, что рифмоплет мерзавец. А теперь еще эта рукопись! Слушай внимательно!

После смерти Коли Нине одно время пришлось туго, тяжелые времена наступили не сразу. На поминках к вдове подошел тихий, одетый в не слишком новый скромный костюм мужчина, протянул конверт и сказал:

— Я Сергей Сергеевич, начальник отдела НИИ, в котором работал Николай, скорбим вместе с вами. Тут немного денег, собрали для девочки, и еще, сберкнижкой Шнеера можете пользоваться сразу, не дожидаясь официального вступления в права наследования, я договорился, сделают ради вас исключение.

Нина заплакала и взяла конверт, внутри которого, кстати, оказалась очень приличная сумма.

Но уже через полгода Нине стало ясно: нужно выходить на работу, но куда? Она довольно долгое время была просто мужней женой, Николай в свое время сказал супруге: «Куда ты со своим высшим филологическим пойдешь? В школу, учительницей литературы? Зарплата маленькая, работа адская, станешь пахать с утра до ночи, дома тетради проверять, лишь чужие дети в мыслях поселятся, о своей дочери забудешь. Нет уж, Людочке нужна мать, а мне заботливая супруга, которая встретит мужа с улыбкой и с горячим супом. Насмотрелся я на жен коллег, рявкают, как собаки: «Сосиски свари, у меня собрание по поводу планового отчета». Прокормлю я нас, не сомневайся».

Нина не стала спорить, ей самой не очень-то хотелось вставать ни свет ни заря и в любую погоду, невзирая на дождь, снег или слякоть, топать в присутствие. Да и Милочка требовала заботы, девочку следовало вовремя накормить, проверить уроки, потом в старших классах посмотреть, с кем дружит, затем подоспело поступление в институт... Короче говоря, Нина сидела на шее Коли и ощущала себя счастливой, но внезапно благополучие кончилось. Милочка, правда, уже вот-вот должна была получить диплом, но содержать себя и маму не могла, а деньги на сберкнижке мужа растаяли быстро, ранее финансовые дела вел Коля. Нина не умела планировать расходы.

От отчаяния Нине в голову стали приходить дурацкие идеи: сесть лифтером в подъезде, наняться почтальоном, превратиться в домработницу, но тут позвонил Сергей Сергеевич и спросил:

— Как дела?

Нина пожаловалась ему, и тот мгновенно решил проблему. Через неделю дама оказалась в конторе, с хорошим окладом, на очень подходящей для нее должности «хозяйки фирмы», попросту завхоза.

С тех пор звонки Сергея Сергеевича стали регулярными, раз в три-четыре месяца он соединялся с вдовой друга и оказывал ей разнообразную помощь. А потом и вовсе случилось чудо: все тот же Сергей Сергеевич начал давать Никитиной деньги. Увидев в первый раз ассигнации, Нина очень удивилась:

— Это за что? Просто так я не возьму! Мы не нищие!

Сергей Сергеевич откашлялся.

— Ну, понимаете, один наш сотрудник в свое время одолжил у Николая очень большую сумму, а отдать не успел, Шнеер скончался. Должник, честный человек, станет вам возвращать по частям, с учетом инфляции.

— Это просто счастье! — обрадовалась Нина.

И она долго получала очень приличные деньги, но потом Сергей Сергеевич пропал. У Нины в тот год случилось не слишком радостное событие — Люда вышла замуж. Зять не нравился теще, но ради счастья дочери следовало сцепить зубы. Лишь в декабре Нина сообразила, что Сергей Сергеевич ей не звонил и что их связь всегда была односторонней. Мужчина не дал ей номера телефона, никакого: ни домашнего, ни рабочего, найти покровителя не представлялось возможным, он словно в воду канул, а вместе с ним исчезло и финансирование, но теперь призрак нищеты более не маячил на пороге. Мила работала, получала, правда, мало, но на еду, без деликатесов, хватало, да и Константин приносил вполне приличные деньги. И Нина Алексеевна забыла о Сергее Сергеевиче, она ведь не дружила с ним, не общалась, не пила вместе чай, просто использовала его, как Аладдин волшебную лампу, высказывала желания, и они, хоп, реализовывались. Нине ни разу не пришло в голову подумать: ну с какой стати Сергей Сергеевич столь заботлив к вдове своего бывшего подчиненного? И кто из должников отдает взятое, делая поправку на инфляцию?

Любой другой женщине на ее месте пришли бы в голову рано или поздно подобные мысли, но Нина была очень эгоистична и сильно избалована Николаем. Ей казалось совершенно естественным, что Сергей Сергеевич проявляет к ней внимание, а по поводу долга Нина не дергалась, возвращает человек деньги, и хорошо. Небось Сергей Сергеевич следит за процессом, в конце концов, это его сотрудник брал рублики. Нина привыкла к тому, что все ее проблемы разрешаются мужем, более того, она считала, будто Сергей Сергеевич обязан ей помогать. Никогда до смерти Николая не работавшая Ниночка имела весьма идиллические представления об отношениях между сослуживцами.

Но это так, присказка, сказка приключилась несколько лет назад, точный год Нина Алексеевна назвать затруднялась. Во всяком случае, она еще жила на старой квартире, той самой, где провела годы с Колей и где когда-то обитали все Шнееры.

Как-то раз, темным осенним вечером, в дверь позвонили. Нина, решившая, что к ней прибежала Мила, быстро открыла дверь и испугалась: на плохо освещенной лестничной клетке виднелась высокая фигура в темном пальто.

— Вы к кому? — дрожащим голосом спросила дама.

— Не узнаешь?

— Нет, простите.

— Неужели я так сильно изменился? — мягко спросил мужчина. — А ты по-прежнему великолепно выглядишь!

— Лампочка тусклая, — ответила Нина, — вашего лица не разглядеть.

— Разреши войти?

Нина посторонилась, страх исчез, она поняла, что в гости неожиданно заявился кто-то из прежних знакомых.

Мужчина шагнул в прихожую, снял кепку, размотал яркий шарф.

— Владлен! — охнула Нина.

— Ну слава богу, — улыбнулся Богоявленский, — а то я уж подумал: все, постарел до неузнаваемости.

— Так ведь сколько лет не виделись, — ехидно заметила Нина, — и не сосчитать. Последний раз на поминках Николаши обнимались.

— Да, бежит времечко, — закивал поэт, — наши дни, как птицы, машут крыльями, улетая безвозвратно в края вечности.

Нину передернуло.

— Чем обязана визиту? — сухо поинтересовалась она.

Владлен не заметил гримасы хозяйки или сделал вид, что не заметил.

— Вот, шел мимо, — воскликнул он, — решил заглянуть, чаем угостишь?

Нине очень не хотелось разговаривать с предавшим ее другом мужа, она заколебалась, и тут Владлен сказал:

— Голова у меня от такой погоды закружилась, давление скакнуло, дай воды, таблетку запить.

— Проходи, — смилостивилась Нина.

Богоявленский дошел до кухни, получил чашку с чаем, осмотрелся и воскликнул:

— Тут все иное!

— А ты как хотел? — обозлилась Нина.

— Да, действительно, — закивал поэт, — столько лет не виделись. Люда небось уже школу заканчивает!

Нина вытаращила глаза.

— Окстись, Владлен! Когда Коля погиб, Милочка уже студенткой была! Замужем она, актрисой в театре служит!

Богоявленский пригорюнился.

— Вот дела! Ну и ну! Все в твоей жизни переменилось. Может, и ты замуж еще раз вышла?

— Нет.

— А почему?

— Какое твое дело? — окончательно вышла из себя Нина.

— Да, верно, — скуксился Владлен, — и я один кукую, никому не нужный, раздавленный эпохой.

Пришлось Нине, мысленно ругавшей себя за то, что впустила в дом зануду, выслушивать стенания Богоявленского. Наконец гейзер жалоб на жизнь иссяк.

— Скажи, а кабинет Коли ты тоже переоборудовала? — вдруг спросил Владлен. — Мебель выкинула, шкафы с книгами?

Нину затопило настоящее возмущение.

— Библиотека Исаака Шнеера в полной сохранности, — сообщила она, — даже когда мы с дочерью нуждались, нам не пришла в голову мысль продать хоть листочек. Это память об Исааке, Саре и Николае. После моей смерти книги станут хранить Людмила с Константином, а потом их дети, внуки, правнуки.

— Какая ты молодец!

— Это естественное поведение.

— Вовсе нет! Другая бы...

— Я не такая, — перебила Владлена Нина, — поздно уже, извини, я спать хочу.

— Да, прости, пора уходить.

— Верно, — забыв о вежливости, сказала Нина, — собирайся побыстрей.

Сгорбившись и шаркая тапками, Владлен потопал в прихожую.

— Ты на меня сердишься, — вдруг констатировал он.

— Вовсе нет.

— Вижу, вижу! Конечно, мы долго не встречались.

— Мой дом открыт для всех.

— Ну... да... Извини, я закрутился и не звонил, а потом, мое ужасное положение...

Поняв, что Владлен сейчас снова начнет стонать и плакать, Нина собралась резко оборвать его, но Богоявленский неожиданно остановился сам и сказал:

— Нинок, есть у меня просьба к тебе.

— И какая? — прищурилась Никитина, ожидая услышать фразу: «Дай денег».

Но Владлен произнес иные слова.

— Плохо мне.

— Я уже поняла.

— Депрессия навалилась.

— Сходи к врачу.

— Был уже, а толку?

— Ну не знаю, — раздраженно воскликнула Нина, — я не специалист по нервным расстройствам.

— Ты меня ненавидишь!

— Вовсе нет.

— И правильно делаешь, я не звонил, не приходил...

— Просто я спать хочу!

— А у меня бессонница, маюсь до утра.

— Прими лекарство.

— Не берет оно меня!

Нина прикусила нижнюю губу, а потом рявкнула:

— Не тяни, говори, что надо? Только имей в виду, денег у меня нет.

— Пусти в Колин кабинет, — неожиданно сказал Владлен.

— Зачем? — заморгала Нина.

Владлен опустил голову и зашептал:

— Зайду туда, постою, подышу тем воздухом, попрошу у всех: у Исаака, Сары, Николаши — прощения.

— Пошли, — кивнула Нина, ей отчего-то вдруг стало жаль старого приятеля.

В большой комнате, забитой шкафами с книгами, стоял особый запах.

Нина, помня указание Исаака, в сырую погоду никогда не открывала форточку. Еще она всегда следила за тем, чтобы тяжелые дубовые дверцы шкафов были тщательно заперты, книги боятся сырости, пыли и яркого света. Вот и сейчас, войдя в бывший кабинет, где любили сидеть сначала Исаак, потом Сара, а за ними Николай, Нина машинально окинула взором створки. Все тщательно закрыто, за стеклами темнеют корешки.

— Господи, — прошептал Владлен, валясь на кожаный черный диван, — тут все по-старому!

— Да.

— И лампа.

— Да.

— И стол, и книги!

— Что же удивительного, — пожала плечами Нина, — сказала ведь, здесь ничего не тронуто.

— Боже, боже, — раскачивался на диване Богоявленский, — как сейчас помню, вот Исаак кричит: «Сарочка, что у нас на ужин?» А она отвечает: «Секрет, папа, сядешь за стол, узнаешь, но тебе понравится». — «Наверное, свинина в майонезе», — усмехается Исаак. А тут мы с Николашей сидим, вон, у столика с шахматной доской, помнится, я спросил тогда: «Исаак предпочитает свинину?» Дед засмеялся, а Николай спокойно пояснил: «Евреи свинину не едят, Исаак просто поддразнивает маму». Как они все любили друг друга! И куда ушли? Где их души? Встретимся ли, а?

У Нины внезапно защипало в носу.

— Перестань, — прошептала она.

Владлен прижал ладонь к груди.

— Сделай милость, принеси валокордин, сорок капель.

— Тебе плохо?

— Нехорошо.

Нина пошла на кухню. Пока она искала лекарство, цедила его в рюмку, наливала воду, прошло, наверное, около десяти минут.

Когда хозяйка, держа емкость с лекарством, пошла по коридору, она увидела, что Владлен уже стоит в прихожей, странно прижимая руку к груди.

— Тебе легче? — спросила Нина. — Но все равно выпей. И оставайся, места много, если сердце щемит, не следует по улицам носиться.

— Отпустило уже, — буркнул Владлен.

— Прими валокордин, — напомнила Нина.

Богоявленский быстро опустошил рюмку, кивнул Нине и вышел из квартиры, по-прежнему прижав руку к груди.

Хозяйка тщательно заперлась на все замки, потушила люстру, пошла в свою спальню и заметила по дороге, что из-под двери кабинета пробивается лучик света.

Нина вошла туда, протянула руку к выключателю и услышала тихий скрип.

— Кто там? — в ужасе заорала хозяйка.

Но уже через секунду она с огромным облегчением поняла: в апартаментах никого нет, просто отворилась дверь одного из тщательно запертых шкафов.

Страшно удивленная, Нина подошла к шкафу, она очень хорошо помнила, как поворачивала маленький резной ключик в скважине, а потом проверяла, хорошо ли закрыты дверки. И вот на тебе, шкаф открыт.

Тут, наверное, надо сказать, что Нина не читала книг из библиотеки Исаака, они казались ей скучными, малоинтересными. Но, храня память о любивших ее людях, женщина тщательно наводила порядок в библиотеке, регулярно смахивала специальной метелочкой пыль и запомнила, в каком порядке стоят тома.

В открытом невесть почему шкафу хранилось собрание «История России». Но том номер три шел сейчас не перед четвертой книгой, а за ней, такого просто не могло быть.

В голове Нины зашевелились нехорошие подозрения. На широких полках издания стояли в два ряда, Нина вглубь заглядывала редко, лишь во время сезонной уборки, но сейчас она осторожно вытащила несколько книжек «Истории России» и обозрела те, что стояли за ними. Вроде ничего не пропало, за серыми переплетами виднелся ряд красных, это были древнегреческие авторы: Эсхил, Эврипид, Софокл.

У Нины отлегло на душе, все в порядке, зря она заподозрила Владлена в плохом поступке. У шкафа просто ослаб замок, а третий том небось давно не на месте!

Но тут вдруг глаза Нины отметили, что книга «Трагедии Эврипида» перевернута. У Исаака все издания «смотрели» названиями вправо, а эта сейчас «глядела» влево. Мгновение Нина изучала полку, а потом сделала то, чего ни разу не совершала в своей жизни: вытащила томик произведений великого грека и поняла... Это не книга, а нечто типа шкатулки.

Переплет не хотел открываться, он словно прирос к страницам. Целый час Нина, сопя от напряжения, пыталась вскрыть хитроумную штуку, но в тот момент, когда она уже окончательно решила, что перед ней муляж, невесть зачем заказанный Исааком, картонная крышка легко поднялась. Оказывается, следовало лишь нажать на заглавную букву Э, и срабатывал механизм. Перед взглядом женщины предстало обитое бархатом пространство.

Глава 27

— И что там было? — горя от любопытства, закричала я.

— Ничего! — мрачно ответила Нина. — Пусто.

— Совсем?

— Да, — кивнула мать Милы, — всю ночь я потом не спала, думала, думала...

И додумалась Нина до очень простой вещи. Владлен же был ближайшим приятелем Николая, наверное, Шнеер не имел от друга тайн и рассказал в свое время тому о некоем укромном местечке, где хранится ценность. Шнеер погиб внезапно, жену предупредить о тайне он не успел, а рассказать ей раньше о «захоронке» не счел нужным. Николай очень любил Нину, но считал ее нежным, экзотическим цветком, которому лучше жить, особо не отягощая себя лишними знаниями.

Владлен после смерти друга вычеркнул из своей памяти вдову, не стал утомлять себя заботой о жене друга. Вспомнил он о Нине, лишь оказавшись сам в стесненных обстоятельствах. У поэта родился план съездить на квартиру Шнеера и проверить, цел ли клад. Вот почему он попросил отвести себя в кабинет, а потом, прикинувшись больным, отправил Нину за лекарством. Ему хватило минуты, чтобы распахнуть шкаф и вынуть нечто, очевидно, крайне дорогое, раритетное. И вот почему он, уходя, странно прижимал руку к боку. Владлен запихнул под пиджак найденное!

Нина села в кровати. Книга! Наверное, это было наиредчайшее издание, которое Исаак пожелал спрятать от чужих недобрых глаз. Думаете, потрепанные томики ничего не стоят? Как бы не так, на аукционе Сотбис редкие, старопечатные книги оцениваются в миллионы долларов.

— И вы не обратились в милицию? — воскликнула я.

Нина скривилась.

— Что же им сказать? Я даже не назову содержимое тайника. Книга — мой домысел, а вдруг там были драгоценности, марки, фото, в конце концов, или какие-нибудь старинные документы? И где доказательства, что в шкатулке вообще что-то лежало? Меня сразу спросят: а может, там ничего и не было? Нет, я молча пережила произошедшее, сделала лишь вывод: в кабинет Исаака более не впускаю никого, никогда, ни при каких обстоятельствах. Когда Милочке пришла дикая идея съехаться вместе с убийцей и его, с позволения сказать, маменькой, едва она решила, что все мы должны существовать вместе, я лично, больными, слабыми руками, упаковала каждую книгу в бумагу, а потом, расставив их на новом месте, сказала всем: «Дверь в библиотеку будет всегда заперта, ключ у меня спрятан, вернее, висит на шее, попробуйте, отнимите. Вот скончаюсь — Милочка распорядится книгами, которые собирали ее прадед, отец и бабка. Вас же, Елена Марковна, попрошу не касаться нашей семейной истории, вам не понять, что такое родовое имущество, у вас-то одни гнутые вилки из нажитого».

— А Владлен? — перебила я старуху.

— Что?

— Он как объяснил свое поведение?

— Мы более не встречались, — с видом английской королевы заявила Нина Алексеевна, — вор не звонил, чем окончательно убедил меня в своей виновности. Так вот, Даша, ты обязана сейчас поехать к Богоявленскому и заявить: «Подонок! Твоя рукопись ложь! Измарал память лучшего друга, извалял в грязи имена тех, кто привечал тебя в детстве! Вот ультиматум: либо немедленно сжигаешь мемуары, либо Никитина подает в суд на вора, стащившего семейное достояние. Шум поднимется до небес. У нее есть фото, библиотека была оборудована системой слежения».

— У вас имеются снимки! — подскочила я.

— Нет, — вздохнула Нина, — какие камеры! О них в год смерти Николая никто, кажется, из простых людей и не слыхивал. Ты соврешь, но надо же испугать подлеца, нельзя допустить издание клеветы!

Я села в «Пежо», побарабанила пальцами по торпеде, потом включила мотор и поехала в сторону дома. Похоже, Владлен не рассказал мне и половины правды, а я, в отличие от не слишком умной Нины Алексеевны, хорошо понимаю, что лежало в тайнике! Не было там бриллиантов или жемчужных ожерелий вкупе с раритетными часами, безделушки легко положить в карман пиджака! Отчего Владлен прижимал руки к груди? Сомневаюсь, что у поэта заболело сердце, валокордин он попросил лишь для того, чтобы удалить Нину из кабинета. Скорей всего, поэт сунул под рубашку папку с документами и придерживал ее, чтобы та не выпала.

Я вцепилась в руль и затряслась от неожиданно пришедших в голову мыслей. Вот Дегтярев, человек, как это ни покажется вам странным, влюбленный в свою профессию, иногда говорит о некоем прозрении, которое охватывает его.

— Разговариваю с парнем, — поясняет Александр Михайлович, — все улики налицо! Пойман около трупа с окровавленным ножом в руке, два человека видели, как убийца дрался с погибшим, более того, полно свидетелей, подтверждающих: эта пара ненавидела друг друга. Дело яснее некуда, а я понимаю: он не убивал. Преступление совершил другой, хитрый, коварный, сумевший свалить вину на этого юношу... Почему чувствую? Не знаю, нет объяснения, не спрашивай, но я всегда оказываюсь прав.

А недели две назад к нам заявилась Оксанка и с абсолютно счастливым лицом заявила:

— Лечу на Багамы, мне бывший больной, хозяин турагентства, подарок сделал. Представляешь, он сдал кучу анализов, и все лекари ему говорили: «У тебя полный порядок», а я почуяла — рак у парня! Ну и уговорила оперироваться. На самом деле гистология потом нехорошее обнаружила, но в зачаточном состоянии, легко дядька отделался, отрезали и забыли.

— Как же ты унюхала, что там онкология? — всплеснула руками Зайка.

— Не знаю, — растерянно ответила Оксанка, — именно унюхала, очень точное слово, я всегда такие вещи чую, ну как собака косточку находит, по запаху, наверное. Ой, не спрашивай, не объясню.

Вот и я сейчас по непонятной причине осознала: Константин не виноват, он не убивал жену, в нашем доме разыгралась отлично поставленная трагедия. Так кто режиссер? Богоявленский?

Разбрызгивая жидкую грязь, «Пежо» вырулил на МКАД, вокруг стояла непроглядная темнота, из черных туч лились потоки дождя. Окажись я в такой ситуации на дороге, допустим, вчера, ползла бы в крайнем правом ряду, потная от напряжения, но сейчас, взбудораженная неожиданными мыслями, я летела вперед, позабыв о своем извечном страхе перед другими автовладельцами.

Все очень просто, разгадкой тайны владеет Владлен. Именно поэт шантажировал Никиту, он знал, что Николай Шнеер имеет компромат на Волка. Богоявленский ненавидит режиссера, и, между прочим, есть за что! Из-за Никиты Владлен был вынужден затаиться, он испугался на всю жизнь.

Но ведь не Волк заставил поэта писать «Поле несчастья в стране дураков». Чего хотел Богоявленский, живший в стране тоталитаризма? Уж не ждал ли, что власти погладят его по голове за труд? А Никиту вынудило к стукачеству ужасное обстоятельство: болезнь любимой жены Веры. Не знаю, как бы я поступила, скажи мне кто: «Слышь, Дашута, твои дети станут совершенно здоровы, если получат лекарство, да вот оно. Но обрести панацею ты сумеешь, лишь подсматривая за друзьями и разбалтывая их тайны. Так как, согласна?»

Ох, не надо задавать себе некоторые вопросы, потому что честно данный на них ответ никого не обрадует. Я, наверное, мгновенно подамся в «стукачки», скорей всего, потом начну мучиться совестью, но исправно буду писать доносы. Я не сумею сохранить принципиальность, честность, интеллигентность, если речь идет о жизни моих детей, наверное, я способна и украсть необходимые лекарства, и... Ой, лучше не размышлять дальше.

Владлен добыл бумаги и принудил Никиту снимать Милу. Почему? Что их связывало? Любовные отношения? В подобное верится с трудом. Богоявленский решил искупить свою вину перед дочерью покойного друга? В нем неожиданно проснулась мирно спящая до сих пор совесть? С какой стати? Поэт не вспоминал о Нине и Людмиле много лет. Очень часто люди клянутся на поминках, что никогда не оставят семью покойного, но на следующее утро навсегда забывают о данных под влиянием минуты обещаниях. Похоже, Владлен принадлежит к подобным индивидуумам, так почему он решил помочь Людмиле выбраться из безвестности, и кто убил Звонареву?

Внезапно у меня закружилась голова, слава богу, это случилось в тот момент, когда я уже подкатывала к воротам Ложкина. Пальцы нащупали брелок, шлагбаум поднялся вверх, я стала заезжать на территорию поселка и краем глаза заметила, что дежурный охранник даже не оторвался от газеты.

Яркий свет прожектора отлично освещал полосу, и я увидела — парень поглощен мерзкой статьей, которую написал Артур Пищиков. В ту же секунду мне стало жарко от злости: ну, погоди! Ишь, выключил мобильный и не подходит к домашнему телефону. Только зря ты, негодяй, надеешься остаться безнаказанным, отыскать тебя легко, просто сейчас нет времени на ерунду.

Вот разыщу убийцу Звонаревой и подам на мерзкий листок и вдохновенного клеветника Пищикова в суд, заставлю напечатать опровержение и заплатить гигантский штраф.

Утром я была разбужена нечеловеческим воплем:

— Помогите!

Тело само собой скатилось с кровати, руки схватили нежно любимый светло-бежевый халат, украшенный изображениями мишек. Уютную вещицу из байки я купила давно в Париже, в очень дешевом магазине, буквально за шесть франков[1]. По идее, шмотка просто была обязана развалиться после первой стирки, но вот удивление, ни вода, ни стиральный порошок, ни прожитые годы оказались не властны над халатиком. Члены семьи дружно ненавидят его и каждый раз, увидев меня в этом прикиде, кривятся и хором заявляют:

— Неужели не можешь купить себе приличный пеньюар!

Но я обожаю уютную байковую штучку и расстанусь с ней лишь в единственном случае — когда она окончательно истлеет. Ну хорошо мне в этом одеянии, тепло, уютно и комфортно, отчего я должна лишаться удобства в угоду внешней красоте? В следующий раз, когда Кеша снова заведет: «Выброси уродство», я достойно ему отвечу: «Что, мне самой тоже придется в старости отправиться на помойку, а ты заведешь себе новую, более красивую мать?»

---

[1] Шесть франков примерно равны одному доллару.

Все эти совершенно ненужные мысли клубились в голове, пока я неслась по лестнице вниз и бежала к кухне, откуда летел крик.

Ударившись о шкафчик, я вбежала туда и увидела Ивана. Садовник стоял с выпученными глазами, а из его разинутого рта неслись вопли. Кухня выглядела обычно, тут не пахло дымом, не сверкало огнем, и вода не текла по полу.

— А ну замолчи! — в сердцах велела я. — Что случилось?

— Мешок, — прошептал Иван, тыча пальцем в сторону кладовки, — там... он... О-о-о!

— Говори членораздельно!

— Пришел взять мешки, кусты упаковать, — неожиданно четко сказал Ваня, — открыл чулан, а там!.. Снежный человек! Господи! Страхолюдина дикая! Волосатая, лысая! Во такого размера! Во! Во!

Я тяжело вздохнула. Иван хороший работник. Мы, подбирая людей для ухода за домом и садом, обратились в агентство, попросили подыскать персонал. Никаких особых требований к кандидатам не предъявляли, хотели лишь, чтобы те хорошо справлялись со своими обязанностями, не пили и жили в Ложкине постоянно. О том, какие к нам приходили люди, расскажу в другой раз, но в конце концов мы сами, без посредников отрыли Ивана. Нашла его Машка, совершенно случайно, причем, в прямом смысле этого слова, на улице. Шла на занятия мимо рабочих, высаживавших на клумбе цветы, и обратила внимание на спокойного мужчину, ковырявшегося в земле. Остальные парни, переругиваясь, курили, сидя на кирпичах, а этот любовно присыпал землей кустики, бормоча при этом: «Давайте, милые, растите хорошенько».

Маня, человек без комплексов, тут же познакомилась с понравившимся ей садовником, выяснилось, что тот одинок и готов работать в поселке. Вот так мы получили Ивана, который сразу стал в доме мастером на все руки. Он меняет лампочки, сметает снег с крыши, чинит замки, вешает картины, переносит тяжести... Иван патологически честен, он не пьет, не курит, в общем, настоящий бриллиант в ботинках сорок шестого размера.

Но и на солнце случаются пятна. Иван, как бы это помягче сказать, слегка глуповат, он не сразу понимает, чего от него хотят. Я, зная об этой его особенности, повторяю обычно указания по десять раз:

— Ваня, счисти лед с крыльца! Ваня, счисти лед с крыльца! Иван, возьми скребок и приведи ступеньки в порядок.

— Так они ковром прикрыты, — может мирно ответить садовник.

Главное тут — понимать: он не издевается, не смеется над вами, а на самом деле искренне считает, что хозяйка сейчас ведет речь о лестнице, которая находится внутри, а не снаружи коттеджа. Ни в коем случае не следует топать ногами и вопить:

— Идиот! Дебил! Ну какой лед может быть в доме?

Нет. Я поступаю иначе, хлопаю пару раз в ладоши и громко, четко произношу:

— Ваня, ау! Ку-ку! Внимание! Включи системы оповещения, высуни перископ! На улице зима, крыльцо обледенело! Как понял? Прием! Первый, ответь Второму!

В глазах Ивана вспыхивает свет.

— Ага, — кричит он, — ясно!

Дальше можно спокойно отправляться пить чай. Если Иван усек, что надо сделать, будьте уверены, работу он выполнит идеально. На ступеньках не обнаружится ни комочка, сколотый лед будет аккуратно унесен, а скребок и лом займут свои места в кладовке — Иван патологически аккуратен. В свободное время, поздней осенью и зимой, когда работы в саду закончены, а убирать выпавший снег еще не пора, Иван любит смотреть телик, причем новости и аналитические программы его не интересуют, а привлекают кинофильмы — фантастика, ужасы. Вот небось вчера он самозабвенно глядел ленту о йети[1], и теперь ему чудится ерунда.

— Ваня, — ледяным тоном произнесла я, — снежный человек выдумка.

— Не, в кладовке стоит, в банках шурует, — вздрогнул Иван.

— Там никого нет!

— Не, прячется в чулане, небось его холод из тайги выгнал, — испуганным голосом заявил садовник.

Я вздохнула. Иногда с Иваном бывает тяжело, но нужно сохранять спокойствие и дружелюбие.

---

[1] Йети — снежный человек.

— Какая тайга, дружочек? В десяти километрах шумит Новорижская трасса, рядом Москва.

— Что случилось? — спросила, влетая на кухню, Зайка.

За ней, зевая, появился Женя, одетый в невообразимую пижаму: обтягивающие лосины, топик с кружевом, и все одной расцветки под леопарда.

— Иван узрел в чулане снежного человека, — ответила я.

— Ой! — взвизгнул Женя и попятился в столовую. — Мама, я боюсь пришельцев.

— Вчера кинушку видел, — пояснил садовник, — там такой, здоровый, толстый, волосатый, бабу украл. И че он с ней делал! Простите, конечно!

— Вау, — вскрикнул Женя и исчез.

— Ерунда, — отрезала Зайка, — в кладовой нет никого, вот, смотри.

— Не надо, — взвыл Иван.

Но Ольга уже распахнула дверь и с торжеством заявила:

— И где ваше чудовище? А-а-а-а!

Громкий вопль, вылетевший из нутра Заи, поднялся к потолку. В ту же секунду она юркнула в кухонный шкафчик. Не стоит удивляться тому, что Зайка уместилась в крохотном пространстве. Вечная диета и постоянные занятия фитнесом довели нашу телезвезду до состояния перочинного ножа. Ольгу не видно в профиль, и она очень ловко складывается пополам.

Я невольно бросила взор в чулан и приросла

ногами к полу. На кафельной плитке и впрямь стояло инопланетное чудовище.

Кожа на лице у монстра была интенсивно-зеленого цвета, круглый лысый череп имел оттенок взбесившегося апельсина, уши отсутствовали вообще. Шея, как и физиономия, тоже колера молодой, здоровой лягушки, переходила в лохматый торс, крупный, похожий на туловище хорошо откормленного большого хомяка, а ноги снежного человека казались огромными. Сам-то он, хоть и выглядел толстым, был не слишком высокого роста, но вот нижние конечности! Сразу под покрытой «шубой» частью начинались две черных трубы, в самом низу превращавшиеся в некое подобие лыж. Руки же гляделись маленькими, но зато они имели бесформенные, похожие на щупальца, ярко-алые пальцы. Ими чудо-юдо держало банку с консервированной фасолью.

Ужас сменила жалость, похоже, бедное существо отчаянно проголодалось и невесть какими путями пробралось в наш дом, чтобы раздобыть немного пропитания.

Я приросла к полу, Иван вцепился в мойку, а Зая тенью выскользнула из шкафа и растворилась в коридоре.

Глава 28

— Дарь Иванна, — трагическим шепотом сказал Иван, — не шевелитесь! Я сейчас эту дрянь охреначу!

Не успела я выдавить из себя хоть малейший

звук, как садовник схватил тяжелый дубовый стул и, подняв его над головой, двинулся в чулан с воплем:

— Ща в момент порешу дуру!

Несчастный снежный человек тоненько завизжал и кинулся в самый дальний угол комнатенки, присел там около мешка с сахаром и попытался руками прикрыть голый оранжево-яркий череп. Изо рта бедного пришельца понеслись жалобные нечленораздельные звуки, нечто вроде повизгивания, которое издает Черри, если кто-то из домашних случайно задевает ее артритные лапы.

Я бросилась вперед и загородила уродище.

— Ваня, стой.

— Уйдите, Дарь Иванна, ее убить надо.

— Ни в коем случае.

— Она злобная.

— Вовсе нет, просто есть захотела.

— Ага, нас и сожрет.

— Иван, поставь стул, — велела я, — и немедленно иди вызывать охрану.

— Я не оставлю вас с ней, — уперся садовник.

Я посмотрела на трясущееся, закрывающее руками лысую голову существо и сказала:

— Оно нас само боится. Не надо охрану, попробую с ним договориться. Ты, Иван, выйди вон вместе со стулом.

— Но...

— Ступай!!!

Садовник покорно двинулся на кухню.

Я присела около йети и четко произнесла:

— Я Даша, Даша, Даша. Имя такое. Да-ша! А как тебя зовут?

На ум неожиданно пришло воспоминание. Очень давно, уже не помню, в каком таком лохматом году, мы с моим первым мужем, жадюгой Костиком, шли из гостей. Машины у нас тогда не имелось, да мы даже не мечтали о ней. Приятель, у которого провели вечер, жил в очень неудобном месте, аккурат между двумя станциями метро. Естественно, автобуса поздним вечером было не дождаться, и я предложила поймать, как тогда говорили, «левака». Костик мигом устроил скандал.

— Да он не меньше трех рублей возьмет, — орал супруг-скупердяй, — а на подземке пять копеек талончик стоит!

Я сначала пыталась вразумить жадину, говоря:

— Мороз жуткий, а у меня ботиночки из кожзама и куртенка до пояса.

Но Косте было наплевать на жену, сам-то он кутался в купленную любящей мамой длиннополую дубленку и шагал по снегу в приобретенных ею же ботинках на натуральном меху.

В конце концов я, почти насмерть замерзнув, сумела найти компромисс и предложила оригинальное решение проблемы:

— Едем только до метро.

— Ну ладно, — смилостивился Костик, — иди лови тачку.

Довольно быстро остановился почти новенький «Запорожец». Я, тощая и маленькая, юркнула назад, Костя сел впереди и велел:

— Гони к подземке.

Но водитель протянул ему блокнот и карандаш.

— Во, — забубнил муженек, — только ты могла глухонемого поймать.

Я предпочла промолчать: ну каким образом можно, не сев в машину, узнать о том, что водитель лишен способности разговаривать?

Муж написал на листке крупными буквами: «Метро». Дядька кивнул и начал поворачивать руль, и тут Костя схватился снова за блокнот.

— Что случилось? — удивилась я.

— Забыл указать, какая станция, — пропыхтел супружник.

— Без разницы, нам любая подойдет.

— Еще чего! — взвился мой скупердяй. — До «Новокузнецкой» ближе, следовательно, дешевле.

Накорябав на листе «Новокузнец.», он показал цидульку шоферу. Тот улыбнулся, закивал, взял у Кости блокнот, карандаш и написал: «Леонид». Костя захлопал глазами, а я чуть не умерла на заднем сиденье от смеха. Глухонемой дядька решил, что пассажир хочет познакомиться с водителем. Не утерпев, я растрепала о случае приятелям, и с тех пор Костика иначе, как Новокузнец, никто не звал.

— Да-ша, — монотонно повторяла я, — Да-ша!

Чудовище опустило руки вниз и хорошо знакомым голосом Ирки спросило:

— Он ушел?

Я взвизгнула:

— Ты кто?

— Конь в пальто, — сердито отозвалась домработница.

— Ира!

— Чего удивляетесь-то? — встала на ноги Ирка. — Чай, не первый раз встретились. Надо врача звать, психопата! Ванька с ума сошел.

— Ира!!!

— Она вас съела? — всунулся в кладовую Иван.

Домработница завизжала, садовник заорал. Я набрала полную грудь воздуха и голосом профессионального преподавателя переорала присутствующих:

— Всем молчать!!!

От неожиданности парочка заткнулась.

— Иван, — сказала я, — это не снежный человек, а Ирина. Ирка, почему при виде Вани начинаешь верещать?

— Иринка, — подскочил садовник, — а чойто она такая жуткая?

— Испугалась очень, — ответила Ирка, — ты сначала заорал, а потом на меня со стулом попер.

— Любой заволнуется, на такую морду глядючи, — справедливо сообщил Иван.

— Ира, — строго велела я, — немедленно объяснись. Где твои волосы? Отчего ты лысая?

Домработница постучала пальцем по своей макушке.

— Там они, под лечебной шапочкой! Ща все расскажу, только пусть долдон уйдет.

— Ваня, — приказала я, — ступай наведи порядок в гараже!

— Ага, — кивнул тот и испарился.

— Так в чем дело? — повернулась я к Ирке. — А ну, выходи в кухню.

В чулане у нас горит экономичная маленькая лампочка, да и к чему яркий свет там, где на полках лежат продукты. А вот на кухне сияет люстра, и как только Ирина оказалась у мойки, сразу стало понятно, что на ней надето нечто вроде длинной кофты из меха, ноги домработницы втиснуты в кирзовые сапоги, а на руках резиновые перчатки.

— Вчера, — заныла Ирка, — Светлана мне кой-чего из новых образцов дала. Они еще в производство не запущены, но очень скоро появятся на прилавках. Вот масло облепихи, оно для тех, у кого волос редеет. Наносите и рассекаете часок. Потом пряди моете специальным шампунем, и готово! Красота невероятная, кудри вьются, блестят. А я еще на голову шапочку для плавания надела для усиления эффекта.

— Хорошо, — кивнула я, — а лицо отчего зеленое?

— Так я маску нанесла, тоже экспериментальную, — затараторила Ирка, — питает, разглаживает морщины.

— Ясно! Теперь разберемся с ногами. Какого черта ты нацепила кирзачи? Где отрыла их? Или тоже Светка подарила, а?

Ира смущенно захихикала.

— Понимаете...

— Говори.

— Ну...

— Сделай одолжение, поторопись.

— У меня ноги шибко волосатые, — покраснев, призналась Ирка, — чего ни пробовала — не берет. А у Светланы как раз на апробации крем, делают его из абрикосовых косточек, очень просто действует, намазал, полчаса походил, и кожа гладенькая!

— Сапоги при чем?

— А я когда крем намазывала, — пояснила Ира, — то о стул ногой задену, то о стол, ну и нацепила сапожонки, чтобы...

— Поглупей ничего придумать не сумела? — воскликнула я.

— И чего? — не сдалась Ирина. — Все равно без дела валялись, неизвестно кто их под лестницу сунул. Давно руки чесались кирзачи выбросить, но, видно, не зря умные люди говорят: «В хозяйстве любая мелочь сгодится».

— А перчатки на лапы ты натянула, потому что все та же Светка дала тебе средство для рук?

— Точно, из касторки, — кивнула Ирка.

— И почему ты в подобном виде в чулане сидела? Отчего не в ванной решила время провести?

— Катерина-то уехала, я надумала сама вам борщик сварить, — принялась оправдываться Ира, — воскресенье на дворе, я и не предполагала, что кто-нибудь раньше полудня из комнат вылезет. Что время зря терять, ловко ведь и супешник сгоношить, и красивой за то же время стать. Люди в доме дрыхнут, кому я помешаю? А тут Ванька, урод! Не спится ему!

— Осталось выяснить крохотную детальку, — ехидно прищурилась я, — по какой причине ты рассекаешь в шубе, сделанной из меха неизвестного науке животного.

— Это не доха! — возмутилась Ира. — А эротичный халат!

— Что? — вытаращила я глаза.

— Женя дал, — гордо заявила Ирка, — лично для себя сшил, но потом решил со мной поделиться. Кстати, он очень добрый, принес и говорит: «На, Иринка, нацепи на голое тело и покрутись перед Иваном. Редкий парень устоит перед пеньюаром из меха! Крутая эротика». Еще и трусы такие есть, хотите, покажу?

— Нет, — я пыталась справиться с приступом хохота, — а кому шуба при жизни принадлежала?

Ира оглянулась.

— Синтетика, но косит под парагвайскую лису. Правда, похоже?

— И не отличить, — подтвердила я, — лиса из Парагвая выглядит именно так.

— Женя сказал, — с воодушевлением воскликнула домработница, — что мужчины любят глазами. Их следует удивлять, тогда они ваши. Только у Ивана, похоже, крыша съехала, он стул схватил и на меня попер. Я от страха онемела и к полу прилипла, хорошо, вы, Дарь Иванна, вмешались. Может, мне его больше не соблазнять, коли у мужика с башкой беда?

— Ты просто достигла своей цели, — еле-еле выдавила я из себя фразу, — изумила беднягу до полного остолбенения. Иди немедленно в ванную, умойся да сними эротический халат, надень джинсы.

— Он мне не идет?

— Ну, если честно, ты в нем похожа на хомяка-переростка! — вырвалось у меня.

Секунду Ирка молчала, потом, грохая кирзачами, пошла к двери, на пороге домработница обернулась и обиженно протянула:

— Просто вы в моде не разбираетесь. Женя сказал: мех — это супер. Уж куда лучше, чем ваша хламида в мишках, давно ее сжечь надо!

— Только попробуй, — погрозила я Ирке.

— Ну вы прям как ребенок, — покачала зелено-оранжевой башкой домработница, — маечки с Микки-Маусом, сумочка с изображением собачки... Просто цирк.

— Лучше прими нормальный вид, — прошипела я, — и спокойно вари борщ. Кстати, помнишь, как в прошлый раз, когда Катя к родным уехала, ты в бульон вместо соли сахару насыпала? То-то вкусно было!

Ирка засопела, чихнула, потом осторожно пригладила топорщившиеся синтетические волоски эротического халата и пошла в коридор, но на пороге кухни она обернулась и ядовито заметила:

— Промежду прочим, оливье со сгущенкой тоже не фонтан! Сильно на любителя еда, чтой-то утром, на трезвую голову, никто остатками вашего салатика полакомиться не захотел.

Очевидно, на моем лице отразилось нечто нехорошее, потому что домработница не стала продолжать разговор, а быстро унеслась прочь.

— Во язва, — подал голос из коридора Иван. — Дарь Иванна, а чего она вам про эротику говорила, я не понял вообще!

— Ты лучше в гараже беспорядок ликвидируй! — рявкнула я, потом глянула на часы и побежала в свою спальню.

Конечно, сегодня воскресенье, и основная масса служивого люда хочет в выходной день спокойно поваляться под одеялом. Но Владлен Богоявленский так называемый творческий человек, поэтому обладает возможностью ежедневно дрыхнуть вволю. Наверное, он вообще раньше полудня не открывает глаз, однако сегодня ему придется расстаться с подушкой, потому что сейчас я нарушу мирный сон поэта. Конечно, очень неприлично вламываться к человеку без приглашения, нарушать его покой, но на войне как на войне, во время боевых действий об интеллигентности приходится забыть.

Богоявленский долго не открывал дверь. Сначала я подумала, что он попросту спит, и упорно нажимала на звонок, но потом в голове закопошились всякие нехорошие предположения. Владлен уже пожилой человек, судя по иссиня-бледному лицу и бескровным губам, у него явные проблемы с сердечно-сосудистой системой. Вдруг мужчине сейчас совсем плохо?

Не успела я насторожиться, как из-за двери послышалось недовольное ворчание:

— Сколько раз тебе, дуре, твердить, не беспокой меня спозаранок! Лег спать около четырех часов, работал, писал, теперь требуется восстановить силы...

Загрохотал замок, зазвякала цепочка, заскрипели петли.

— Это вы! — воскликнул Богоявленский.

— А кого вы ждали? — улыбнулась я.

— Домработницу, — растерянно ответил поэт, — вечно идиотка не в тот час является.

— Вы держите прислугу?

— Что же здесь странного? — нахохлился Богоявленский.

— Ничего, конечно. Но вы так жаловались на стесненные обстоятельства, а поломойке платить надо, причем регулярно!

Владлен моргнул сонными глазами, потом приосанился, подтянул пояс у халата и ледяным тоном осведомился:

— Чем обязан, милостивая государыня? Ваш визит нанесен не в лучшую минуту, утром посещать знакомых считается неприличным.

— А я не в гости!

— Да? — изогнул бровь Богоявленский. — Извольте объясниться, что вы имеете в виду!

— Принесла вам привет.

— От кого? — совершенно искренне удивился поэт.

— От Нины Алексеевны Никитиной, вдовы Николая Шнеера, матери убитой актрисы Людмилы Звонаревой, — спокойно ответила я. — Только не вздумайте сейчас кричать: «Не знаю Никитину». Право, это глупо, вы с детства дружили с ее мужем, Николаем Шнеером.

— Так Нина переехала, — неожиданно ляпнул Владлен, — перебралась на другую квартиру. Я думал, адреса не найти!

— И поэтому охотно сообщили номер телефона ее прежних апартаментов, — натянуто улыбалась я. — Понятненько, очевидно, у поэтов плохо с логическим мышлением, да оно и ясно, рифмоплеты, как правило, витают в облаках. Только любому человеку, передвигающемуся на ногах, а не парящему в небе, может прийти в голову очень простое соображение: Нина оставила свои координаты новым владельцам квартиры. Так, знаете ли, часто делают, дабы не потерять тех знакомых, которые звонят друг другу лишь раз в году, допустим, в день рождения.

Владлен чихнул, вытащил из кармана большой платок и принялся вытирать нос, рот, подбородок, щеки. Когда он добрался до шеи, мое терпение лопнуло.

— Вы врун!

Богоявленский уронил скомканный платок.

— Что?

На его лице было написано огромное негодование, я обозлилась окончательно и, бесцеремонно отодвинув хозяина, вошла в прихожую.

— Вас не приглашали, — отмер поэт, — извольте покинуть помещение.

— Как бы не так, — отрезала я, сняла куртку, повесила ее на крючок и повернулась к ошарашенному хозяину. — Поговорить надо.

— Нам не о чем толковать!

— А вот тут вы ошибаетесь.

— Убирайтесь прочь!

— Только после того, как вы ответите на пару вопросов.

— Безобразие, если не уйдете, я позову милицию, — пригрозил Богоявленский.

— Отлично, начинайте!

Владлен растерялся окончательно.

— Вы не боитесь слуг закона?

— Нет, конечно. Я не сделала ничего плохого, являюсь добропорядочной гражданкой и аккуратной налогоплательщицей. А вот у вас мысль об общении с людьми в синей форме должна вызывать ужас.

— Бред, — фыркнул Богоявленский.

— Вовсе нет, вы вор!

— Вор?

— Да. Настоящий уголовник!

Владлен разинул рот, странно всхлипнул, но потом справился с собой и закричал:

— Боже, вы сумасшедшая! У кого хотите спросите, любой человек подтвердит честность Богоявленского. Деточка, отчего вы под разными предлогами врываетесь в мой дом?

Я молчала. Вдруг лицо Владлена разгладилось.

— Впрочем, я понял, в чем дело. Душенька, мои стихи — это просто фантазии, в жизни я старый, больной человек, совершенно не подходящий вам по возрасту, на Ромео мало похож. Вы сейчас спокойно ступайте домой, примите необходимые лекарства, отдохните, а затем найдите себе юношу, молодого, со взором горящим, и забудьте Богоявленского. Конечно, вы хороши собой, молоды, но именно сознание этих фактов и...

— Ну надо же, какое самомнение, вы приняли меня за влюбленную поклонницу, — рассмеялась я, — фатальная ошибка. Скорей уж я больше похожа на клювоносую птицу судьбу с железными когтями. Да и навряд ли могу считаться Джульеттой, той, насколько помню, было вроде четырнадцать лет. Мне же, как ни печален сей факт, намного больше. И я не сумасшедшая, переживающая осеннее обострение, ситуация намного хуже.

— Хуже?

— Да. Повторяю, вам привет от Нины Никитиной. Знали эту женщину?

— Она умерла?

— Бог мой! Нет! С чего вы сделали подобный вывод?

— Ну... вы спросили: «Знали эту женщину?» Если человек жив, следует задать вопрос по-иному: «Знаете ли эту женщину», поставить глагол в иное время.

Я погасила вновь вспыхнувший пожар озлобления.

— Не придирайтесь к словам.

— Интеллигентный человек обязан грамотно излагать свои мысли и доводы, даже если они глупы, — с пафосом воскликнул поэт.

— А еще Нина просила передать, — ледяным тоном добавила я, — Владлен, верни бриллианты.

На лице поэта отразилось бескрайнее удивление, похоже, совершенно искреннее.

— Вы о чем толкуете? Какие алмазы?

— Не стоит кривляться, — вздохнула я, — не поможет. В кабинете стоят камеры, поэтому имеется видеозапись, Нина сохранила ее.

— Камеры?

— Да. Николай Шнеер когда-то установил у себя в библиотеке видеосистему, чтобы суметь поймать вора, который польстится на раритетные издания. Он замаскировал повсюду соответствующую аппаратуру, — шепнула я и тут же прикусила язык.

Господи, Николай скончался давным-давно, в те годы и слыхом не слыхивали ни о каких домашних видеокамерах. Не знаю, были ли они уже придуманы, сейчас Владлен расхохочется и вытолкает меня вон.

Глава 29

Но Богоявленский, похоже, разбирался в достижениях научно-технического прогресса еще хуже меня.

— Дружочек, — бормотнул он, — пойдемте в кабинет, никак не соображу, о чем речь.

Переполненная радостью, я потрусила за неожиданно сгорбившимся поэтом. «Никак не соображу, о чем речь». Ни секунды не верю в подобное заявление, то-то мы до сих пор вели милую беседу в коридоре, а потом, услыхав о воровстве, поэт решил зазвать гостью в комнату. Да уж! Иногда человеку нет нужды произносить фразу: «Я виноват», все становится ясно по его поведению.

— Садитесь, ангел, и спокойно излагайте, — попытался взять инициативу в свои руки Владлен.

— Верните бриллианты.

— Бог мой! Какие?

— Украденные у Нины Никитиной.

— Бред!

— Имеется видеозапись, — тряхнула я головой, — на ней великолепно видно, как вы сначала хватаетесь за сердце и плюхаетесь в кресло, потом Нина уходит, оставив старого приятеля в одиночестве сидеть на диване в бывшем кабинете Николая Шнеера. И что же совершает милейший, интеллигентнейший, талантливый поэт? Вороватo озираясь, подскакивает к шкафу, распахивает дверки, вынимает книги, потом из глубины, из второго ряда, вытаскивает том древнегреческого трагика. И, о удивление, он оказывается хитроумно закрытой шкатулкой. Владлен раскрывает ее, извлекает горсть камней, кладет...

— Там не было алмазов! — завопил Богоявленский. — Вы ошибаетесь! Никаких драгоценностей внутри не лежало!

Ощущая совершенно детское ликование, я навесила на лицо самое недоуменное выражение.

— Да? Что же было внутри?

Богоявленский растерянно замолчал.

— Ну-ну, — поторопила я, — снявши голову, по волосам не плачут. Вы же признались, что видели содержимое оригинального сейфа, и это не камни. А что?

— Папка с документами, — буркнул Владлен, — никакой стоимости она не имеет.

— А Нина утверждает обратное, — лихо солгала я, — у ее мужа имелось много раритетных вещей. Сначала Исаак, потом Сара, затем Николай пополняли коллекцию, незадолго до смерти Шнеер-младший приобрел письма Пушкина к жене, оригиналы, не копии. Достал по случаю, показал Нине и сообщил об истинной стоимости автографов, но потом, после смерти мужа, Никитина их не нашла. Напрашивается вывод — вы украли раритет.

Выпалив тираду на едином дыхании, я уставилась на Богоявленского. Ну-ка, рифмоплет фигов, проглотишь это или сообразишь спросить: «А почему Нина лишь сейчас решила поднять вопрос о воровстве? Небось сразу посмотрела видеозапись, вечером того дня, когда пропали бумаги!»?

Но Богоявленский был не в ладах с логическим мышлением.

— Нет! — возмутился он. — Мне бы никогда не пришло в голову взять такую ценнейшую вещь, даже Николаю меня не уговорить. В папке лежала ерунда, а Коля очень просил, вот я и...

— Не несите чушь! Когда вы заявились к Нине, ее муж давно был покойником, — перебила я старика.

Владлен потер затылок.

— И что намерена сейчас делать Нина? — вдруг спросил он.

Я решила напугать пакостника по полной программе. Кто-то из вас сейчас может посчитать меня жестокой. Голова, убеленная сединами, по идее, должна вызывать уважение или, по крайней мере, снисхождение к ее владельцу. Но Владлен не выглядел разбитым, еле живым инвалидом, и, похоже, он очень подлый человек, а по отношению к такой личности не срабатывает жалость. Во всяком случае, я сейчас не испытывала этого чувства.

— Нина подаст в суд, — сухо ответила я, — специалисты изучат запись. Каюсь, я наврала про бриллианты, хотела вывести вас из себя и добилась поставленной цели. На ленте очень хорошо заметна папка и то, как вы придерживаете ее под пиджаком рукой. Никитина уверена — внутри были автографы Пушкина, вас заставят оплатить их.

Владлен замахал руками.

— Право, это сумасшествие! Представляете, о какой сумме пойдет речь?

— Ничего, — не сдалась я, — продадите квартиру, часть долга и вернете.

— Там лежали документы, — вдруг признался поэт, — но совсем другие.

— А Нина говорит: письма Александра Сергеевича.

— Нет!!!

— Да!!! И докажите обратное! Вообще не о чем нам толковать тут, в суде оправдаетесь!

Владлен обмяк в кресле.

— Хорошо, сейчас я расскажу все, нарушу слово, данное лучшему другу, но иного выхода нет. Я оказался в ужасном положении! Вор! Я вор! Итак, слушайте.

Я замерла на скользких, продавленных подушках допотопного дивана. Сидеть было не слишком комфортно, создавалось впечатление, что кожаный диван был набит галькой, но уже через пять минут я забыла — потому что Владлен рассказывал совершенно невероятные вещи.

Близких друзей, кроме Шнеера, у Владлена не осталось. Игорь Бурмистров и Ося Коган умерли, а еще Богоявленский попал в опалу. В Центральный Дом литераторов он ходить перестал, впрочем, в другие места, где любили собираться представители столичного бомонда, тоже не заглядывал. Во-первых, Николай велел ему не высовываться, а во-вторых, основное большинство писателей, актеров, композиторов и художников шарахалось в сторону при виде автора книги «Поле несчастья в стране дураков». Слухи в Москве распространялись мгновенно, и то, что Владлен теперь персона нон грата, стало известно многим. Николай сдержал обещание и пристроил друга в журнал, где печатали романы писателей Востока. Но своего стола в редакции у Богоявленского не было, он считался внештатным сотрудником. Приходил, получал рукопись, выправлял ее дома, сдавал, брал заработанные деньги и уходил. Платили средне, с голоду не умрешь, но и шиковать не станешь.

Потом Шнеер трагически погиб под электричкой. Владлен искренне оплакал друга, а на поминках пообещал Нине всяческую помощь.

— Ты звони, — внушал он вдове, — мало ли чего понадобится, да хоть шкаф передвинуть!

— Лучше деньгами пособи, — прошептала Никитина, — остались мы с Людой сиротами, как прожить? Я-то не работаю.

Владлен сгоряча наобещал Нине с три короба, но наутро, на трезвую голову призадумался.

И как он сумеет оказать содействие вдове? Та, правда, один раз объявилась сама, нагло потребовала денег, но Владлен лишь вздохнул. Сам с хлеба на квас перебивается, и Богоявленский не стал звонить Нине. У него наступили очень тяжелые времена. Журнал, дававший небольшой заработок, тихо умер, пришлось заниматься совсем уж, на взгляд поэта, постыдным делом — вести литературный кружок, куда приходили полубезумные пенсионеры, кропавшие не менее сумасшедшие вирши. Владлен сам не понимал, каким образом ему удается сохранить психическое здоровье, обучая поэтическому ремеслу людей, самозабвенно ваявших четверостишия типа:

На баррикадах льется кровь,
К чему теперь моя любовь,
Вот мир изменишь, и тогда
Вернусь к тебе я навсегда.

Но кружок давал ему шанс не загнуться от голода. Страну затрясло в перестройке, деятели культуры оказались никому не нужны. Владлену еще повезло, устроиться на новую службу ему помогла одна из бывших любовниц. Кстати, Богоявленский теперь не гнушался принимать подарки от женщин, а после смерти жены он вообще охотно зазывал к себе дамочек. Те приносили с собой еду, выпивку, сигареты, кое-кто дарил рубашку, свитер, покупал ботинки.

И как поэт мог оказать помощь Нине? С какой стати? Самому не хватало!

Владлен вычеркнул вдову Николая из памяти, а Никитина тоже больше не беспокоила Богоявленского.

Несколько лет тому назад в квартире Владлена раздался телефонный звонок.

— Уважаемый господин Богоявленский, — произнес безукоризненно вежливый женский голос с легким иностранным акцентом, — вас беспокоят из издательства «Франспресс»[1], мы хотели бы издать сборник ваших стихов.

Перестройка к тому времени благополучно завершилась, в бывшем СССР, а теперь просто России, набирал обороты капитализм. Богоявленский успел обзавестись компьютером, научился работать на нем и старательно рассылал по импортным книгоиздателям свои предложения.

Обрадованный звонку француженки, Богоявленский воскликнул:

— Отлично. Я готов к разговору.

— Давайте встретимся, — предложила дама.

— Хорошо, где? — моментально согласился Владлен.

— Лучше всего у меня дома, — ответила тетка, — кстати, я не представилась, Катрин!

— Она позвала вас к себе? — не утерпела я.

— Да, а что показалось вам странным? — усмехнулся Владлен. — Лично я не усмотрел в предложении ничего необычного, где же поговорить?

Я побарабанила пальцами по столу. Несколько лет я безвыездно прожила в Париже, да и сейчас часто мотаюсь в город любви. Очень хорошо

---

[1] Название выдумано.

знаю, что французы на самом деле слегка жадноваты, и еще они тщательно охраняют свою личную жизнь. Ни один парижанин не потащит приятеля к себе, чтобы скоротать вечерок на кухне, с бутылочкой и селедочкой. Во-первых, у французов на кухнях, как правило, нет столов, а во-вторых, они позовут вас в ресторанчик и не факт, что оплатят счет целиком. Поэтому предложение французской книгоиздательницы показалось мне более чем странным, но сейчас не время сообщать Владлену о своих соображениях.

— Давайте адрес, — попросил Богоявленский.

— С удовольствием, но, если не трудно, попрошу вас приехать сегодня около полуночи, — ответила Катрин, — у меня очень много дел в Москве, а завтра я улетаю.

Я захлопала глазами. Ну и ну! По французским понятиям эта Катрин вела себя более чем неприлично! Хотя, может, она часто бывает в России и понабралась наших привычек?

Владлен, плохо знакомый с менталитетом иностранцев, мгновенно согласился, принял душ, побрился, надел новую рубашку, побрызгался хорошим, недавно подаренным одной дамой сердца парфюмом и порысил на свидание.

Район, где обреталась француженка, находился далеко. Дома тут высились одинаковые, и Владлен довольно долго бродил между блочными уныло-серыми башнями, пытаясь найти корпус Г.

В конце концов в начале первого он попал в загаженный подъезд, зажав нос, поднялся на нужный этаж, позвонил и, увидав мигом распахнувшуюся дверь, сказал в темную прихожую:

— Извините, ангел мой, я запутался.

— Ничего, — прошелестело из тьмы, — ступайте сюда.

Неожиданно голос показался ему знакомым, и он был не женским. Слегка изумленный странным приемом, Владлен шагнул в темноту, входная дверь сама по себе захлопнулась.

Богоявленский вздрогнул, его обступил непроглядный мрак, ни один лучик света не прорезал пространства.

— Душенька, — попросил Владлен, — не могли бы вы зажечь лампу, право, я теряюсь впотьмах.

— Сейчас, — сказал до боли родной мужской голос, — только ты за стену уцепись.

— Зачем? — изумился поэт, пытаясь сообразить, отчего ему так хорошо известен этот спокойный баритон.

— Чтобы не упасть, — со смешком пояснил хозяин, и в ту же секунду под низким потолком вспыхнула простая, не прикрытая никаким абажуром лампочка. Владлен на секунду зажмурился, потом открыл глаза, увидел вбитые в стену крючки, потертые обои, повернул голову и побабьи взвизгнул.

В узком коридорчике стоял постаревший, поседевший Николай Шнеер.

— Сказал же, ухватись за вешалку, — улыбнулся он, — а еще лучше сядь!

Богоявленский рухнул на табуретку, белевшую около стены.

— Коля, — прошептал он, — ты?

— Я.

— Что ты здесь делаешь? — никак не мог прийти в себя Владлен.

— Живу временно, завтра уезжаю.

— Коля, — в изнеможении выдавливал из себя слова Богоявленский, — ты вообще откуда сюда приехал и в какое место завтра отправляешься?

Шнеер рассмеялся.

— Не бойся, ты видишь не выходца с того света. Я жив, здоров и вполне еще ничего себя чувствую.

— Но... мы же похоронили тебя!

— Ты видел труп?

— Н-нет, — заикался Владлен, — гроб был закрыт.

— То-то и оно.

— Но Нина...

— Ей тоже мертвеца не показали.

— Господи, — потряс внезапно заболевшей головой Богоявленский, — кто же лежит в могиле?

Шнеер пожал плечами.

— Понятия не имею. Этой стороной вопроса занимался другой человек. Главное — я жив.

— Но Нина...

— Считает меня умершим.

Владлен вскочил на ноги.

— Коля! Ты зачем такое учудил? Решил удрать от жены? К любовнице? Нет бы просто развестись!

Шнеер снова засмеялся.

— Ты неисправим. Первая мысль, приходящая в голову нашему поэту, всегда о бабах. Помнишь, где я служил?

Владлен кивнул.

— Еще вопросы будут? — вздернул брови Николай.

— Так КГБ давно нет, — прошептал поэт.

Шнеер усмехнулся.

— Может, и так, а может, и иначе. Ладно, времени мало, мне нужна твоя помощь.

Владлен снова обвалился на табуретку, его затрясла крупная дрожь.

— Экий ты псих стал, — укорил лучший друг, — да и выглядишь плохо. Пьешь?

— Нет, давлением мучаюсь, голова болит, — пояснил поэт, приходя потихонечку в себя.

— Ясно, — процедил Николай, — и расплылся весь. Диету соблюдай, занимайся спортом, вот лишний жир и скинешь, нельзя так себя запускать.

— Что делать надо? — залепетал Владлен.

— Ерунду.

— А именно?

— Принести бумаги.

— Какие? — снова заколотился в ознобе поэт.

— Приди в чувство, — встряхнул его Шнеер, — и слушай. В моем кабинете, во втором от окна шкафу...

— Почему сам не возьмешь? — спросил Владлен, когда Шнеер умолк.

Николай постучал согнутым пальцем по лбу.

— Да, действительно, — спохватился Владлен, — но Нина может меня не впустить.

— Постарайся.

— Как?

Шнеер вздохнул.

— Значит, так! Запоминай сценарий, приложи все свои актерские способности, а они у тебя есть, и принимайся за дело.

Владлен замер на табуретке. Выучив роль, Богоявленский начал проявлять любопытство:

— Скажи, что в папке!

— Бумаги.

— Какие?

— Ерундовые.

— Уж, наверное, не пустяк, коли тебе передо мной открыться пришлось.

— Соображаешь, — кивнул Николай, — ладно, помнишь Никиту Волка?

— Его забудешь! Сволочь, всю жизнь мне сломал.

— Настал черед отомстить ему.

— Как?

— В папочке документы, свидетельствующие о его работе «стукачом».

— Зачем они тебе? — не успокаивался Владлен.

— Надо заставить Никиту кое-что сделать, — протянул Шнеер, — поверь, ему мало не покажется. Небось считает, все быльем поросло, свидетели умерли, никто Муху не помнит.

— Муху?

— Это был псевдоним Волка, — спокойно

объяснил Никита, — он донесения так подписывал. Ясно?

— Да.

— Тогда действуй.

— Но...

— Послушай, — равнодушно обронил Шнеер, — я тебе помогал, теперь твой черед. Поверь, я не обратился бы к тебе, но, увы, мой верный помощник умер. Пока еще нового найду, а документы нужны срочно. Впрочем, ты можешь отказаться...

— Я пойду, — прошептал Владлен, — принесу папку. Коля, прости, я не помогал Нине и Люде, понимаешь, сам бедствовал.

— Знаю, — обронил Шнеер, — никого не осуждаю, кроме преступников. Ты просто слабый человек, гедонист и сибарит. Впрочем, я как мог поддерживал свою вдову и дочь. Здорово звучит, а? «Помогаю своей вдове»!

Глава 30

Владлен съездил к Нине и вполне удачно утащил нужное. Дело заняло пару минут, зря Богоявленский боялся и чуть не падал в обморок от страха. Все прошло без сучка и задоринки, быстро и успешно.

Поэт замолчал.

— И вы отдали папку Николаю, — чтобы прийти в себя, уточнила я.

Ей-богу, моя растерянность понятна, думаю, такого поворота событий не мог ожидать никто.

— Нет, — прошептал Владлен, — я более никогда не встречался с ним.

— Документы у вас? — еще больше изумилась я.

— Нет.

— А где?

— У Николая.

— Вы же секунду назад утверждали, что не встречались с другом. Зачем сейчас врете?

— Я говорю правду.

— Странная она у вас какая-то, одна правда противоречит другой.

— Вы просто не дослушали.

— Так продолжайте.

— Николай вручил мне адрес и велел привезти папку на дом к его знакомой.

Владлен, получив документы, тут же отправился в указанное место. Это опять оказался один из спальных районов столицы, но не тот, в котором высятся новые и относительно комфортные дома. Нет, дорога привела поэта в двенадцатиэтажку из грязно-серых блоков, между которыми чернели швы, входная дверь не имела ни кодового замка, ни домофона, лифт частенько использовали вместо туалета.

В темной прихожей крохотной квартирки стояла маленькая, согбенная старушка.

— Я принес вашему коту сухой корм, — старательно произнес Владлен пароль, — меня предупредили, что он любит набор из птицы — курица, индейка, утка.

— Нет, — прошамкала бабуся, — Василий

предпочитает говядину, но съест и ваш подарок, с голодухи все сожрешь.

Ответ был дан правильно, и Владлен вручил пенсионерке папку. Богоявленский, правда, не ожидал, что придется иметь дело с древней теткой, более всего похожей на Бабу Ягу, но Шнеер дал четкие инструкции другу.

— Есть пароль, — внушил он, — выучи его как следует, и если отвечающий ошибется, допустим, переставит слова в отзыве или употребит иные, расширит ответ, просто уходи. Перед тем как позвонить в квартиру, внимательно осмотрись. Перед дверью должна лежать рваная тряпка из темно-синего махрового полотенца, а на подоконнике обязательно стоять пепельница, железная баночка из-под консервов «Судак в томате». Если тряпка окажется мешковиной или ее вообще не будет, а окурки лежат, допустим, в таре из-под растворимого кофе, немедленно уходи, да не езжай сразу домой, а попетляй по улицам, присмотрись осторожно, не идет ли за тобой долгое время один и тот же человек. Ясно?

Владлен испугался еще больше, но закивал. Ему было некуда отступать, оставалось лишь вспомнить пословицу про гуж[1].

Но никаких заминок не произошло, старушенция спокойно взяла папку, и Богоявленский ушел.

— Адрес конспиративной квартиры помните?

Богоявленский покачал головой.

---

[1] Взялся за гуж, не говори, что не дюж.

— Нет.

— Вообще?

— Ну... нет.

— Можете описать дорогу?

— Метро «Юго-Западная».

— Отлично. Дальше.

— Э... э... э... там есть автобусная остановка.

— Их, насколько помню тот район, у метро много. Какой номер?

— Не помню.

— Ладно, говорите дальше.

— Следует сесть в общественный транспорт, проехать до магазина «Продукты».

Я тяжело вздохнула: да уж! Точнее адреса и не придумать, проехать несколько остановок на автобусе не пойми какого номера и найти гастроном. Скорей всего, лавка с харчами теперь торгует сантехникой, мебелью или вообще закрыта.

— Название улицы?

— Выпало из памяти.

— Совсем?

Владлен закивал.

— Ну хоть что-нибудь припомните! — в отчаянии воскликнула я. — Давайте попытаемся вместе, ну-ка, было тепло или холодно?

— А как сейчас, — ответил Владлен, — темно и сыро, я продрог до костей, автобуса прождал, потом еле в него влез, а когда внутрь попал, страшно кофе захотел. Рядом со мной женщина стояла, похоже, она из магазина ехала, «Арабику» везла, из ее сумки аромат по всему автобусу шел. Я, когда потом от старухи вышел, двинулся назад и вдруг вижу: гостиница, громадная такая, целый квартал занимает. Я обрадовался, вошел внутрь, отыскал кафетерий и заказал эспрессо, принесли дикую гадость за бешеные деньги.

Я испытала настоящую радость, иду правильным путем, Владлен, как многие творческие люди, обладает отличной, но избирательной памятью. Кто-то запоминает очень ярко и четко окружающий пейзаж, другой способен везде увидеть цифры, третий припомнит запах, вдохнет запах духов и мигом сообщит, где, когда, при каких обстоятельствах уже наслаждался подобным. А Владлен — коллекционер ощущений. На улице холодно и сыро, в автобусе тесно, но приятно пахнет, кофе имел мерзкий вкус... Но гостиница около метро — это здорово, по крайней мере, теперь ясен район нахождения блочной башни.

— Замечательно, — воскликнула я, — давайте попытайтесь еще что-нибудь припомнить. Идете к нужному дому, дождь, слякоть, холод, хотите кофе, под рубашкой папка, она небось прилипла к вам, очень противное ощущение.

— Верно, — неожиданно улыбнулся Владлен, — но вытащить документы я боялся, всю дорогу их к себе судорожно прижимал и, представьте себе, поднялся на нужный этаж и уронил ее! Перепугался до одури, хотя, если разобраться, чего я боялся? Бумажки не хрустальные, разбиться никак не могут, испачкаться тоже, папчонка на «молнию» закрыта, вывалиться им невозможно, никто из этих плохо воспитанных детей ничего не понял. Вот учительница милой оказалась, стройненькая, хорошенькая, сначала шалунам замечание сделала, потом передо мной извинилась.

— Какие дети? — спросила я. — Откуда?

Владлен выпятил губы.

— Старуха на последнем этаже жила. Вот, видите, я вдруг вспомнил, лифт дальше не шел, но прямо от квартиры бабки вверх, на чердачное помещение, вела лестница. Вся стена была размалевана рисунками: зайчики, птички, бабочки, медвежата, и еще была надпись «Клуб «Радуга», понимаете?

Я закивала, ничего удивительного. В столице в свое время были очень распространены всякие студии, кружки, куда охотно ходили дети. Одни учили иностранные языки, другие занимались живописью, третьи танцами. Недорогая плата делала занятия доступными для многих, чтобы не драть с родителей запредельных денег, все эти «Фантазии», «Сказки», «Солнышко» и «Звездочки», как правило, располагались в подвалах и на чердаках, экономили на аренде помещений. Подыскивали нужное место, делали скромный ремонт, закупали недорогое оборудование, приглашали на работу учителей из близлежащих школ, преподавателей из училищ и вузов, набирали в окрестностях детей и начинали процесс. Довольными оказывались все: педагоги, имевшие дополнительный заработок, дети и их родители, знавшие, что чадушки не болтаются невесть где, а рисуют, танцуют или лепят.

— Помните, что клуб назывался «Радуга»? — спросила я.

Владлен кивнул.

— Да. Я как раз вышел из лифта, а сверху толпа детишек летит, увидели, что кабина на этаже стоит, и ринулись туда с воплем. Толкнули меня, я от неожиданности пошатнулся, чтобы не упасть, схватился за перила, а папка выпала:

Не успел Богоявленский испугаться, как сверху раздался строгий голос:

— Какое безобразие! Разве можно так себя вести? Вы впервые лифт увидели?

Продолжая ругать шалунов, по лестнице стала спускаться красивая стройная девушка.

Стайка детей притаилась в кабине, потом одна девочка пискнула:

— Так уедет!

— Ну и что? — изогнула красивую бровь учительница. — Снова вызвать можно! Человека чуть с ног не сбили! Немедленно извинитесь и помогите ему упавшее подобрать.

— Простите, — хором сказали ребята, а девочка вышла из лифта и хотела нагнуться.

Но Владлен опередил ребенка, он быстро сам схватил папку и сунул под куртку.

Строгая учительница тем временем вошла в стоящую с открытыми дверями кабину.

— Уж извините их, — улыбнулась она, — на занятиях сидеть устали, вот и понеслись, никого не видя, маленькие еще, второклассники.

Хорошенькая девушка донельзя понравилась Владлену.

— А вы, значит, их учительница? — попытался завязать он разговор с красавицей.

— Да, — кивнула очаровашка.

— В этом клубе?

— Именно так.

— Как же вас величать, моя нимфа? — галантно осведомился Богоявленский.

Школьники, услыхав эти слова, захихикали, а симпатичная училка поджала пухлые губки и ткнула пальчиком в кнопку, двери с тихим шуршанием закрылись, кабина заскользила вниз.

Владлен еще раз посмотрел на разрисованную стену. Клуб «Радуга», надо запомнить название. Девушка настоящий бутон, она вызывает бурление в крови. Ишь, какая недотрога, не сказала имени, но найти симпампончика не составит труда, небось в этой «Радуге» не десять тысяч сотрудников. Завтра же Владлен вернется назад, отыщет красотку, представится по полной программе, расскажет, что он великий, гениальный поэт... Но сейчас следует передать папку по назначению, и мысли Богоявленского потекли в ином направлении.

Выполнив просьбу друга, Владлен вновь вышел на лестницу, старательно закрепил в уме слово «Радуга» и поехал домой. Он хотел завтра вновь прикатить сюда и попытаться начать роман, но не сумел выполнить задуманное, а потом ему встретилась смуглянка Лиля, и образ хорошенькой преподавательницы сначала потускнел, а затем и вовсе стерся из памяти, однако название «Радуга» осталось. Вернее, оно тоже испарилось из головы, но сейчас Владлен вдруг неожиданно четко мысленно увидел стену и яркое слово «Радуга».

Когда я вышла от Богоявленского, на улице разыгралась настоящая буря. С иссиня-черного неба падал ледяной дождь, ветер дул во все щеки, под ногами чавкала невесть откуда взявшаяся в городе глина. Набрав полные туфли воды, я добежала до «Пежо», села внутрь, стащила с ног ставшую тяжелой обувь, насквозь мокрые гольфы и, поставив босые ступни на педали, призадумалась.

Николай Шнеер жив! Но почему он прикинулся мертвым? Хотел сбежать от жены и дочери? Мужчине настолько надоела семейная жизнь? Его задолбал уют? На ум неожиданно пришел старый анекдот. Встречаются два приятеля и начинают рассказывать друг другу о женах. Первый жалуется, чуть ли не со слезами повествуя о супруге: жадная, злая, плохая хозяйка, дура, истеричка. А второй тихо говорит:

— Моя ничего, ласковая. Приду домой, тапочки подаст, супчику нальет, сядет рядом и щебечет, щебечет, щебечет, щебечет!

— Повезло, — вздыхает первый.

— Да, — кивает второй, — супчик нальет и щебечет, щебечет, щебечет. Убью ее когда-нибудь за щебет.

Может, и Нина была из таких, щебечущих? Но в то же мгновение я отмела это подозрение. Помнится, Никитина рассказывала о некоем Сергее Сергеевиче, который помогал вдове, в частности, отдавал ей деньги, долг, возвращаемый одним из сослуживцев, сумму с учетом инфляции.

Но, похоже, не было должника, это Николай

при помощи Сергея Сергеевича помогал жене. Исчезновение Шнеера связано с его службой, впрочем, мне не нужно сейчас докапываться до истинных причин побега Николая. Судя по тому, как было организовано дело — труп из-под электрички, закрытый гроб, появление Сергея Сергеевича, торжественные похороны, — его проворачивали настоящие профессионалы. Много знаний — многие печали, с какой стати Шнеер «умер», чем он сейчас занимается, меня касаться не должно, интересно другое.

Николай пристально наблюдал за своей семьей, помогал ей материально. Финансовый ручей, вытекавший из рук Шнеера, иссяк в тот год, когда Люда вышла замуж за Костю. Очень хорошо помню, как Нина, рассказывая мне о своей жизни после смерти мужа, воскликнула:

— Людмила вышла замуж за убийцу, а вскоре Сергей Сергеевич пропал. Я было испугалась: ну как жить? Только Константин более или менее зарабатывал, дочь не голодала, ну и мне перепадали крохи.

Значит, Николай решил, что Костя способен содержать семью, и устранился из их жизни. Жене Шнеер ни разу не позвонил и не намекнул на то, что жив! Вам это кажется странным? А мне нет, очевидно, для такого человека, как Николай, долг перед Родиной оказался более сильным чувством, чем любовь к семье. Ему пришлось выбирать между работой и личным счастьем. Нина слегка глуповата, экзальтированна, болтлива, хранить тайну она не сможет, рано или поздно проговорится, разболтает по секрету подружкам. Да и на похоронах вдова могла начать себя странно вести и вызвать у окружающих ненужные подозрения.

Но, повторюсь, «умерев», Шнеер не бросил своих. Наверное, ему было обидно за дочь, которая, обладая талантом и трудолюбием, не способна была пробиться в звезды. Небось Николай, как многие отцы, очень любил свою девочку и в конце концов решил ей помочь.

Документы о Никите Волке он собрал давно, еще в тот год, когда Владлен провалился в люк. Уж каким образом Шнеер добыл бумаги, мне неведомо, но, думаю, если где-то в архивах хранятся некие папочки, то, обладая определенной хитростью, их оттуда можно стащить.

Ну а дальше просто, бумаги мирно ждали своего часа в тайнике и дождались. Испуганный Никита дал Миле главную роль, дальше объяснять не стану, и так всем все понятно.

Значит, похоже, я нашла того, кто помог Миле превратиться в суперстар. Но, блестяще справившись с поставленной перед собой задачей, я потерпела тем не менее сокрушительное поражение. Секунду назад я ощущала себя Наполеоном, который, взяв Москву, торжествующе ждет ключи от города, однако великий француз так и не увидел делегации от жителей Москвы, более того, его прогнали прочь, пришлось улепетывать по разоренной Смоленской дороге, без провизии, в дикий холод.

Вот и я, похоже, сейчас побреду назад. Ведь на что я надеялась, на чем строила расчет: Миле помог любовник, очень богатый, чиновный и женатый человек. Мила стала требовать от него все больше и больше, и мужик в конце концов отравил обнаглевшую любовницу крайне хитроумным способом, подставив ее мужа.

И что оказалось в действительности?

Мила очень любила Костю и никаких связей на стороне не заводила. Абсолютно идиотская история с Интернетом, из-за которой супруги поругались насмерть, была целиком и полностью срежиссирована Милой, которая надеялась, что супруг, пообщавшись с ней в чате, словно с незнакомкой, опять полюбит свою жену, увидит ее в новом свете. Нина Алексеевна не обманывала меня, когда рассказывала о дурацкой затее дочери, я сама бы могла понять, в чем дело, ведь еще совсем недавно Мила восклицала:

— Компьютер! Боже! Какой ужас! Нет, это не для меня! Общаться с консервной банкой! Да и не пойму я никогда ее! Клавиатура! Ни в жизни печатать не научусь!

Но потом она внезапно приехала к нам и, заговорщицки улыбаясь, скрылась у Машки в комнате.

— Что Мила от тебя хотела? — полюбопытствовала я, когда Звонарева отправилась домой.

Маня засмеялась:

— Она ноутбук купила и попросила провести с ней курс молодого бойца!

— Да ну? — удивилась я. — Зачем ей компьютер?

Маруська пожала плечами.

— Хочет ходить по чатам, иметь «аську», «мыло», ну и так далее. Кстати, она просто умоляла никому не рассказывать о новой забаве. Сто раз повторила: «Манюня, на курсы пойти не могу, моя морда лица слишком всем известна, сразу слух полетит — Звонарева решила хакером заделаться! Ты никому ни гугу, в особенности Косте, я его удивить хочу».

Значит, она еще тогда задумала завести «роман» с мужем. И деньги на фильм добыл не любовник, а ее отец, Николай Шнеер. Кто же тогда убил Милу? Почему? Каким образом? Неужели убийца все-таки Костя? Но это просто невозможно!

Глава 31

Не понимая, что теперь делать, я в полной растерянности сидела в «Пежо». Поехать искать клуб «Радуга», расположенный на Юго-Западе? В принципе, найти его, наверное, возможно. Походить по домам... И что? Позвонить потом в нужную квартиру и сказать бабушке про корм для кота? А затем попытаться «расколоть» старушку? Да уж, эту нитку даже паутиной назвать трудно, настолько она призрачна. Во-первых, клуб за прошедшие со дня визита туда Богоявленского годы мог закрыться, на лестнице сделали ремонт, надпись закрасили... Ничего! Порасспрашиваю местных жителей, кто-то небось помнит местонахождение «Радуги». А еще можно заглянуть в близлежащую школу и поболтать с учителями младших классов. Ну хорошо, предположим, я найду квартиру! Дальше что? Бабушка, по словам Владлена, выглядела древней, словно сама смерть, вполне вероятно, что старуха умерла. Нет, действовать нужно по-другому, но как?

Из сумочки донесся бодрый лай, я вздрогнула. Два дня назад Кеша торжественно подарил мне новый мобильный телефон, роскошную белую «раскладушку».

— Носи на здоровье, — сказал Аркадий, — а старое уродство вышвырни, просто позор с чем ходишь.

Мне было жаль расставаться с родным сотовым, но обижать Аркадия не хотелось, поэтому я постаралась изобразить неуемную радость и воскликнула:

— Ой, ну спасибо! Какой красивый!

Лицо Кеши озарила улыбка.

— Рад, что тебе понравился, — сказал он, — боялся, что, как всегда, занудничать начнешь.

Я хотела уже возмутиться и заявить, что никогда не работаю бензопилой, не пилю родственников нотациями, но тут Маня с восторгом закричала:

— Мусик, во класс! Тут диктофон есть! Давай тебе вместо звонка лай наших собак запишем?

— Делай что хочешь, — отмахнулась я, — только переставь в новый аппарат SIM-карту и перенеси в него телефонную книжку.

— Супер! — взвизгнула Маня.

Следующие два часа девочка бегала по дому за псами, но те, как назло, словно воды в пасти набрали. В конце концов, применив метод «сыр и изюм», Манюня добилась желаемого, и мой новый телефон теперь издает громкое гавканье. Эффект превзошел все ожидания. Я забываю, что звонок теперь прикидывается собакой, и каждый раз пугаюсь, окружающие люди тоже шарахаются в сторону, потому что фонограмма получилась многоголосой. Сначала слышно гулкое, словно из бочки, тявканье Снапа, затем рычит Банди. Посторонним звуки кажутся угрожающими, но я-то знаю, что пит с ротвейлером всегда издают их при виде куска сыра, это всего лишь скромная просьба, звучащая в переводе на человеческий язык так: «Ну скорей, скорей, дайте сыру, нет сил терпеть, мы умираем от вожделения».

Замыкает «оперу» хор в составе Хучика, Черри и Жюли.

Впрочем, вздрагивают не только люди. Вот вчера я стояла у газетного киоска, покупала журнал и услышала звонок. В ту же секунду на меня, трясясь от возбуждения, налетела шавка, мирно шедшая с хозяйкой на поводке. Наверное, собачонка решила, что в кармане моей куртки спрятаны ее сородичи.

Я открыла мобильный.

— Слушаю.

— Мне бы Дарью Васильеву, — сказал тихий женский голос.

— Это я.

— Вы Пищикова знаете?

— Артура? — прошипела я. — Очень хорошо! Пытаюсь с ним соединиться, да попусту. Он отключил, мерзавец, телефон.

— Ну зачем вы так грубо, — укорила тетка, — в больницу он попал, к нам, в травматологию, очень с вами поговорить хочет. Выслушаете его? Только он еле бормочет. Слабый совсем.

— Да, конечно, — растерялась я, — вся внимание.

— Даша, — прошелестело из трубки, — это не я.

— А кто?

— Не знаю, думаю, Ленька Силин.

Я вздохнула.

— Мне сказали, что трубка сейчас окажется у Пищикова, корреспондента газеты «Треп». Если вы являетесь Леонидом Силиным, то, простите, я не имею чести быть знакомой с вами.

— Нет, — зашептало из трубки, — это я, Артур, вы меня не так поняли. Не я писал последние статьи. Вечером того дня, когда мы встречались с вами, на меня напали, избили, кошелек украли... А «Треп» решил сенсацию продолжить, и теперь о семье Васильевых-Воронцовых пишет Силин.

— Он все врет!!!

— Да, простите.

— Ты меня обманул!

— Нет, нет, я попал в клинику и не смог купировать неприятность, да и не знал, что Силин устроил, только утром сегодня газеты получил, больше никаких публикаций не будет, честно, я заткнул фонтан.

— Хватит и тех, что появились!

— Но это не я! Наш договор остается в силе.

— Не похоже, ты его нарушил.

— Ей-богу, я в клинике лежу!

— Неправда, как и все то, что от тебя исходит!

Пищиков засопел, потом из трубки послышался снова женский голос:

— Зачем вы его так расстроили? Парню плохо.

— Пусть не врет, что побитым лежит, — сердито отозвалась я.

— Так и правда его лишь утром из реанимации в отделение перевели.

— И я могу приехать, посмотреть на Артура?

— Пожалуйста, записывайте адрес, — спокойно ответила медсестра.

Удивившись до глубины души, я вытащила блокнот. Неужели журналист не солгал?

Я повернула ключ в зажигании и снова услышала лай. Ага, сейчас «медсестра» скажет:

— Пищикову стало хуже, вам не следует являться.

Но я все равно съезжу на место и, естественно, пойму, что никакого Пищикова в клинике нет и не было!

Но из трубки донесся приятный мужской баритон:

— Даша?

— Да.

— Похоже, мы не знакомы.

— И что?

— Но вам очень надо со мной встретиться.

— Мне?

— Да.

Заинтригованная сверх меры, я воскликнула:

— Кто вы? Назовите имя!

— Сергей Сергеевич.

— Простите, мы не знакомы.

— Именно с этой фразы и начался наш разговор.

— Извините, я сейчас тороплюсь.

— Куда?

Бесцеремонное любопытство собеседника выглядело по меньшей мере странно, но я все равно весьма вежливо ответила:

— В больницу к приятелю.

— Отложите визит.

— С какой стати?

— У вас есть всего несколько часов, чтобы узнать имя убийцы Милы Звонаревой. Это не ее муж Константин.

Я лишилась дара речи, но потом, кое-как ворочая тяжелым языком, спросила:

— Вы кто?

— Сергей Сергеевич.

— А фамилия?

— Сергеев.

— Издеваетесь, да?

— Нет. Более того, сообщив вам имя и фамилию того, кто убил Милу, я дам вам орудие, ту вещь, при помощи которой актриса отправилась на тот свет. Вы немедленно отвезете ее следователю и тем самым сначала освободите Константина, а уж потом снимете с себя все грязные подозрения.

В моих висках сильно застучали острые молоточки.

— Вы кто?

— Вот уж не ожидал от вас подобного поведения, — засмеялся Сергей Сергеевич, — вы испугались?

— Нет.

— Потратили столько сил и времени, раскопали кучу дерьма и теперь не желаете закрыть дело? Да вы трусиха, милостивая государыня. Константин не убийца, он арестован ошибочно, хотя вам, наверное, наплевать на Звонарева, но ваша личная репутация...

— Вы меня не знаете, — резко перебила я дядьку, — и не имеете права судить о характере Даши Васильевой. Говорите адрес места встречи.

— Насколько знаю, вы ездите на «Пежо»?

— Верно.

— В парикмахерскую ходите?

— Куда? — изумилась я.

— В салон, волосы стрижете?

— Ну да, только при чем тут...

— И где вы наводите красоту? — оборвал меня Сергей Сергеевич.

— На Тверской.

— В здании есть второй выход?

— Парикмахерская соединена с кафе, а у того несколько дверей, одни ведут на центральную улицу, другие в переулок.

— Отлично. Приедете в цирюльню, поставите у входа машину, потом договоритесь с мастером, дайте ему денег, пусть отвечает, если вдруг кто поинтересуется: «Чей «Пежо»?» или «Где Даша?», — «Она... э... на массаже». Сколько времени вы способны провести в салоне, если решили выполнить процедуры по полной программе?

— Целый день! Маникюр, педикюр, массаж лица и тела, солярий, краска, стрижка, укладка.

— Отлично! Скажите мастеру, что вам надо отлучиться, заплатите ему и через боковой вход кафе уходите, «Пежо» оставьте у салона.

— Поняла.

— Доедете до метро «Тушинская», найдете кофейню, чуть поодаль, на стоянке обнаружите машину, «Жигули» шестой модели, темно-вишневые, номер запомните. Ключи в выхлопной трубе, документы будут лежать в «бардачке», там же обнаружится и сотовый, я вам на него позвоню, свой аппарат выключите. Ясно?

— Да.

— Действуйте!

Ощущая себя Джеймсом Бондом, я понеслась в салон. Договориться с милой Леночкой не составило никакого труда.

— Знаете, Дарья, — сказала она, — у нас есть такая процедура, называется «Снятие стресса». Закрою вас якобы в кабинете, и все. Никто войти не посмеет, ключ лично у меня, можете хоть сутки там лежать и балдеть под тихую музыку и ароматерапию. Я вроде как вам массаж делать стану, только придется оплатить услуги.

— Не вопрос! — воскликнула я и бросилась к рецепшен.

«Жигули» нашлись сразу, ключи были в указанном месте, я села в салон, открыла «бардачок» и мгновенно услышала попискиванье.

— Вы в машине? — спросил Сергей Сергеевич.

— Да.

— Теперь поезжайте в Митино.

— Э... э... э.

— Что-то не так?

— Понимаете, у «Пежо» автоматическое переключение скоростей, а у «Жигулей» нет.

— Вы не умеете пользоваться механикой?

— В принципе, я училась на такой.

— Тогда в чем дело? Записывайте адрес!

Узнав нужные координаты, я уставилась на три педали на полу. Научно-технический прогресс — это очень хорошо, но что случится с человечеством, если вдруг повсеместно исчезнет электричество? Да мы вымрем! Врачи не сумеют оперировать, летчики — водить самолеты, встанут заводы, фабрики, отключится телевидение. Да фиг с ним, с теликом, прекратит работу водопровод, канализация, а как влезть на высокий этаж без лифта? Но ведь раньше, в восемнадцатом веке, жили люди спокойно, умели и работать, и отдыхать при свечах и лучинах. Может, конечно, человечество и вспомнит старые навыки, но, боюсь, получится это с огромным трудом. Вот как у меня сейчас, в растерянности гляжу на педали, а ведь умела когда-то лихо рулить на «Жигулях». Ладно, хватит скулить, соображай, Дашутка! Значит, так: одна нога выжимает сцепление до упора, рука переключает рычаг коробки передачи на первую скорость, потом другая нога осторожно поддает газу, а первая отпускает сцепление. И готово, поехали, ничего трудного в принципе нет, подумаешь!

Я начала действовать, в ту же секунду металлолом на колесах скакнул вперед, моя голова качнулась и пребольно ударилась о руль, мотор незамедлительно заглох. Закусив нижнюю губу, я повторила попытку, стараясь действовать плавно, очень аккуратно. Слава богу, «Жигули» двинулись по дороге, да, с «автоматом»-то намного удобнее.

Через минуту я сделала еще парочку неприятных для себя открытий. Гидроусилитель у руля отсутствует, а кресло водителя практически не регулируется, еще включенная печка издает жуткий шум, нет электроподогрева сидений, а боковые зеркала нельзя ни поднять, ни опустить, спокойно сидя в салоне.

Но в остальном машина вела себя более или менее нормально, ехала и ехала, изредка начиная кашлять, и в конце концов я добралась до конечной точки, огромного блочного здания, высокого, широкого, словом, настоящего монстра. В таком хоть сто лет живи, всех соседей не узнаешь.

Третий подъезд, девятый этаж. Перед глазами распростерся длинный коридор, заставленный велосипедами и санками. Одни жильцы никак не могли проститься с летом, другие уже подготовились к зиме. Нужная дверь оказалась последней, и распахнулась она сразу, я даже не успела прикоснуться к звонку. В прихожей стоял милый дедушка, пенсионер, очевидно, тихо существующий на муниципальное пособие. Волосы старичка были аккуратно подстрижены, сухощавое тело облегал самый простой, любимый народом домашний наряд — спортивный костюм, купленный, вероятнее всего, на ближайшем вещевом рынке.

— Я думал, вы старше, — неожиданно сказал он, — вернее, знаю, сколько лет Дарье Ивановне, и не предполагал, что внешне вы выглядите подростком.

— Это комплимент? — без улыбки спросила я, по-прежнему стоя на лестнице. — Впрочем, я согласна, изумительно сохранилась, наверное, оттого, что перестала ежедневно ходить на службу.

— Милости прошу, — предложил дедуля. — Или боитесь?

— Никогда не была трусихой, — отрезала я, заходя в узкую, словно нора змеи, прихожую.

Старик спокойно запер дверь, я во все глаза следила за его руками. Простенькая наружная железная створка имела самые обычные запоры, подобные продаются на каждом углу, но вот вторая дверь выглядела иначе. Она была деревянной, но что-то подсказывало мне: под дубовой накладкой находится сталь, а замки хитроумные, похоже, электронные, потому что хозяин просто прикоснулся ладонью к филенке, и тут же послышалось характерное пощелкивание. Запор-невидимка, у него нет ни замочной скважины, ни ручки. Слышала о таком от Макса Полянского, он хотел поставить подобный прибамбас в своем коттедже, но потом со вздохом заявил:

— Такие деньги за штучку ломят, жаба душит.

Если уж моего бывшего мужа, способного

подарить жене фигуру мопса из чистого золота[1], съела жаба, то какими средствами располагает скромный пенсионер?

Дедушка повернулся ко мне.

— Осторожность и трусость вовсе не родные сестры. Слишком много людей в этом мире погибло, забыв посмотреть по сторонам, переходя дорогу, но меня бояться не стоит, я не сделаю вам ничего плохого.

— Верю, я вам нужна, хотите по непонятной пока для меня причине спасти Константина Звонарева.

Старичок моргнул.

— Вы знаете мое имя?

— Конечно, — ответила я. — Николай Шнеер, отец Милы и муж Нины Алексеевны. Думаю, с вами связался Владлен Богоявленский и рассказал о моем визите. Надеюсь, не станете настаивать, чтобы я величала вас Сергеем Сергеевичем Сергеевым?

Шнеер кивнул.

— Пройдемте на кухню, там и поговорим о деле.

Глава 32

Скромное пятиметровое пространство выглядело стандартно. Мойка, плита, простецкий небольшой холодильник, обшарпанные шкафчики, и никакого уюта. Похоже, Шнеер живет хо-

---

[1] См. книгу Дарьи Донцовой «Экстрим на сером волке», издательство «Эксмо».

лостяком, если, конечно, это его личная жилплощадь.

Николай опустился на табуретку и без всяких преамбул типа «Хотите чай или кофе?» деловито сказал:

— Я дам вам одну вещь, отнесете ее следователю и скажете...

— Нет, — прервала я его.

— Нет? — удивился Шнеер. — Насколько я понял, вы потратили кучу времени, сил и нервов, чтобы найти убийцу Милы.

— Кто он?

— Ну... боюсь, сложно будет понять суть дела. Короче говоря, это не Константин и не вы!

— Спасибо, в последнем я и не сомневалась.

Внезапно Николай усмехнулся одними губами.

— А зря, иногда даже себе доверять нельзя, есть разные методы, позволяющие...

— Мне не нужна лекция о способах убийства, назовите имя преступника. Мила умерла в нашем доме. Никто из домашних не способен уничтожить человека, да и не было у нас конфликтов со Звонаревой, никаких и никогда, значит, яд, особый, хитрый, попал в ее организм до визита к нам...

— Нет, отрава действует быстро, просто мгновенно, и в большинстве случаев, в особенности если умерший является человеком пожилым, его кончина считается естественной, вскрытие не делают, да... не делают, — размеренно сообщил Шнеер.

— Вы с ума сошли! — подскочила я. — В доме

находились лишь свои, потом пришел Костя, если Звонарев не убийца...

— Сто процентов не он.

— Тогда преступник кто-то из наших?! Это невероятно. Быстро говорите все!!!

Шнеер сцепил пальцы в замок.

— Я немного изучил ваш характер и понимаю, что должен полностью ввести вас в курс дела, иначе не понесете улики следователю.

— Точно. Не понесу. Вначале хочу точно знать, что случилось, из-за кого или из-за чего.

— Вы ведь дружили с Эммой Дамкиной? — неожиданно спросил Николай.

Я растерялась.

— Да, но при чем тут она? Эмма давным-давно живет в Америке, мы потеряли друг друга из виду.

— Эмма теперь жена очень богатого человека, Лиса Рифенваля, живет счастливо.

— Это здорово.

— Так вот, сообщу вам то, что вы столь желаете узнать, в обмен на информацию об Эмме. Что произошло очень давно, когда вы с ней ездили отдыхать на море?

Мои щеки охватило жаром. Откуда милый дедушка мог узнать об этом случае? В августе бог знает какого года, будучи студентками, мы поехали в Крым. Я, тощая девица, не имела успеха у местных парней, а высокая блондинка Эмма, счастливая обладательница бюста пятого размера, шла по улицам курортного городка, сопровождаемая возгласами: «Красавица, постой!»

Эмме очень нравилось внимание кавалеров,

и, несмотря на мои предостережения, она отправилась с одним из парней на романтическое свидание.

Около часа ночи перепуганная насмерть Эмма влетела в комнату и забилась в истерическом припадке. Еле-еле я вытащила из нее связный рассказ о произошедшем. Кавалер отвел даму в горы, и сначала они мирно любовались закатом, но потом парень буквально налетел на девушку, сорвал с нее платье и изнасиловал. Когда мерзавец начал надевать брюки, зареванная Эмма что было силы пнула его под колени. Насильник упал и скатился в пропасть, а Эмма убежала.

— Я убила его! — кричала она. — Давай уедем!

Но у меня в момент опасности мозг начинает работать с утроенной силой.

— Нет, — ответила я, — мы заплатили до понедельника, и будет странно, если внезапно сорвемся с места. Сидим тихо, если станут спрашивать, я отвечу: «Эмма перекупалась и никуда не ходила, я нахожусь с ней безвылазно».

Подруга и впрямь свалилась с температурой, хозяйка, цокая языком, заварила ей какие-то коренья. Вечером та же хозяйка, качая головой, сказала:

— Добаловался Ильдар, вечно к приезжим приставал, вот и допрыгался, в пропасть рухнул и помер, небось спихнули его за нехорошее поведение.

Милиция в наш дом так и не пришла, в понедельник мы отправились в Москву и более никогда не беседовали с Эммой о том ужасном случае.

Так откуда Николай Шнеер узнал об убийстве? Вот мерзавец!

Негодование затопило меня с головой. Я встала.

— Откройте дверь.

— Уходите?

— Да.

— Не желаете рассказать правду?

— Я не выдаю чужих тайн, — спокойно ответила я, — и считаю, что дружба, даже если вы перестали общаться с человеком, не прерывается. Сама найду убийцу Милы, ваши условия для меня неприемлемы.

— Сядь, — вдруг перешел на «ты» Шнеер, — это была проверка, сейчас доверю тебе некую информацию, но ты должна поклясться, что никто и никогда не узнает ее от тебя.

— Готова хранить чужие секреты, — кивнула я, — но не могу покрывать негодяев и мерзавцев.

Шнеер кашлянул.

— Хорошо. Что ты знаешь о преследовании евреев?

Я снова удивилась. Похоже, Николай любитель задавать ошарашивающие вопросы.

— Ну, к сожалению, пока в нашем мире живет много людей, не приемлющих евреев, так называемые антисемиты есть, увы, во всех слоях общества. В СССР, кстати, имея в паспорте в графе «национальность» слово «еврей», было порой трудно попасть на учебу в институт или устроиться на работу.

Не понимаю почему, но и в царской России люди, исповедовавшие иудаизм, подвергались гонениям, при самодержцах существовала так называемая черта оседлости, семитам предписывалось жить лишь в строго определенных местах.

Но страшнее всего евреям досталось во время Второй мировой войны. Бабий Яр, гетто в Киеве, Минске, Ровно, лагеря смерти Освенцим, Бухенвальд, Майданек... Везде первыми погибали евреи: дети, старики, женщины, мужчины. Есть пронзительная книга «Дневник Анны Франк», она написана еврейской девочкой, которая пыталась спрятаться от фашистов. А почему вы меня об этом сейчас спрашиваете? Лично я никогда не обращала внимания на национальную принадлежность людей. Сволочи, мерзавцы, преступники, негодяи и благородные, светлые личности встречаются в любой национальной группе. Нельзя утверждать, что все арабы — террористы, французы — страстные любовники, американцы — идиоты, чеченцы — воры, русские — пьяницы, а украинцы поголовно едят сало! Это же глупо!

Шнеер кивнул.

— Да, но не о том речь. О Нюрнбергском процессе слышала?

— Конечно. Главарей фашистской Германии судило все человечество. Кто-то из подсудимых, например Геринг, были казнены, другие получили разные сроки, нацистов наказали.

— Но не всех! — тихо сказал Николай. — Кое-кому удалось скрыться. Особо хитрые, поняв, что Германии конец, поменяли документы и рванули прочь, впрочем, бесследно исчезали не только нацисты, но и их пособники.

Вот, допустим, в городе Мотове, не так уж далеко от Москвы, всего-то каких-нибудь семьдесят километров к северу, жил парень. Ему в сорок первом году стукнуло шестнадцать. Такой спокойный мальчик из хорошей семьи, мама врач, папа — директор школы. Звали юношу простым именем Федор, а фамилия у него была тоже не бог весть какая — Соколов. Федя Соколов отлично учился, говорил на немецком языке, потому что папа-директор нашел для своей школы преподавателя, немца по национальности. Не начнись война, Федя бы поехал в Москву, поступил в университет, но судьба выбросила ему иную карту. В Мотово вошли немцы. Первым делом они расстреляли двух местных евреев, врачей городской больницы Сусанну и Якова Кантор, потом взялись за тех, кто при Советах имел вес. Погибли все: секретарь партячейки, ее члены, директор местного завода, передовые рабочие, расстреляли и Соколовых — отца с матерью, Федя успел скрыться. Немцы открыли комендатуру и установили «Ordnung»[1].

Представьте себе удивление оставшихся в живых мотовцев, когда они увидели, что в помощниках у местного коменданта служит... Федор Соколов. Парень блестяще говорил по-немецки и использовал свои знания на все сто. Фашисты оказались довольны помощником. Федор был крайне жесток и лично расстреливал тех, кто казался новой власти неугодным.

Местные жители боялись Федора больше захватчиков, тех еще можно было обмануть, а на

---

[1] Ordnung (*нем.*) — порядок.

вопрос: «Коммунист?» — быстро ответить: «Нет, нет, я ненавидел Советы» — и остаться в живых.

А как обвести вокруг пальца Соколова, который знал людей с детства?

Потом гитлеровцев прогнали прочь, в Мотово вернулись советские войска. Сначала они торжественно повесили несколько полицаев, местных жителей, которые продались немцам, затем двинулись дальше, впереди красноармейцев ждал Берлин.

Я тяжело вздохнула.

— Все-таки в древние времена было лучше заведено. Коли один правитель желал заполучить земли другого, он просто вызывал его на бой. Князья, или уж не знаю, как они назывались правильно, дрались лично между собой, народ лишь глазел на сражение, мирные люди оставались в живых, потом ситуация стала намного хуже, при любых столкновениях начали убивать простой народ. Вошли в город фашисты — убили всех неугодных, вернулись Советы — снова резня.

— Красная Армия при всех ее недостатках свой народ не трогала, — спокойно парировал Николай, — уничтожались лишь пособники фашистов.

— Зато, войдя в Германию, большевики развернулись, — покачала я головой, — стоит почитать воспоминания немцев, и мороз по коже бежит.

Шнеер пожал плечами.

— У войны свои законы. Но я сейчас говорю не о страданиях народа вообще, а о конкретных личностях. Федор Соколов ушел из Мотова вместе с немцами, дальнейший его путь был усеян трупами. Молодой человек, жестокий, злобный, убивал всех, кто ему по какой-то причине не нравился. Потом он оказался комендантом небольшого детского концлагеря в Польше и там уничтожил десятки, сотни еврейских малышей. Немцы, аккуратисты и педанты, тщательно вели бумажную бухгалтерию, сохранилось множество документов, подтверждающих вину Соколова, остались и фотографии, некоторые из них ужасны: ряд детей, стоящих на коленях, напротив несчастных, перепуганных крошек Федор с револьвером. Затем другой снимок: часть ребят уже мертва, Соколов, улыбаясь, заряжает оружие.

После войны нацистов и их пособников начали разыскивать, судить и наказывать. Среди добровольных помощников фашистов имелись и поляки, и чехи, и болгары, и французы, и русские, и, как это ни прискорбно звучит, евреи. Представляете, какая ненависть горела в душах тех, кто потерял детей, родителей, братьев или сестер? Люди моментально выдавали властям предателей, а потом обязательно шли на суд. В зале часто начинался крик, оставшиеся в живых родственники требовали смертной казни для убийц своих родных. Но суд руководствуется не эмоциями, а фактами. Фраза: «Все говорили, что он лично расстрелял колонну евреев у оврага» — не является уликой. Служители Фемиды принимались дотошно выяснять ситуацию, а защитники начинали задавать вопросы: «Вы лично присутствовали при расстреле? Нет? Тогда не можете выступать свидетелем».

И кое-кто из мерзавцев сумел-таки избежать наказания, другие получили маленькие сроки и, отсидев, могли начать жизнь с чистого листа. Нет, большинство преступников все же оказалось сурово наказано, но по заслугам получили не все. А еще случались моменты, когда человека, заподозренного в содействии фашистам, приводили, допустим, в комендатуру, а он потом непонятным образом оказывался на свободе.

Но время шло, и в начале шестидесятых годов во многих странах, пострадавших от фашизма, охота на тех, кто убивал своих соотечественников, постепенно стала ослабевать. После окончания войны прошло пятнадцать лет, начало подрастать поколение, которому посчастливилось не хлебнуть большого глотка из чаши несчастий. Да и оставшиеся в живых преступники постарели, изменились внешне и перестали бояться, что их моментально узнают на улицах. Большинство бывших убийц жило по поддельным документам в других странах, на своей родине они считались мертвыми, кое-кого держали за героев.

Вот, допустим, Степан О.[1] ушел служить народным ополченцем и пропал без вести. Его жена получила соответствующую бумагу, но, надеясь, что в канцелярии ошиблись, довольно долго ждала супруга. В начале 60-х ей стало наконец ясно: любимый не вернется, он пал смертью храбрых,

---

[1] Подлинная история, взятая из материалов, которые мой отец, писатель Аркадий Васильев, подготовил для своей книги об эмигрантах.

тело похоронено безымянным. Женщине оставалось лишь гордиться тем, что ее Степан погиб героем, защищая Родину. В конце 60-х годов вдова Степана, как одна из лучших доярок страны, была отправлена в Канаду, на международную выставку «ЭКСПО», ей предстояло рассказывать о достижениях родного сельского хозяйства. Посмотреть на советский павильон канадцы ходили толпами, представьте теперь ужас вдовы, когда в одном из посетителей она узнала... Степана. Бедная женщина, простая крестьянская натура, плохо умеющая сдерживать свои эмоции и порывы, подняла такой крик, что гостя выставки задержали. Он предъявил паспорт на имя болгарина Ивана Василева и сказал:

— Дама ошиблась, претензий к ней не имею, очень хорошо понимаю ее горе.

Но вдова не успокаивалась, она перечисляла шрамы, родинки «погибшего» супруга. И власти более тщательно проверили Василева. Выяснилась шокирующая информация: паспорт поддельный, а его владелец и впрямь Степан О. Он попал в плен, чтобы выжить, стал служить в зондеркоманде[1], убежал потом в Канаду, где и зажил спокойно под чужим именем.

И сколько таких василевых ходит до сих пор по земле? Но, повторюсь, с течением времени их стали ловить с меньшим пылом, чем сразу после

---

[1] Зондеркоманда — дословно: особая команда, подразделение, убиравшее трупы расстрелянных. Часто члены зондеркоманды сами убивали людей.

войны, а на исходе шестидесятых поиски в массовом порядке прекратились вообще.

Но остались на земле люди, в основном еврейской национальности, которые никак не хотели примириться со сложившейся ситуацией. И они сделали смыслом своей жизни поиск бывших военных преступников. Нет страны, где бы не жили граждане, исповедующие иудаизм, поэтому и в Америке, где после войны поселилось много евреев, и в Англии, и в России, и в Европе, и в Африке имелись группы энтузиастов, которые выискивали тщательно законспирировавшихся убийц. Иногда в руки сыщиков попадали крупные фигуры, вроде начальника гетто в городе Белая Церковь, порой вылавливалась мелкая рыбешка. Все подозреваемые личности изучались дотошно. Очень многие из «охотников» специально шли на работу в полицию или в службы безопасности, дабы иметь открытый доступ к документам.

До середины восьмидесятых годов из-за «железного занавеса» между капиталистическими и социалистическими странами группы эти работали порознь. Вернее, существовали две армии, общение между которыми было очень затруднено, но потом в Советском Союзе произошла революция, и появился общий центр управления с богатой казной. Многие евреи не могли сами участвовать в поисках, но охотно жертвовали огромные суммы на благое дело.

— Середина восьмидесятых! — всплеснула я руками. — Да все преступники давно вымерли! И их преследователи, кстати, тоже!

Николай сурово кашлянул.

— Нет. В Россию война пришла в сорок первом году, в армию брали даже тех, кто родился в двадцать пятом, незаконно, конечно, но шестнадцатилетние воины не были редкостью, и предатели того же возраста тоже. А тем, кто появился на свет в двадцатом, сейчас чуть больше восьмидесяти. Да, многие умерли, но кое-кто жив, и наше дело найти и наказать его. Что же касается самих «охотников»... Мой дед, Исаак Шнеер, — из активных участников движения. Его сын, мой отец, погиб в лагере, и вообще, у Исаака был длинный счет к гитлеровцам. Понимаете, евреи особый народ, мы ощущаем трагедию нации в целом, не деля ее на судьбы отдельных людей. Если именно у вас в семье никто не погиб в печах Освенцима, то все равно пепел сожженных единоверцев будет стучать в сердце. Кстати, мы разоблачали и тех, кто убивал русских, поляков, французов, болгар, украинцев, белорусов. Мы ищем преступников и никогда не говорим: «Ага! Вот этот не обижал иудеев, он жег лишь католиков».

Деды и отцы завещали нам бороться с убийцами, и мы будем делать это, пока на земле не останется ни одного нацистского преступника.

— Следует понимать так, что вы являетесь членом законспирированной организации, — тихо уточнила я.

— Да, — кивнул Николай.

— Но вы же служили в КГБ!

— Так.

— И вас не раскрыли? Не обнаружили?

Шнеер слегка улыбнулся.

— Есть вещи, о которых говорить не стоит. Впрочем... От начальства ничего скрыть было нельзя.

— Оно знало о вашей деятельности?

Николай посмотрел в окно.

— Давайте оставим ваш вопрос без ответа, — наконец сказал он, — почти каждая семья в России пострадала от нацизма. Меня пригласили на работу в КГБ в начале шестидесятых годов, а тогда людская память о преступлениях войны была ярче, да и в Комитете служили иные личности.

— Хотите сказать, что вас одобряли и поддерживали?

— Сейчас уже ответ на сей вопрос не нужен, — спокойно парировал Николай.

— Так кто убил Милу? — подскочила я. — Как она причастна к этой истории?

Глава 33

Николай тяжело вздохнул.

— Я не хочу, да и не имею сейчас права вдаваться кое в какие подробности, но, после того как к власти в СССР пришел Горбачев и началась гражданская война, члены нашей организации решили, что мне следует уйти из КГБ, и я превратился в летучего агента.

— Это кто такой? — разинула я рот.

Шнеер побарабанил пальцами по столу.

— Помните, я говорил, что возмездие не всегда настигало преступников? Более того, попав в руки Фемиды, кое-кто избегал наказания вообще. Суды словно не видели предоставленные нами бумаги, законники начинали требовать живых свидетелей, но чем больше лет проходило с конца войны, тем меньше оставалось людей, которые могли воскликнуть: «Да, вот он руководил расстрелами».

Мы начали терпеть поражение. В начале восьмидесятых годов нами был передан правосудию некий Роман Злотник, почти девяностолетний старец. Но в свое время он являлся одним из тех, кто массово уничтожал людей в Минске. Мы подготовили кучу документов, имелись снимки и даже парочка живых свидетелей. Все шло к тому, что Злотник получит высшую меру, но... его отпустили.

— Как? — подскочила я. — Почему?

Николай дернул плечом.

— У мерзавца было онкологическое заболевание, его отправили лечиться. Негуманно держать под следствием тяжелобольного старика. А о том, что он, будучи молодым и здоровым, истребил тысячи людей, как-то забылось.

Этот случай очень сильно подействовал на тех, кто занимался поисками, организация раскололась на две части. Одни члены требовали соблюдения строжайшей законности и передачи всех дел в суд, другие были полны решимости самим наказывать убийц.

«Какой толк отдавать преступников правосудию, их все равно освобождают, — заявляли они, — «собаке — собачья смерть».

В результате получились две партии: «законники» и «летучие агенты».

— Вы стали тем, кто сам наказывал убийц? — уточнила я.

Шнеер кивнул.

— Да. Только поиск предателя и сбор доказательств занимает годы, летучий агент порой вынужден бросить семью. Во-первых, он не может подвергать опасности жену и детей, а во-вторых, нельзя, чтобы на агента оказывали давление. Если вашей семье угрожают, скорей всего, вы приметесь ее защищать. А кое-кто из преступников, поняв, что его вычислили, вступал в борьбу, поэтому «летучий агент» должен быть одиноким, ему нельзя ни к кому привязываться, ясно?

Я кивнула.

— Вот почему вы «умерли»!

— Да, именно так, — кивнул Шнеер, — в то время нас в Москве имелось четыре человека, фамилий не назову, должностей тоже. Все при чинах и возможностях. Естественно, я не один организовывал свою «смерть». Ну а после похорон не оставил семью, Нина регулярно получала деньги.

— Жена не знала о вашем занятии?

— Нет.

— Но почему?

Шнеер вздохнул.

— Нина Алексеевна хороший человек, верная супруга, отличная хозяйка, но этих качеств недостаточно для того, чтобы стать членом организации. К сожалению, Нина невоздержанна на язык, слегка глуповата, в историю с возвращением долга она поверила сразу, что характеризует ее с определенной стороны. Вы согласны?

Я кивнула.

— Да. Но неужели вам никогда не было жаль супругу и дочь? Они так горевали о муже и отце.

Николай нахмурился.

— «Летучему агенту» приходится делать выбор между долгом и личным счастьем. И потом, я ведь все равно умру, и жене с дочерью придется рыдать на могиле, просто ситуация разыгралась раньше, горе пришло быстрее.

Я не нашлась, что возразить, а Шнеер методично продолжал рассказ:

— За годы, прошедшие с начала восьмидесятых, наша группа выявила и убрала пять предателей, возмездие неотвратимо настигло негодяев!

Я молчала. А что было сказать? Позиция Николая и его соратников понятна, но ведь виновность человека определяет суд, лишь после приговора может быть наказана та или иная личность. Но если Фемида делается не только слепой, но еще и глухой, безрукой и безъязыкой, тогда как? Заниматься судом Линча? Разве это хорошо? А оставлять безнаказанными военных преступников правильно?

— Но в последнее время работать становилось все тяжелее, — продолжал тем временем Николай, — мои помощники умирали.

— Их убивали?!

— Нет, увы, возраст, болезни, — пояснил Шнеер, — мы ведь тоже не делались с годами моложе, а новые кадры не находились. Молодежь сейчас не особо готова воевать за справедливость, хочет денег, но иметь дело с платным агентом опасно, он покупаем, как одной, так и другой стороной. И в конце концов я оказался почти в вакууме, срочно требовалось найти надежного человека, который бы подхватил из моих слабеющих рук оружие и довел начатое дело до конца. Я долго мучился, искал необходимое лицо и понял: надо подключать к делу родную дочь, Людмилу.

— Господи! — вырвалось у меня.

Николай, не замечая реакции слушательницы, продолжал:

— Мила дочь и внучка Шнееров, она была воспитана мною, Сарой и Исааком в правильном ключе, Нина с ее генетикой и тупыми нотациями не сумела испортить девочку, и я рискнул. Вызвал Людмилу и открылся ей, произошло это несколько лет назад.

— Господи, — тупо повторила я, — вот, значит, что она имела в виду, когда говорила Кате Симонян о какой-то правде, которую никому рассказать не может, вот откуда знала о всяких шпионских примочках. Зашел у нас как-то о них разговор, и я очень удивилась осведомленности Милы!

— Мы поняли друг друга, — без какой-либо эмоциональной окраски вещал Николай, — и разработали совместный план. Передо мной стояла задача отыскать того самого Федора Соколова, бывшего школьника из Мотова. Он, по моей пока предварительной информации, жил во Франции и являлся одним из известных кинопродюсеров. Мерзавец всегда передвигается в кольце охраны, наверное, до сих пор боится мести, его дом имеет бронированные стекла, а автомобиль похож на танк. Естественно, он живет под иным именем и фамилией, но чем дольше я занимался делом, тем больше понимал — это Федор Соколов, человек по горло в крови не только евреев, но и людей других национальностей. Была всего лишь одна возможность приблизиться к мерзавцу: раз в году он устраивает бал для кинематографистов, приглашает на него в том числе и российских звезд. Вот там Соколов оказывался без охраны, охотно, несмотря на более чем почтенный возраст, танцевал с актрисами, пил шампанское. Людмила работала в кинематографе, теоретически она имела шанс получить приглашение на вечеринку к Соколову, подлец не скрывал, что является русским, и охотно принимал соотечественников, но только звезд. Дело было за малым: сделать из Милы суперстар!

— И вы преуспели, — прошептала я, — шантажировали Волка украденными в свое время бумагами!

Николай кивнул.

— Да. Никита подлец, за что и получил по заслугам.

— Вы убили его!

— Нет, конечно. Зачем? Всего лишь вынудил снимать Милу в главной роли. Кстати, Волк не прогадал, Люда оказалась очень талантлива, просто ей до тех пор не везло, ну не обращали на нее внимания режиссеры. Я же сразу понял, дочь гениальная актриса, способная исполнить любую роль.

— Это она изображала старуху с котом на той квартире, куда Богоявленский принес папку, — догадалась я, — теперь все понятно! Впрочем, нет, окончательно запуталось. Скажите, Николай, ну с какой стати вы придумали такой хитрый план с Богоявленским? Не проще ли было попросить дочь саму взять папку, объяснить ей, в чем дело, раз уж вы шли в одной упряжке?

Николай отвернулся к стене:

— Наверное, проще, но я очень любил свою девочку и понимал, что она талантлива, просто обстоятельства складывались неудачно для нее, ей элементарно не везло! Я хотел, чтобы дочь считала себя настоящей звездой, почти гениальной актрисой, а не девчонкой, которую снимали в сериале под давлением обстоятельств. Мне была нужна реализованная, свободная личность, а не ущербная девица.

— Так Мила не знала, почему Волк пригласил ее на главную роль! Вы ничего не сообщили дочери об истории с Богоявленским, просто пообещали: «Ты станешь звездой, будет дан шанс — используй его!» — ахнула я.

Шнеер кивнул.

— Точно. Я не хотел, чтобы Мила даже догадывалась о существовании папки с компроматом на Волка. После сериала «Стужа» дела дочери резко пошли в гору, она стала сниматься в разных лентах. Мила была очень талантлива как актриса и великолепна в качестве нашего агента умная, быстрая, умеющая перевоплощаться. Н увы, при всех достоинствах она оставалась же щиной, патологически любящей мужа, а К стантин стал охладевать к супруге. Это есте но, чувства в браке меняются, но Людмил тела смириться с подобным развитием с придумала идиотскую игру с Интернетом, ей страстно хотелось, чтобы муж снова влюбился в нее. Когда я узнал о «забаве», то моментально, как отец и одновременно начальник, велел прекратить это. Мила вроде послушалась, но теперь я понимаю — соврала она, любовь оказалась сильнее долга!

— Похоже, она стеснялась того, что затеяла, — прошептала я, — у нас дома не рассказала правду про затею, понесла про какого-то Конрада, билеты в театр. Стала лепетать, что только два раза ходила в паутину... Отчего прямо не призналась?

— Сами уже ответили на этот вопрос, — нахмурился Шнеер, — она стеснялась выглядеть дурой. Взрослая женщина прикидывается другим человеком, дабы соблазнить собственного супруга. Идиотство! Но именно из-за него все и случилось — несчастье и смерть. А как все было подготовлено! «Стужу» приняли сразу на «ура»!

— А откуда вы взяли деньги на сериал? — на-

чо спросила я.

колай прищурился.

их дали друзья, далее без коммента-

л Шнеер.

, — шепнула я, — действительно,

Значит, Никиту вы не убивали?

мотал головой Шнеер, — мы за-

бывшими пособниками нацис-

лся от инфаркта, он ведь был

веком.

ов уверял, что его убили!

, кончина Волка, человека

извилистой судьбы, естественна, — тоном преподавателя математики пояснил Шнеер, — основная заповедь «летучего агента» звучит так: покарай преступника, но не навреди обычному человеку. Нас интересуют лишь пособники нацистов. Уголовники, «стукачи» и прочие мерзавцы не наше дело.

— Но Волка вынудили к сотрудничеству, — начала было я.

— Не стоит сейчас обсуждать сию ситуацию, — оборвал меня Николай, — я в свое время нарушил все должностные инструкции, чтобы помочь Владлену Богоявленскому, лучшему другу, которого считаю братом. Я не просто украл кое-какие доносы Волка, а еще ходил в определенные кабинеты, вымаливая для Владлена жизнь. Где Бурмистров и Коган? То-то! Давно в могиле, а Владя жив. Но он слабый человек, трус, позер и, увы, болтун. Мне, чтобы получить бумаги, которыми можно было припугнуть Никиту, пришлось обратиться к Владе. Я очень не желал этого делать, но, увы, иной возможности получить документы не имел. Организовывать грабеж квартиры Нинки я не хотел.

— Стойте!

— Что такое?

— Нина не знала о тайнике?

— Нет, конечно. Я не доверял жене до такой степени, более того, для нее являлось тайным и место моей работы. Нина Алексеевна считала мужа сотрудником некоего секретного НИИ.

Я прищурилась.

— Понимаете, в свое время Нина звонила

Владлену и устроила скандал, потребовала от Богоявленского денег, велела ему приехать, повторяя «я знаю все», а когда поэт прибыл к вашей супруге, та вдруг заявила, что не звала его. Богоявленский слегка повздорил с Ниной, и та вдруг сказала: «Ты хуже Никиты Волка!» Выходит, она что-то знала или о чем-то слышала!

Николай потер ладонью затылок.

— Нина истерична, она умеет закатить скандал на пустом месте, потом мгновенно остывает. А еще я разбаловал ее, занимался всеми ее проблемами. Оставшись одна, она сначала растерялась, а потом, решив, что Владлен обязан ей помогать, налетела на моего друга. Пока Владя ехал к Нине, та остыла и сделала вид, что ничего не произошло. Она такое со мной часто проделывала. Что же касаемо Волка... Довольно давно мы были у Богоявленских на дне рождения Ани. Поэт уже считался опальным, поэтому гостей никаких, только я и Нина. Жену вдруг понесло, она стала кричать, что мы неудачники, мало зарабатываем, славы не имеем. Сначала досталось мне: сижу как дурак в НИИ, в свет не выхожу и т.д., потом по полной получил Владя, в пылу Нина крикнула: «Вот Никита Волк! Вот чьей жене повезло! Да уж! И слава! И деньги! Все есть!»

Тут Владя встал и ушел, за ним комнату покинула Аня. Нина испугалась и притихла, а я сурово сказал ей: «Никита Волк совершил нехороший поступок по отношению к Богоявленским, ты сейчас очень обидела Аню и Владю».

Но это было все. Нина потом плакала, извинялась, друзья простили ее, но, видно, мое объяснение засело у супруги в мозгу, вот она, решив посильней ущипнуть Владю, и крикнула: «Ты хуже Волка!» Нина ничего не знала ни о моей работе, ни о каких других делах!

— И супруга не рылась в книгах, не вытирала пыль и никогда не видела том-коробку? — не успокаивалась я.

Николай улыбнулся.

— Даша, вы не книголюб. Старые издания не следует трогать, чем реже открываете шкаф, где они хранятся, тем лучше. Нина не лазила по полкам с тряпкой, ей еще Исаак запретил подобные действия. И такие тома не читают, их просто коллекционируют.

— Но зачем вы украли доносы Волка?

Шнеер неохотно признался:

— Взял из архива, а назад вернуть не сумел. Пока читал дома документы, сотрудник, который в нарушение всех правил дал мне бумаги, скончался, вот и пришлось их припрятать, я просто не сумел вернуть бумаги.

— Надо же, не выкинули!

— Деточка, — спокойно сказал Николай, — в этой жизни никогда ничего выбрасывать нельзя, в особенности документы. Совершенно не знаешь, что случится дальше, могут пригодиться. И пригодились! Но мне пришлось связаться с Владей. Я дал ему потом некий номер телефона и объяснил, что следует сказать, дабы, если понадоблюсь другу, меня предупредили о звонке. На днях Владя позвонил, рассказал о вашем визите и о том, что он, Богоявленский, сильно понервничал и в пылу истерики не выдержал, не сумел сохранить тайну и растрепал о мнимой смерти Николая Шнеера. Я, кстати, после смерти Милы приглядывался к вашей семье и быстро понял, что вы ищете убийцу дочери. Арест Константина меня расстроил, статьи в газетах огорчили еще больше, помните, я говорил об основном принципе «летучего агента»? А тут получилось, что страдают невинные, вы и Константин, я стал размышлять над ситуацией и понял, как действовать.

— Значит, это не вы велели Пищикову писать о нас гадости? — заорала я.

— Бог мой! Конечно, нет! Он сам напридумывал невесть что, — возмутился Шнеер, — мальчишка — дурак. Кстати, он в больнице.

— Вы...

— Мне и в голову бы такое не взбрело! Артур опубликовал цикл вранья об эстрадной певице Салли, а ее любовник возмутился и нанял парней, которые отдубасили борзописца, — ответил Николай. — У меня есть хорошие связи в милиции, от осведомителей я и узнал суть дела.

— Так кто убил Милу?!!

Николай сунул руку в карман, вынул оттуда коробочку и открыл ее:

— Вот.

Я уставилась на большой старинный перстень с нежно-зеленым изумрудом.

— Это что? Хотя погодите-ка! Подобное украшение появилось у Людмилы некоторое время назад. Она рассказывала, что купила его в Питере, в антикварном магазине, кольцо очень нравилось Миле. Как драгоценность попала к вам?

— Это не то кольцо, другое, — ответил Николай. — Людмила таки получила приглашение от Федора Соколова, ей предстояло в декабре ехать на бал и там убить преступника.

— Как?!

— Для этого было сделано кольцо и придумана легенда про антикварный магазин. Смотрите, если привести в действие хитроумный механизм, из-под камня показывается иголочка. Надо лишь нажать на изумруд особым образом. Вот так! Видно?

— Да, — прошептала я.

— Внутри яд, смертельный, практически неизвестный европейским экспертам. Подавляющая часть специалистов после вскрытия тела, вынесет вердикт: смерть естественна, инфаркт. В мире есть всего пара людей, умеющих определить отравляющее вещество, но один из специалистов живет в Боливии, другой в Африке. Люда должна была улучить момент и кольнуть Федора, смерть на балу, среди множества людей была бы сочтена некриминальной. Соколову много лет, он ведет, мягко говоря, нездоровый образ жизни. Инфаркт — и делу конец. Ясно?

— Ага, — кивнула я.

— Значит, вы сейчас берете кольцо и везете к следователю, вот координаты мужчины, телефон, фамилия, имя. Кладете драгоценность на стол и сообщаете: «Делали в доме генеральную уборку и под шкафом в прихожей обнаружили перстень, он не наш, принадлежал Людмиле Звонаревой. Может, он нужен для следствия?»

— И что? — вытаращила я глаза.

Николай насупился.

— Российские специалисты оказались слишком толковыми. Когда Мила погибла, я не сомневался, что эксперт сообщит: «Инфаркт», и дело будет похоронено.

Но невесть каким образом в уголовном розыске поняли: Звонареву отравили неизвестным науке ядом, и понеслось! Арестовали невиновного Константина, потом грязь полилась на вас.

— Так кто убил Милу?!!

— Кольцо Людмила должна была носить постоянно, привыкнуть к нему, научиться автоматически пользоваться механизмом, — медленно продолжил Николай, — и она его не снимала. Но потом случилась дикая история с Интернетом. Мила решила вновь влюбить в себя собственного мужа, разгорелся скандал, Константин приехал в ваше Ложкино, началась драка, во время которой случайно сработал механизм, выскочила игла. Такого не должно было случиться никогда, мы не раз использовали перстни, они абсолютно безопасны для агента, но... Говорят, что и незаряженное ружье стреляет.

— Она сама себя убила!!!

— Да. Вы отвезете перстень следователю, а тот получит всенародную славу, расскажет журналистам о старинном кольце, сделанном в семнадцатом веке... В общем, приготовлена целая история, борзописцы будут в восторге: яд, тайны, — мрачно закончил Николай.

— А следователь поймет, в чем дело?

— Да! Вы просто отнесите кольцо. Константина немедленно освободят, а тот же Пищиков прямо на больничной койке начнет строчить об обитателях Ложкина совсем иные статьи.

— Вы уверены, что сотрудник милиции адекватно отреагирует на улику? — лепетала я.

— Да, более того, он ждет вас.

Я вздрогнула.

— Хорошо. Мне положить перстень в сумку?

— Можете надеть на палец.

— Нет!!!

Шнеер кивнул.

— Как хотите, только отнесите. Я обязан спасти невиновного Константина Звонарева, и вы единственный человек, который может мне помочь. Все логично, Мила умерла в вашем доме, ее отравили, а теперь вы же обнаружили перстень, случайно закатившийся в дальний угол.

— А где кольцо Милы? То, что было у нее на руке?

Николай медленно встал.

— Не знаю. Вполне вероятно, что его украли санитары, которые везли мою дочь в морг, польстились на дорогое украшение, к сожалению, подобные истории не редкость. Вы помните, как тело забирали из Ложкина?

— Нет, — прошептала я.

— Осматривали Людмилу после смерти?

— Нет.

— И не можете вспомнить, имелось ли на ее пальце кольцо?

— Конечно, нет! Да и кто в подобной ситуации станет обращать внимание на такие мелочи! Человек умер, не до ерунды! — воскликнула я.

Николай кивнул.

— Верно, только людям, работающим на трупоперевозке, тело не кажется человеком. Думаю, кольцо украли. Вот что, Даша, езжайте к следователю и отдайте перстень. Никто, кроме вас, не сумеет этого сделать. Надеюсь, понимаете почему?

Я медленно поднялась с табуретки.

— Да. Членам моей семьи не следует знать правду о Людмиле, а посторонний человек нигде не мог найти перстень. Самое логичное объяснение: он упал и закатился под шкаф.

— Рад, что мы друг друга поняли, — без всяких эмоций довершил разговор Николай.

ЭПИЛОГ

Через неделю после моего визита в милицию газета «Треп» напечатала статью под названием «Тайна смерти Людмилы Звонаревой раскрыта. Всенародную любимицу сгубило антикварное кольцо». Я очень хорошо знала содержание публикации, Артур Пищиков показал мне черновик, написанный им на больничной койке, поэтому никакого удивления, увидав полосу, украшенную фотографиями, я не испытала. Но остальные, включая домашних, пережили настоящий шок. Несколько дней разговору в Ложкине было лишь о Миле и ее перстне, приобретенном в скупке.

— Прямо кино! — восклицала Ирка.

— Нельзя ничего вносить в дом, что раньше принадлежало другому человеку, — дудела Зайка. — Мало ли кто носил вещь до тебя! Только подумайте, отравленная иголка!

— Такие случаи описаны в книгах, — воскликала Маня, тыча всем под нос роскошно иллюстрированный том «История ядов», — вот, почитайте, как придворные друг друга травили.

Впрочем, новость обсуждали не только мы, о ней судачили на тусовках и вечеринках, а кое-кто из дам мгновенно стянул с пальцев и вынул из ушей прабабушкины брюлики, так, на всякий случай, от греха подальше.

Следователь, мужчина с простой фамилией Петров, столь ловко распутавший дело, мигом стал знаменит. Он раздавал интервью журналистам и пару раз засветился на телеэкране в разных ток-шоу.

Константина выпустили, он приехал к нам в гости, и мы целый вечер прорыдали, вспоминая Милу. Нина Алексеевна, узнав правду о кончине дочери, заболела и оказалась в клинике. Зять не бросил тещу в беде, он ни разу не напомнил ей о том, как она, воспользовавшись его арестом, выгнала вон Елену Марковну. Константин оплатил все расходы, и Нина Алексеевна вернулась здоровой домой, в ту самую квартиру, к зятю и его матери. Живут они по-прежнему вместе. Косте, конечно, приходится нелегко, иногда старухи доводят его почти до обморока, но деваться бедняге некуда, с родной мамой развестись нельзя, а очень пожилую тещу Костя жалеет.

— У каждого свой крест, — иногда вздыхает он, — в принципе, с бабками управляться несложно, главное, каждой из них потихонечку шепнуть, так, чтобы не слышала другая: «Мама, вы в доме главная, ваши ценные советы и указания для меня основные».

С Владленом Богоявленским я более никогда не разговаривала, сборников его стихов в продаже не видела и о судьбе поэта ничего не знаю. С Олегом Ремизовым тоже не встречаюсь, хоть и живу от него в двух шагах. Фильмы Никиты Волка часто показывают по телевизору, кстати, ленты с участием Милы тоже постоянно мелькают на экране.

Артур Пищиков по-прежнему работает в «Трепе», но мне все же удалось убедить парня пойти учиться на журфак, на платное отделение. Не стану объяснять вам, кто оплатил курс наук, в конце концов, это не так интересно, важно другое — Артур с запозданием взрослеет и потихоньку теряет злобность голодного волчонка. Он неплохой парень и имеет все шансы стать нормальным, думающим, профессиональным репортером.

В Ложкине особых изменений не произошло. Машка, Аркадий, Зайка и Александр Михайлович занимаются своими делами. Женя в конце концов переехал в новую квартиру, но все равно каждые выходные заявляется к нам и учит Ирку искусству обольщения, домработница со стилистом ведут настоящую охоту на садовника, загоняют постепенно Ивана в такой угол, откуда он сумеет выбраться лишь с обручальным кольцом на пальце. К слову сказать, Ира резко похорошела, ее волосы теперь блестят, кожа сияет румянцем. Может, дело во всяких масках и кремах серии «Сто рецептов красоты», которые ей приносит Света?

Кстати, о Светке, прочитав статью о перстне, подруга залилась слезами.

— Что случилось? — насторожилась я.

— Вот, — воскликнула Светка, — все, что угодно, раскрыть могут, а мою машину не нашли, и ноутбук тоже! Бедная я, несчастная, хоть бы кто помог! Ты не захотела, в милиции меня отшили...

Причитая и хлюпая носом, Светка пошла в ванную. Я проводила ее взглядом, потом взяла трубку и позвонила Селиванову.

— Да, — бодро отозвался Светкин обожатель.

— Верни машину и ноутбук, — рявкнула я.

— Знаешь, — зачастил Пашка, — я их уже почти нашел, еще неделька и...

— Хватит врать, — перебила я Селиванова, — очень хорошо знаю, что тачку и компьютер украл ты. Ловко придумал! Знал ведь, что милиция не захочет связываться с гиблым делом, вот и составил шикарный план: угнал «Жигули» и пообещал найти их. Небось у тебя на даче, в гараже стоят. Думаешь, Светка проникнется благодарностью и выйдет за того, кто вернет ей украденное, замуж?

— Дашка! — взвыл Селиванов. — Умоляю! Молчи! Она должна понять — я лучший друг!

— Я буду нема, как кастрюля, — усмехнулась я, — но лучше прямо сейчас объяви о находке, Светка в ванной рыдает, ей еще неделю не выдержать.

— Ага, — крикнул Пашка, — йес!

Самое интересное, что эта дурацкая затея

имела полнейший успех. Получив назад ноутбук со своими драгоценными записями, Светлана бросилась Пашке на шею, и весной будет сыграна свадьба. Я никому не рассказала о своих догадках, в конце концов, Пашка всегда казался мне самым лучшим кандидатом в Светкины мужья.

Впрочем, промолчала я и еще об одной ситуации. В мае Зайке пришла в голову идея: сделать в доме очередной небольшой ремонт. На сей раз ей разонравилась плитка, лежащая в холле, у входной двери. Если на Ольгу нападает раж, возражать ей бесполезно, спорить с Заюшкой опасно для здоровья, поэтому остается лишь терпеть неудобства и утешать себя тем, что плитка — это не внутренняя лестница, не стены, не потолок, не паркет...

Через два дня после начала работ ко мне, спокойно гулявшей во дворе с собаками, подошел рабочий.

— Слышь, хозяйка, — с легким акцентом сказал он, — старый пол сняли, плинтуса оторвали и в щелке кольцо нашли!

— Да ну? — удивилась я. — Какое? Вроде никто ничего не терял.

— Дорогое, наверное, — покачал головой строитель, — смотри.

Грязные пальцы разжались, я невольно вскрикнула. На поцарапанной ладони гастарбайтера лежал перстень со светло-зеленым камнем, точь-в-точь такой, какой получил следователь.

— Это оно, — прошептала я, мигом поняв ситуацию. Значит, во время драки Мила уколола себя, потом уронила с пальца кольцо, а то попало в щель.

— Нам чужого не надо, — спокойно сказал строитель, — грех воровать. Возьмите, видать, не копеечное.

— Нет, нет, — быстро забормотала я, — вернее, да, да, давайте. Только очень прошу вас, не рассказывайте никому о находке, ладно? А то меня за неаккуратность ругать станут. Вот сто долларов.

Рабочий кивнул и спрятал бумажку.

— Забыл уже.

— А ваши коллеги?

— Они по-русски не могут, — усмехнулся работяга, — я за переводчика.

Я сбегала в гараж, взяла толстые брезентовые рукавицы и лопату, через некоторое время перстень был зарыт в лесу, довольно далеко от поселка. Я не поленилась отъехать от Ложкина с десяток километров, нашла укромное место и похоронила изумруд.

Не успела я прийти в себя, как случился новый стресс. В середине июня, сразу после моего дня рождения, ночью раздался звонок по телефону, тихий, какой-то странный, то ли мужской, то ли женский голос сказал:

— Подмосковье. Деревня Репино, кладбище, могила номер двести семьдесят восемь. Съезди, он просил.

— Вы кто? — удивилась я. — И с какой стати мне катить на погост?

— Он просил, — повторил некто и отсоединился.

Крайне заинтригованная, я открыла атлас, обнаружила нужный населенный пункт и утром отправилась в дорогу.

Указанное захоронение оказалось новым и мало чем отличающимся от остальных деревенских погребений: простая железная оградка, деревянная скамеечка и самый обычный крест с железной табличкой: «Сергеев Сергей Сергеевич. Спи спокойно, дорогой друг».

Я постояла, облокотившись на железный столбик, потом сходила к центральным воротам и купила веночек из бумажных цветов. Николай Шнеер был евреем, а похороны и погребение иудеев проходят по другим канонам, чем у православных, и креста им на могилы не ставят. Пусть уж господь сам разбирает, столь ли велик грех тех, кто опустил в землю Шнеера неподобающим образом. И пусть неправильное погребение явится единственным прегрешением, которое создатель поставит в вину Николаю, потому что именно Шнеер сначала вовлек Милу в опасное дело, а потом дал дочери перстень с ядом. Трагическая случайность, скажете вы, ну кто мог предположить, что Костя и Мила станут драться, а отлично сделанный механизм даст сбой и выпустит иглу. И вообще, и Нина Алексеевна, и Николай велели дочери перестать встречаться с мужем в Интернете, а она не послушалась! Выходит, Мила сама виновата! Может, и так, но если бы на ее пальце не имелось кольца, то ничего и не случилось бы. Так кто повинен в смерти моей подруги? Неумолимый рок или Николай Шнеер, сделавший смыслом своей жизни борьбу с преступниками?

Спустя некоторое время после смерти «Сергея Сергеевича» я сидела в новом кафе Коваля под названием «Корея». В ожидании заказа я решила почитать газету и наткнулась на сообщение: «Великий продюсер умер во время ежегодного бала. Инфаркт настиг пожилого деятеля искусств во время шикарного фуршета. Дамы попадали в обморок, мужчины не сдержали слез, последней едой продюсера стала обожаемая им фуа-гра...» Я отложила газету. Сергеев-Шнеер умер, но, простите за штамп, дело его живет. Федора Соколова наконец-то настигло возмездие. Николаю удалось незадолго до кончины передать знамя борьбы в молодые, надежные руки? Или Соколова убрали иные люди? Нет ответа на этот вопрос, кое-какие тайны так и остаются нераскрытыми.

— Ваш кофе, — услужливо сказала официантка.

Я улыбнулась. После того как газеты сообщили правду о смерти Милы, «Треп» принес нам извинение, я не стала подавать на издание в суд, потому что уже успела завязать хорошие отношения с Артуром. К тому же Пищиков старается изо всех сил, он теперь регулярно пишет о нас самые восторженные слова. «Треп» швырнуло в другую сторону, я называюсь добрейшим существом, меценаткой и благотворительницей, Дегтяреву присвоили титул моего брата, Машка величается «прелестной девушкой, лучшей невестой Москвы», ну и так далее. Мне даже пришлось позвонить Артуру и велеть:

— Прекрати дождь из меда с елеем.

Едва «Треп» начал нас нахваливать, как в Ложкино потоком хлынули приглашения на всяческие тусовки, презентации, вечеринки... Роберт Коваль, тот самый, велевший в свое время не пускать в свои рестораны Дарью Васильеву, теперь, приседая и кланяясь, зазывал меня в трактиры. Честно говоря, мне не хотелось более никогда переступать порог его заведений, но сегодня ехала мимо новой ресторации «Корея», страшно захотела кофе, и я подумала: «Почему бы нет? Чего я боюсь? Теперь-то меня никто не погонит прочь».

Скорей всего, Коваль раздал обслуживающему персоналу четкие указания, потому что стоило мне появиться на пороге, как метрдотель, гардеробщик и официантки принялись, кланяясь в пояс, твердить:

— Мы счастливы принимать вас у себя.

Доселе неизвестный мне лично ресторатор, сам Роберт Иванович, тоже оказался тут, сидел у окна, увидел госпожу Васильеву и расплылся в улыбке.

Усмехнувшись, я села на диванчик. Между прочим, я проявила благородство и не сказала никому ни слова гадости о рестораторе, а ведь могла разнести по всем знакомым весть о том, как относится Роберт к клиентам: пока они на вершине жизни — их любят, стоит споткнуться — гонят вон. И ведь я не опустилась до мести Ковалю, проявила интеллигентность, хорошее воспитание...

Внезапно мой телефон «залаял», я бросила взгляд на дисплей. Светка! Скорей всего, подруга опять начнет хвастаться какой-то новинкой, маской или кремом. Нет уж, я хочу спокойно выпить кофе. Мобильный продолжает «тявкать», но можно не обрашать на него внимания.

Тут одна из посетительниц, дородная дама, сидевшая за соседним со мной столиком, повернула голову и недоуменно спросила:

— Здесь собака? Кто лает?

Неожиданно на меня напало озорство.

— Это с кухни, — ответила я.

Глаза тетки стали расширяться.

— Откуда?

— С кухни, — повторила я, — ресторан-то носит название «Корея», а в этой стране любят собачатину. На пищеблок и привели кандидатов в бифштексы.

Понимаю, что вы сейчас скажете! Согласна, шутка вышла дурацкой, неприятной. Уже сказав ее, я пожалела о содеянном, сейчас соседка хмыкнет и заявит: «Боже, ну и глупость вы несете!» — и будет совершенно права.

Но женщина отреагировала иначе.

— Кошмар! — заорала она, вскакивая на ноги. — Они здесь готовят собак! Немедленно ухожу!

— Где? — засуетилась девушка, пившая чай за круглым столиком. — Где едят собак?

— Здесь! Слышите лай?

Тут, слава богу, мобильный заткнулся.

— Нет, — завертела головой девица, — тихо.

Сотовый снова «загавкал», Светка очень настойчива, если она решила сообщить мне о новой маске, то, будьте уверены, не отстанет, пока не добьется своего.

— Ага! — завопила дама. — Сволочи! Немедленно уходите отсюда все, кто любит животных, понимаете? Объявим бойкот «Корее»!!!

Началась суматоха, посетители в массовом порядке принялись требовать счет, официанты заметались между столиками.

— Господа, — надрывался метрдотель, — кто наговорил вам глупостей о собаках? Это же неправда!

Поняв, что случилась беда, Коваль тоже кинулся к гостям.

— Стойте!

Но его никто не слушал, люди спешно покидали трактир, не забыв сказать при выходе:

— Более в «Корею» ни ногой. Бедные собачки.

Я незаметно выключила телефон и сунула в сумочку. В конце концов красный, вспотевший Роберт Коваль подлетел ко мне.

— Надеюсь, вы хоть понимаете, что случилась какая-то ерунда? У нас не делают блюд из собачатины! Понятия не имею, откуда несся лай. Ужасное стечение обстоятельств! Знаете, кто эта полная дама, поднявшая скандал?

Почувствовав себя совершенно отомщенной, я мило ответила:

— Нет, мы не знакомы!

— О-о-о! — застонал Роберт Иванович. — Марина Феоктистова, страстная собачница, защитница прав животных, а с ней был Олег Вазаров, ведущий ресторанный критик. Господи, «Корею» можно закрывать, такой антипиар организуют! Боже, мне остается лишь выбрать способ смерти! В этот ресторан столько вложено!

Я молча положила на столик деньги, ей-богу, не хотела так жестоко шутить над Ковалем, случайно вышло. И потом, я простила ресторатора, но, согласитесь, простить — не значит забыть.

— Яд, веревка, окно, — кричал Коваль, — что выбрать, а? Что? «Корея» накрылась! Феоктистова с Вазаровым меня не простят!

Я спокойно пошла в сторону гардероба. Коваль слишком экзальтирован, естественно, он не собирается вешаться или топиться. Хотя, похоже, проект «Корея» будет неудачным, ну ничего, откроет новый ресторан и назовет его «Друг животных», Коваль не разорится.

— Несите цианистый калий, — кричал Роберт, — немедленно подайте!

— У нас нет, — пискнула одна из официанток.

— Безобразие! Купите! — велело начальство. — Пошлите в аптеку.

Дрожащий метрдотель придвинулся ко мне.

— Не бойтесь, — подбодрила я мужчину, — просто уложите хозяина в кабинете на диване, дайте ему коньяк, скоро успокоится.

— Но он выбирает способ смерти! — заломил руки мэтр.

— Ерунда, Роберт Иванович просто нервничает, — ответила я и пошла к выходу.

В голове толкались разные мысли.

Мы не имеем права выбирать, как и когда нам умирать, мы можем только решать, как нам жить. И еще, никогда и никого не осуждайте, жизнь странная штука, порой она выделывает такие коленца, что и не понять: кто прав, а кто виноват. Если начнете порицать людей, у вас не хватит времени на то, чтобы их любить.

Донцова Д. А.
Д 67 Стилист для снежного человека: Роман. — М.: Изд-во Эксмо, 2005.— 432 с. — (Иронический детектив).

Вам доводилось есть салат оливье, заправленный сгущенкой? Нет? А вот гости, собравшиеся в особняке в Ложкине, смогли отведать сей деликатес. Безобразие, скажете вы, и будете абсолютно правы! А все потому, что мысли любительницы частного сыска Даши Васильевой заняты не предстоящим приемом, а очередным расследованием... В ее доме отравили известную актрису Милу Звонареву. На семейство Васильевых ополчилась желтая пресса. В чем только их не обвиняют. Чтобы прекратить поток гадостей в свой адрес, Даше необходимо найти убийцу. Она почему-то точно уверена, что с Милой расправился ее всемогущий любовник, который когда-то пристроил никому не известную актрису на главную роль в фильм к именитому режиссеру... Даша неуклонно идет к своей цели, несмотря на разные странности, что происходят дома, — то заявится пожить отпрыск старой знакомой стилист Женя — то ли девушка, то ли парень, сразу и не поймешь. А то в кладовой обнаружится настоящий... снежный человек...

УДК 82-3
ББК 84(2Рос-Рус)6-4

ISBN 5-699-10203-5

Оформление серии художника *В. Щербакова*

Литературно-художественное издание

Донцова Дарья Аркадьевна

СТИЛИСТ ДЛЯ СНЕЖНОГО ЧЕЛОВЕКА

Ответственный редактор *О. Рубис.* Редактор *Т. Семенова.*
Художественный редактор *В. Щербаков.* Художник *Е. Рудько.*
Технический редактор *Н. Носова.* Компьютерная верстка *Е. Попова.*
Корректоры *З. Харитонова, Н. Сгибнева*

ООО «Издательство «Эксмо»
127299, Москва, ул. Клары Цеткин, д. 18, корп. 5. Тел.: 411-68-86, 956-39-21.
Home page: www.eksmo.ru E-mail: info@ eksmo.ru

Подписано в печать 27.01.2005.
Формат 84x108 1/32. Гарнитура «Таймс». Печать офсетная.
Бумага газетная. Усл. печ. л. 22,68. Уч.-изд. л. 14,2.
Тираж 280 000 экз. Заказ № 0500270.

Отпечатано в ОАО «Ярославский полиграфкомбинат»
150049, Ярославль, ул. Свободы, 97